JUST REVENGE

DU MÊME AUTEUR

Le Mystère von Bülow,
J'ai lu, 1991.

Le Démon de l'avocat,
Grasset, 1996.

Alan M. Dershowitz

JUST REVENGE

roman traduit de l'américain
par Richard Cunningham

Éditions Ramsay

Titre original : *Just Revenge*

Ce livre est dédié aux membres de ma famille assassinés par les nazis et leurs complices. Mon arrière-grand-père, Avraham Mordechai Ringel – dont je porte le nom – avait quatre fils : Naftuli, Yakov, Anshel et Nussen. Mon grand-père maternel, Natfuli, est venu aux États-Unis avant la guerre. Yakov, qui assistait à un mariage à la veille de l'Holocauste, essaya désespérément de le suivre, mais il fut refoulé au nom du quota imposé aux immigrés juifs. Il fut tué, ainsi que ses enfants et petits-enfants, à l'exception d'un de ses fils qui émigra en Palestine. Anshel fut assassiné avec ses quatre filles. Nussen échappa aux nazis et parvint en Sibérie, où il survécut à la guerre, mais deux de ses petits-fils ont été assassinés, et quatre autres sont morts de faim et de maladie.

Que la famille Ringel et les millions d'autres victimes ne soient jamais oubliés.

Si vous nous faites tort,
ne nous vengerons-nous pas ?

WILLIAM SHAKESPEARE,
Le Marchand de Venise, acte III, scène 1.

Prologue

Massachusetts, mai 1999

En tremblant, le vieil homme braqua sa Volvo 1989 vers l'endroit exact où l'enfant de huit ans s'apprêtait à traverser la chaussée. Puis il glissa son pied droit de la pédale de frein à celle de l'accélérateur. Dans moins d'une minute, le garçonnet blond et souriant en route pour l'école primaire Sainte-Marie serait un tas de chairs sanglantes et d'os éclatés. Dans l'heure qui suivrait, la famille recevrait la nouvelle atroce que leur fils et petit-fils avait été écrasé.

Personne n'aurait pu imaginer l'homme au volant capable d'un acte d'une telle violence : assassiner un enfant ! Durant la quarantaine d'années qu'il avait passée aux États-Unis, il n'avait jamais dérogé à la loi, jamais fait sciemment de mal à qui que ce soit. Mais aujourd'hui, son besoin de vengeance, réprimé depuis si longtemps, devait être satisfait. Le moment était enfin arrivé. Le vieillard venait d'apprendre une chose si terrible, si impardonnable, qu'il était prêt à enfreindre n'importe quelle loi, n'importe quel commandement, à subir n'importe quelle punition, uniquement pour assouvir sa vengeance.

Tout en épiant l'imposant agent de la circulation qui faisait traverser les enfants, il abaissa lentement son pied sur la pédale de l'accélérateur. Le jeune garçon avançait, insouciant, une batte de base-ball dans une main, une balle dans l'autre. L'homme appuya à fond sur l'accélérateur. Alors que sa voiture se précipitait sur le gamin terrifié, son esprit explosa sous le kaléidoscope des images qui l'avaient rendu capable de tuer un innocent.

Première partie

LA FAMILLE RINGEL

1

Cambridge, Massachusetts
Sept mois plus tôt, octobre 1998

– Je suis heureux que tu sois de retour à la maison dès la fin de tes cours, dit Abe Ringel en serrant contre lui Emma, sa fille de vingt-deux ans. Mais tu as l'air fatiguée.

– Et toi, tu as quelques cheveux gris en plus, remarqua la gracile étudiante qui passait ses doigts dans la coiffure indisciplinée de son père.

Abe approchait de la cinquantaine, il savait bien que les cernes se faisaient plus marqués sous ses yeux, ses cheveux plus clairsemés autour de son front. Jusqu'à quarante ans, il avait semblé plus jeune que son âge, mais la dernière décennie avait commencé à entamer sa belle et robuste apparence.

Il garda sa fille un moment contre lui, en murmurant :

– Tu m'as manqué, ma chérie.

– Allons. Ça n'a duré qu'un mois. Et, en voiture, Yale n'est qu'à deux heures et demie d'Harvard. Même si, vu la manière dont on y enseigne la loi, on se croirait à des années-lumière d'ici.

Emma ne pouvait s'en empêcher : son père était l'un des plus fameux et des plus fidèles anciens élèves de la faculté de droit d'Harvard.

– Je refuse d'entrer dans ce genre de controverse avec une étudiante en droit de première année – surtout de Yale. Vous, les gosses, vous discourez même en dormant, sourit Abe. Parle-moi plutôt de tes cours. Vous avez vu le cas des marins naufragés qui ont dévoré le garçon de cabine ? C'était le premier que l'on étudiait en droit criminel, se rappela Abe avec nostalgie.

– À Yale, ces affaires poussiéreuses n'intéressent plus personne, papa, rétorqua Emma. Ça remonte au jurassique, ton exemple. C'est quand, la dernière fois qu'un marin a dévoré un garçon de cabine ?

– La question n'est pas là, Emma. L'important, c'est le point de droit que cela soulève.

– Oui, je sais. J'apprends ce genre de choses en cours d'histoire des lois. On y parle même de certaines de tes vieilles affaires. Très ennuyeux... soupira-t-elle.

– Vraiment ? Lesquelles ?

– Non, papa, c'est une blague. Mon Dieu, t'es vraiment plus dans le coup ! Mais on a étudié l'arrêté de Dred Scott sur l'esclavage.

– Et tu crois que j'aurais accepté de représenter le propriétaire de l'esclave ?

– C'est possible, non ?

– Seulement s'il avait été accusé de crime, répondit Abe en souriant. Non, je plaisante. Je me souviens de notre accord. Allons, parle-moi plutôt de toi. Tu as fait la connaissance de garçons sympas ?

– Je ne fais pas la connaissance de « garçons », papa, mais d'« hommes », rétorqua Emma avec malice.

– OK, ça suffit, grogna Abe en tournant les talons.

– Et la réponse est oui, continua Emma en feignant d'ignorer la gêne de son père. La classe est pleine d'hommes sympas. Et de femmes, aussi.

– D'accord, d'accord, je veux tout savoir.

– Pas question. J'ai passé l'âge de te demander ton

consentement, et la loi stipule que je ne suis pas forcée de tout te raconter.

Au moment où Emma prononçait ces paroles, Rendi, l'épouse d'Abe, entra en tenue de jogging, essoufflée et cramoisie.

– Ton père fait encore son curieux ?

– Ce ne sera pas la première fois, remarqua Emma dans un sourire, en se levant pour embrasser Rendi. Pouah, tu sens la sueur ! Tu t'entraînes pour le marathon ? Tu m'as manqué. À toi, je veux bien confier mes aventures sexu... hum, ma vie sociale. Parce que je sais que tu ne répéteras rien à papa.

– Plutôt la prison. Comme Susan McDougal. Mais on en bavardera plus tard. Tu m'as manqué aussi, Emma. Très bien, ton nouveau look.

– Papa ne l'a même pas remarqué.

– Ça ne m'étonne pas. Je pourrais me raser le crâne, ton père ne s'apercevrait de rien, renchérit Rendi, en jouant avec les boucles auburn qui encadraient son visage bronzé et retombaient en cascade sur ses épaules.

Son éducation dans un kibboutz en Israël, puis son service de plusieurs années dans le Mossad avaient donné à Rendi une force physique et psychologique peu commune.

– Je me raserai peut-être la tête un jour. On verra si papa s'en rend compte. Il n'a pas remarqué les anneaux dans ma narine, ajouta Emma, en détournant son visage du regard d'Abe.

– Je n'en suis pas fou, dit Abe, en risquant un coup d'œil sur le piercing.

Abe et Rendi s'étaient mariés peu après le second procès de Joe Campbell. L'affaire avait bouleversé la vie de la famille Ringel. Abe avait défendu avec succès la star du basket, accusée du viol de Jennifer Dowling, bien qu'il eût soupçonné son client d'être coupable. Puis Campbell avait tenté de violer Emma le jour de son dix-huitième anniversaire, et il avait bien manqué la tuer. Il avait fallu presque un an pour qu'Emma pardonne à son père et que les morceaux se recollent. Si ces événements avaient installé une tension entre le père et la fille, la crise avait rapproché Abe de Rendi, qui était depuis longtemps sa maîtresse et son enquêtrice. Rendi avait aidé Emma à y voir clair dans ses sentiments pour son père. Le mariage avait changé peu de chose pour le couple, hormis qu'ils vivaient dorénavant ensemble, dans la spacieuse et moderne maison d'Abe, à Cambridge. Ils se chamaillaient toujours comme deux gamins à propos de chaque affaire sur laquelle ils travaillaient. Mais ils s'aimaient passionnément, et tous les deux adoraient Emma.

Quand elle taquinait son père, Emma s'exprimait le plus souvent comme une adolescente et non comme une étudiante en droit de vingt-deux ans. Ainsi qu'une pendule dont les aiguilles se sont arrêtées sous l'effet d'une explosion, leur relation était, en quelque sorte, restée bloquée au moment où Emma avait frôlé la mort. Elle n'avait pas entièrement résolu les sentiments conflictuels que lui avait inspirés le rôle de son père dans cette horrible affaire Campbell. Depuis cette époque, ses taquineries lui permettaient de maintenir une distance psychologique vis-à-vis de son père.

– Qu'est-ce qui te ramène à la maison si tôt après la fin des cours ? demanda Rendi.

– Si tôt ? tonna Abe. Cela fait un mois que nous ne l'avions pas vue !

– Tout va bien ? continua Rendi. Aucun problème, j'espère.

– Ça va super bien. Les profs sont très cool, surtout les femmes. Ce sont elles, les meilleures. Mon professeur de droit pénal a assisté le juge Breyer à la Cour suprême.

Puis elle a été procureur dans des affaires de viol. Je lui ai raconté mon histoire.

– Pourquoi fallait-il que tu lui parles de ça ? s'inquiéta Abe.

– Il ne *fallait* pas. Mais je *voulais* le faire, assura Emma en fixant son père. Au début des cours, elle a déclaré que si quelqu'un avait une expérience personnelle en rapport avec le programme, il pouvait lui laisser un mot. Nous sommes trois à avoir répondu. Un type de la classe a été flic pendant cinq ans. Une étudiante a passé un mois en prison pour avoir refusé de témoigner contre son petit ami dans une affaire de marijuana. Et j'ai failli me faire violer. Je n'ai aucune raison d'en avoir honte, papa.

– Je le sais bien, mais ça risque de réveiller de très mauvais souvenirs, et ça ne regarde personne.

– C'est mon problème, et je l'assume du mieux que je peux. En parler me fait du bien. Qu'est-ce que je peux faire d'autre ? Ce n'est pas l'envie de lui couper les... qui me manque.

– Ça suffit, Emma. Inutile de nous faire un dessin. Je connais le tableau, et je ne l'apprécie pas. Ce n'est pas en te vengeant que tu te sentirais mieux.

– Qu'en sais-tu ? s'emporta Emma. Tu gagnes ta vie en obtenant l'acquittement de coupables criminels ! J'espérais, puisque tu es mon père, que tu aurais pu vouloir les lui couper toi-même...

– Crois-moi, répondit Abe, solennel, je sais à quel point le désir de vengeance peut être puissant. Je le vois dans les yeux des victimes, et je le lis dans les lettres de haine qu'elles m'envoient. Si elles ne s'en libèrent pas, ça les détruit. Tu n'as pas envie de ressembler à l'un de ces hystériques que l'on voit à la télé, hurler que le salaud qui a tué leur fille doit être exécuté !

– Tu ne peux pas comprendre ce que ça fait d'être victime d'une tentative de viol et de savoir que le type court toujours. Castrer Joe Campbell me ferait beaucoup de bien.

– Oublie ça. C'est illégal, et je n'ai pas envie d'avoir à défendre ma propre fille.

– Ce n'était qu'un fantasme, admit Emma avec un sourire las. Je ne suis pas du genre à agir. Je suis du genre à parler. J'ai même mentionné notre accord à mon professeur.

– Que lui as-tu dit exactement ?

– Que tu avais défendu Campbell et que tu l'avais fait acquitter, alors que tu le savais coupable.

– Je ne *savais* pas. Je *soupçonnais* ! Souviens-toi, il niait.

– Ouais. Je saisis la nuance. C'est juste que je ne suis pas d'accord. Tu savais qu'il était coupable. Et tu l'as quand même innocenté. Et ensuite...

– Je connais la suite, dit Abe en baissant la tête, soudain abattu. Ce n'est pas la peine de me la rappeler. J'en ai encore des cauchemars.

– Moi aussi, répliqua Emma d'une voix plus haute et plus forte. C'est pour ça que je dois en parler et faire quelque chose.

– Qu'est-ce que tu entends par « faire quelque chose » ? interrogea Abe d'une voix inquiète.

Emma fit des yeux ronds.

– Rien d'idiot, sois tranquille. Je rédige un texte pour le cours de criminalité. Je voudrais démontrer que les bons avocats ne devraient pas défendre de mauvaises gens.

– Mais c'est le système...

– C'est le système qui t'a permis d'obtenir la relaxe de ce salaud. Te rends-tu seulement compte à quel point il est injuste ?

– Ne pourrait-on pas avoir cette conversation une autre fois ? J'ai juste envie de parler de toi, pas du système.

– Mais c'est bien de moi que nous parlons. Je

t'explique ce que j'ai raconté au professeur Stith. C'est important pour moi.

– Je suis désolé. Vas-y, continue. Ça m'intéresse.

– J'ai déclaré que, après mon affaire, tu as décidé de ne plus jamais défendre un prévenu que tu savais coupable.

– J'espère que tu as bien précisé que mes principes n'ont pas changé. Je crois toujours...

– Je sais ce que tu crois. Et je saurai me contenter de petites victoires quand je traite avec l'Attila de la défense.

– Je ne suis pas *à ce point* inaccessible. La plupart des avocats de la défense...

– Je me fiche de la plupart des avocats de la défense, asséna Emma en faisant de son mieux pour imiter le ton professoral d'Abe. Je ne m'intéresse qu'à ton cas. Tu es ma mission spéciale. Le temps que je sorte diplômée de la fac de droit, je t'aurai converti.

– Ce n'est pas la peine d'insister. Tu m'as déjà converti, ma chérie.

– Non, pas complètement – enfin pour l'instant. Il me reste à modifier tes « principes ».

– Ça ne te suffit pas d'avoir fait de moi un hypocrite ?

– C'est un début. Un type blanc, mort depuis longtemps, a dit un jour que l'hypocrisie est l'hommage que le vice rend à la vertu.

– Je suis content que tu cites encore des types blancs morts, ma chérie.

– Presque tous les auteurs que l'on étudie à la fac de droit sont des *TBM*. J'apprécie ton hypocrisie. Mais je ne serai pas entièrement satisfaite tant que je ne t'aurai pas convaincu que défendre des coupables obéit à un mauvais principe. Je sais que tu as accepté notre accord à cause de ce qui m'était arrivé, mais ton attitude sent le paternalisme.

– Sur ce point, lâche-moi un peu. Après tout, la racine

du mot « paternalisme », c'est « père ». J'ai le droit d'être comme ça.

Les cicatrices laissées par l'affaire Campbell avaient forcé Abe à réexaminer ses critères pour accepter un dossier. Certes, il était encore un avocat de la défense zélé – certains auraient dit féroce –, mais il était désormais plus sélectif sur les clients qu'il acceptait.

– J'espère que tu as précisé au professeur Stith que je ne refuse jamais de défendre un inculpé encourant la peine capitale – qu'il soit ou non coupable, ajouta Abe.

– C'est différent : « Quand l'État veut tuer quelqu'un, on ne doit pas lui faciliter la tâche », concéda Emma en citant les mots que son père lui avait souvent répétés.

En dehors des cas, peu nombreux, où la vie de l'accusé était en jeu, les affaires qu'Abe pouvait plaider provoquaient presque toujours une vive dissension familiale. Avant d'accepter un dossier, Abe devait vérifier l'innocence du prévenu. Ce n'était pas toujours facile. Il se souvenait de ses premières certitudes quant à l'innocence de Joe Campbell au moment où il avait décidé d'assurer sa défense. Aujourd'hui, Abe avait une meilleure conscience de sa propension au *tnad*, le « trou noir des avocats de la défense », et il y était moins sujet. Il voyait plus clairement l'évidence, et quand l'évidence penchait du côté de la culpabilité, il transmettait l'affaire à son ancien associé, Justin Aldrich, ou à un autre avocat.

– J'ai payé mon tribut, et plus encore, au principe selon lequel il vaut mieux dix coupables libérés plutôt qu'un innocent condamné à tort, reconnut Abe devant Emma et Rendi. Maintenant, j'ai gagné le droit de défendre quelques innocents.

– Je n'instruirais jamais l'accusation de quelqu'un que je croirais innocent, insista Emma. Pourquoi la même règle ne s'appliquerait-elle pas aux avocats de la défense ?

– Parce qu'un innocent ne devrait pas être accusé. Alors que le coupable *doit* être défendu, répliqua Abe.

– Mais pas par toi, papa.

– Écoute, tu m'as convaincu. Une bonne avocate doit se rasseoir une fois qu'elle l'a emporté. N'insiste pas, ou je ne saurai plus quoi te répondre.

– Mes profs me fournissent pas mal d'arguments.

– Que peut-on attendre d'une bande d'anciens procureurs ?

– Raté. Il y a aussi quelques avocats de la défense en cure de désintoxication.

– Raté. Être avocat de la défense, ce n'est pas une maladie.

– Tout au moins, ce n'est pas contagieux, je peux te l'assurer.

– Mon Dieu, quel sens de la répartie ! Revenons-en à toi. Comment va ta copine de chambre ? Comment s'appelle-t-elle, déjà ?

– Tu connais très bien son nom. C'est juste qu'il ne te plaît pas. Angela Davis Bernstein. Une vraie révolutionnaire.

– Elle finira par travailler pour Cravath, Swaine et Moore. Comme tous les autres.

– Ça m'étonnerait ! Les attaquer, peut-être, mais travailler pour eux, jamais. Pareil pour moi. Je me suis inscrite à un stage d'été avec Linda Fairstein, le procureur principal pour les crimes sexuels à New York.

– Après ce par quoi tu es passée ? s'étonna Abe, choqué.

– Je suis différente, à présent. Mes erreurs m'ont beaucoup appris.

– Ce n'était pas ta faute, glissa Rendi.

– Sortir avec ce salaud, si, c'était ma faute. Ce qu'il a essayé de me faire, ça ne l'était pas. De plus, personne n'oserait tenter de violer un procureur spécialisé dans les crimes sexuels.

– Ne plaisante jamais là-dessus, s'emporta Abe.

– C'est de cette façon que je m'arrange avec ma souffrance, papa. Et je suis sérieuse. On lui aurait coupé les...

– Ça suffit avec tes rêves chirurgicaux. Tu aurais peut-être dû t'inscrire dans une fac de médecine, ma fille. Cela aurait sûrement rendu heureuse grand-mère Ringel.

– Je ne supporte pas la vue du sang.

– Au fait, je connais le mari de Linda Fairstein. C'est un type bien. Un avocat de la défense.

– Je parie qu'il ne défend que des accusés innocents.

– Comme moi, ma chérie. Quand j'en trouve un. Et ils ne sont pas si nombreux. Mes honoraires ont pas mal chuté depuis notre accord.

– Ça ne se voit pas. C'est quoi, ce tableau ? s'enquit Emma, en désignant une nouvelle toile sur le mur déjà surchargé du séjour.

– C'est un Soutine.

– C'est moche.

– La vie est moche. Il la peignait comme il la voyait.

– J'aime bien le style, mais je ne voudrais pas avoir ce genre de peinture dans ma chambre.

– Je ne te l'ai pas proposé. Qu'as-tu accroché sur les murs de ta chambre ?

– Quelques posters de Keith Haring, ta vieille litho de Ben Shahn représentant Martin Luther King, et un poster des Beatles.

– Tu peux me traiter d'homme du jurassique. Toi, tu en es restée aux années soixante-dix !

– J'aime les années soixante-dix.

– Tu étais une enfant dans les années soixante-dix. Qu'est-ce que tu connais de cette époque ?

– Maman m'en parlait souvent. Elle disait que le mouvement des années soixante ne s'est vraiment réalisé que dans les années soixante-dix. Puis, tout s'est terminé dans les années quatre-vingt.

Emma détourna la tête, en essayant de cacher ses larmes. Sa mère, Hannah, était morte dans un accident de voiture en 1987, et depuis, rien n'avait jamais été pareil. Rendi était une belle-mère merveilleuse – bien plus, elle était une amie –, mais personne ne pourrait jamais remplacer Hannah. Abe vit les larmes de sa fille et passa ses bras autour de ses étroites épaules. Il sortit un mouchoir pour essuyer ses larmes au fur et à mesure qu'elles coulaient.

– Tout s'est terminé dans les années quatre-vingt, répéta-t-il. Puis il y a eu un nouveau commencement dans les années quatre-vingt-dix.

Emma resta un moment silencieuse, puis elle se dégagea des bras d'Abe.

– Papa, j'ai invité un ami pour le dîner de shabbat, demain soir. J'espère que ça ne pose pas de problème. C'est un étudiant diplômé d'Amsterdam. Il étudie le droit international privé.

– C'est parfait. Max vient aussi.

– Jacob adorera Max. Ils sont tous les deux tellement « européens ». Il me tarde que tu le rencontres. Mais ne fais pas de chichis. Si tu lui faisais peur et qu'il s'enfuît, j'en mourrais.

– Je ferai de mon mieux.

– Il faut que tu fasses encore mieux que ça, conclut Emma en envoyant une chiquenaude sur la joue de son père.

2

Cambridge, Massachusetts
Le soir suivant

– Il est à tomber, s'exclama Rendi. Où l'as-tu déniché ?
– C'est lui qui m'a dénichée, à la bibliothèque.
– Eh bien, ça ne me surprend pas. Tu es à tomber, toi aussi. Et il est drôle ?
– À la manière européenne. Tu vois ce que je veux dire, pas comme papa, qui plaisante à tout propos.
– Je suis bien placée pour le savoir !
– Ce n'est pas que je n'aime pas son sens de l'humour. Je crois que papa aborde ainsi les questions graves, de biais. D'ailleurs, j'agis de même quand nous discutons ensemble. Mais Jacob est différent. Il préfère les conversations sérieuses, quel que soit le sujet.
– Même lorsqu'il s'agit de sentiments ?
– Même lorsqu'il s'agit de sentiments.
– Eh bien, il est effectivement différent de ton père. Tu es sûr que c'est vraiment un homme ?
– Pour ça, je n'ai aucun doute. Mais c'est un homme inhabituel. Nous parlons jusqu'à l'aube.
– Et le sexe ? demanda Rendi en baissant la voix et en arrondissant les sourcils.
– Il est très sensuel. Très européen. Très sophistiqué.

– Tu aurais donc des choses à m'apprendre ?

– N'abordons pas ce sujet. Même à toi, je ne peux pas tout dire, répliqua Emma en riant.

– Es-tu amoureuse de Jacob ?

– Je ne sais pas.

– Alors, ce n'est pas l'amour avec un grand A, suggéra Rendi. Plutôt l'aventure d'un semestre ?

– Peut-être ou peut-être un peu plus. Pour l'instant, tout se passe parfaitement bien.

– Sauf si Abe gâche tout.

– Heureusement, Max est avec eux. Il contrôlera papa.

Max Menuchen avait été présenté à la famille Ringel par le mentor d'Abe, Haskell Levine. Originaire de la Lituanie, qu'il avait quittée juste avant que n'éclate la Seconde Guerre mondiale, Haskell avait été le plus grand avocat de Boston et le professeur d'Abe à la faculté de droit d'Harvard. Au fil des années, il était devenu un membre à part entière de la famille Ringel.

Même si ni Abe ni Rendi n'étaient particulièrement religieux, ils préparaient chaque vendredi soir un dîner de shabbat traditionnel, auquel ils conviaient des amis. Haskell avait souvent été de ceux-là, et son souvenir imprégnait encore les discussions.

Depuis la mort d'Haskell Levine – peu de temps après l'affaire Campbell –, Max Menuchen restait le seul lien de la famille Ringel avec ses racines juives. Les grands-parents d'Abe étaient venus du sud de la Pologne, mais les parents d'Hannah étaient d'une petite ville de Lituanie, non loin de Vilna. Emma, par le truchement d'Haskell puis par celui de Max, conservait le contact avec la terre natale de sa mère. Les deux hommes parlaient avec le même léger accent européen, la même politesse chaleureuse, le même respect des traditions. Ils arboraient le même sourire énigmatique, reflet d'expériences trop douloureuses pour être exprimées avec des mots. Même leur manière de s'habiller était identique : ils portaient de vieux costumes démodés, impeccablement repassés, des chemises blanches et des cravates noires.

Au-delà de ces ressemblances apparentes, Max était cependant différent d'Haskell. Emma, quand elle était plus jeune, avait finement remarqué que Max avait trois bras, alors qu'Haskell n'en avait qu'un seul : « Max dit toujours "d'un côté", "d'un autre côté", "et pourtant, d'un autre côté". Haskell, comme avocat, se limitait en général à un seul côté. »

Max était fréquemment invité au dîner du vendredi soir des Ringel, surtout quand Emma était présente. Elle l'adorait. Quand Max racontait des épisodes de la Bible, il lui rappelait Hannah, qui avait été une merveilleuse conteuse. Max enseignait la Bible à l'École de la Divinité, à Harvard, et Emma sollicitait toujours son interprétation des épisodes qu'elle avait étudiés à l'École du dimanche. Il n'avait jamais une seule façon de considérer l'histoire la plus simple, mais toujours deux ou trois. Emma appréciait aussi la manière sereine dont Max envisageait l'existence. Elle aurait aimé que son père ressemblât davantage à ses deux vieux amis, et elle-même se choisissait des amoureux dont le caractère était proche de ceux d'Haskell ou de Max plutôt que de celui de son père.

Jacob Bruner, l'étudiant diplômé avec qui Emma sortait, était spécialisé dans le droit international, et il ambitionnait de devenir juge à la cour de La Haye. Il était à Yale pour un an.

Emma et Rendi rejoignirent les hommes dans le salon et s'étonnèrent de voir Max et Jacob lancés dans une discussion animée, tandis qu'Abe, en général volubile, écoutait silencieusement les deux Européens.

– Abe Ringel réduit au silence ! Des détails dans notre prochaine édition ! s'exclama Emma.

– On a dû manquer une conversation intéressante, ajouta Rendi. Mettez-nous vite au courant.

– Seulement si vous nous informez de ce dont vous papotiez toutes les deux dans la chambre, les filles, répondit Abe.

– Tu dis encore « les filles », papa. Tu ne comprendras donc jamais ?

– J'ai le droit d'appeler ma propre fille et ma propre femme « les filles », si j'en ai envie.

– Non, pas en public, fit Max d'un ton de reproche. On ne voudrait pas que ce jeune homme pense que tu es... C'est quoi le mot qu'emploie toujours Emma ?

– « Jurassique », oncle Max.

– C'est ça, jurassique. J'aime bien ce mot. Il est élégant. Vous ne trouvez pas, Jacob ?

– Emma juge parfois que je suis « jurassique », moi aussi, parce que j'ai presque trente ans.

– Alors, faites attention. Bientôt elle ne pourra plus vous croire, railla Rendi.

– Qu'est-ce que vous voulez dire ?

– Emma ne vous a-t-elle pas expliqué qu'aux États-Unis on ne peut pas croire quelqu'un de plus de trente ans ?

– C'est une plaisanterie, non ? demanda Jacob avec un sourire gêné.

– C'est une plaisanterie, le rassura Emma en prenant sa main droite pour le conduire jusqu'à la table, magnifiquement dressée. Entre les chandeliers étaient posés une challah[1] et un plat de carpe farcie.

Avant même qu'ils ne s'assoient, Abe commença à psalmodier la mélodie traditionnelle du « Shalom Alei-

1. Challah : assiette sacrée, emplie d'herbes amères, que l'on pose sur la table pour rappeler l'amertume du passage de la mer Rouge.

chem », l'accueil du shabbat. Rendi et Emma se joignirent à lui. Jacob essaya de saisir l'air. Max s'assit en silence. Puis Rendi et Emma allumèrent les chandeliers en se voilant les yeux d'une main. Abe bénit le vin et invita Jacob à bénir la challah.

Les rituels achevés, la conversation reprit.

– Parlez-nous de votre famille, demanda Abe à Jacob, en jetant un coup d'œil à Emma pour voir s'il avait dit quelque chose qu'il ne fallait pas.

– Mon père a fui la Pologne pour Amsterdam en 1939. Il connaissait la famille d'Anne Frank. Il a dû se cacher, mais il a réussi à survivre à la guerre, et il est resté en Hollande, où il a rencontré ma mère.

– Que font vos parents ? interrogea Rendi.

– Mon père est joaillier. Ma mère enseigne les mathématiques dans un lycée.

– Et la communauté juive d'Amsterdam ? questionna Max.

– La plupart sont des survivants, comme mes parents. Il y a aussi quelques expatriés américains, quelques Israéliens dans le commerce du diamant. Et maintenant de nombreux Russes et Ukrainiens.

– Des Lituaniens ? demanda Max.

– Pas beaucoup. Les rescapés originaires des pays de la Baltique y sont plutôt rares. C'est de là que vient votre famille ?

– Oui, dit Max, un peu sèchement.

– Ils ont survécu ?

– Non.

– Aucun ? insista Jacob.

– Je suis le seul.

– Je suis désolé, compatit Jacob.

Max hocha la tête. Il y eut un bref silence, puis la conversation reprit.

Abe n'ignorait pas que Max était le seul survivant de

sa famille, mais il n'en savait pas davantage, alors même qu'il était son meilleur ami depuis des années. Une fois, il avait interrogé Haskell Levine sur le sujet ; celui-ci, en guise de réponse, avait confié que Max lui avait fait jurer de ne jamais parler de sa tragédie familiale à quiconque.

Le dîner de shabbat s'acheva avec une des histoires bibliques de Max.

– Je me demande, commença Max, si notre tradition biblique approuverait que mon cher ami Abe défende certains des personnages terribles qui sont ses clients.

– C'est injuste. C'est Emma qui t'a soufflé ça ? interrompit Abe.

Emma et Max sourirent tous les deux tandis qu'Abe continuait à protester.

– Pourquoi ne parles-tu pas du jardin d'Éden, ou de quelque chose de ce genre ? Arrêtez de me taquiner.

– D'accord, mais c'est bien parce que je suis ton hôte, opina Max, avec son habituel sourire énigmatique. Puisque tu insistes, nous allons traiter du jardin d'Éden. Est-ce que quelqu'un se souvient de la première interdiction divine ?

Emma leva la main, comme si elle était en classe.

– Pas besoin de cette formalité, nous t'écoutons, dit Max.

– Ne pas cueillir le fruit de l'arbre de la connaissance.

– Exact. Et de quoi Dieu a-t-il menacé Adam, si jamais il touchait à cet arbre, Jacob ?

– Je crois que Dieu a menacé Adam de lui ôter la vie.

– Exact. Et, bien qu'il ait mangé un fruit de l'arbre, Adam n'est pas mort. Alors, pour quelle raison Dieu n'a-t-il pas mis sa menace à exécution ?

– Je sais, répondit Abe. Parce que Adam n'avait pas d'avocat, et que l'on ne peut pas prononcer une condamnation à mort si l'accusé n'a personne pour le défendre.

– Tu vois, triompha Max. Je savais que l'on en reviendrait à ma première question. Merci, Abe.

– Tu m'as trompé.

– Exactement comme le serpent a trompé Ève.

– Attendez, intervint Emma. Papa a tort. Il y avait un avocat de la défense. Pourquoi croyez-vous que Dieu a créé les serpents ?

Elle rit en tapant dans la paume de Rendi.

– Très drôle. D'abord, j'étais un dinosaure, et maintenant je suis un serpent. C'est sympa, cette façon de parler de l'homme qui paie tes frais d'inscription à la fac.

– Avec l'argent que tu as gagné en défendant des criminels qui sont pires que des serpents. Je parie que tu aurais défendu le serpent et que tu l'aurais fait acquitter, lui aussi.

Max s'éclaircit la gorge. Emma et Abe comprirent que cela signifiait que le vieil homme voulait répondre sérieusement à sa question d'origine.

– D'un côté, Abraham a demandé à Dieu d'épargner les pécheurs de Sodome, au cas où il y aurait des innocents parmi eux.

– Tu vois, intervint rapidement Abe, Abraham – il porte le même nom que moi – a été le premier avocat de la défense, et il a plaidé la clémence pour les coupables.

– D'un autre côté, continua Max, Abraham a perdu. Il n'y avait pas d'innocents à Sodome.

– Ça ressemble à la liste de tes clients, persifla Emma.

– Et pourtant, d'un autre côté, conclut Max, les rabbins ont loué Abraham d'avoir voulu défendre les coupables, et ils ont condamné Noé pour n'avoir pas discuté lorsque Dieu lui a fait part de son intention de détruire l'univers. Alors la réponse est : oui, notre tradition approuve ce que *notre* Abraham à nous fait pour gagner sa vie.

– Mais encore, d'un autre côté ? se plaignit Emma.

– Il n'y a jamais plus de trois côtés, dit Abe en faisant le V de la victoire.

La conversation se poursuivit tard dans la nuit, jusqu'à ce que Max annonçât qu'il devait partir. Abe et Rendi le raccompagnèrent à la porte, puis Abe murmura à sa femme :

– Montons. Je n'ai pas envie de savoir où vous avez prévu de faire dormir Jacob.

– Tu le sais très bien, le taquina Rendi, en le conduisant à leur chambre avec un sourire de sainte-nitouche.

3

Cambridge, Massachusetts
Six mois plus tard, avril 1999

– Qu'est-ce que papa pourrait m'offrir, cette année ? demanda Emma à Rendi alors qu'elles exploraient le sous-sol à la recherche du carton contenant les objets religieux pour le seder [1] de Pâque.

En tant que plus jeune participante, Emma, selon la tradition, devait « trouver » un matzah [2] dissimulé par le « meneur » de la fête, et demander quelque chose en retour.

– Ne crois-tu pas que tu as déjà beaucoup reçu, Emma ? Ton inscription, la voiture...

– Bien sûr, et je souhaiterais surtout que papa me donne un peu plus de lui-même, soupira Emma. Mais il adore me faire des cadeaux. Alors, au moins, ne le privons pas de ce plaisir. Cette fois, je suppose que je vais opter pour un nouvel ordinateur...

– Ton père explose dès que l'on prononce le mot « ordinateur » devant lui.

– Non, c'est juste l'idée d'en toucher un qu'il déteste,

1. Seder : fête du premier jour de la semaine de Pâque.
2. Matzah : pain azyme.

puisqu'il me demande d'effectuer des recherches sur Internet pour lui. Il prétend que c'est pour des clients innocents. Mais j'ignore si c'est vrai.

– Dans ce cas, tu devrais réclamer le tout dernier modèle, suggéra Rendi. Jacob doit arriver vers quelle heure ?

– Tard. Il vient en train. J'ai demandé à papa d'insister auprès de Max pour qu'il nous rejoigne. Cela fait plus de cinquante ans qu'il n'a pas assisté à un seder. J'ignore pour quelle raison il ne les aime pas, mais papa l'a convaincu de participer à celui-là. Jacob adore Max. Je soupçonne même que c'est pour lui qu'il a décidé de fêter Pâque avec nous au lieu de s'envoler pour Amsterdam.

– Allons, tu n'es sans doute pas étrangère à sa décision.

– Je l'espère bien un peu, s'esclaffa Emma en se trémoussant.

Emma et Rendi passèrent le reste de la journée à confectionner les plats du seder.

À six heures pile, Max sonna à la porte. Abe alla lui ouvrir.

– Max, tu as une mine affreuse. Quelque chose ne va pas ?

– Non, tout va bien, dit-il en essayant de sourire pour s'excuser. C'est le seder qui me rend nerveux.

– Ne t'inquiète pas. C'est juste un repas entre nous, sans cérémonie. Quelques bénédictions, des chansons, et l'on discute. Rien d'insurmontable. Pourquoi es-tu si tendu ?

– Je ne sais pas. Ça fait si longtemps.

– Détends-toi. Je suis sûr que tu vas adorer. Tu peux prodiguer tes conseils de sage à Rendi et à Emma qui préparent le repas. Tu es le seul d'entre nous qui as étudié, enfant, tous les rituels du seder.

Max alla dans la cuisine, où Rendi essayait d'apprendre

à une Emma réticente la confection des boulettes de pain azyme.

Jacob arriva quelques minutes plus tard.

– Commençons, dit Abe en conduisant ses hôtes à table.

Le seder se déroula paisiblement, les chants religieux et quelques prières entrecoupant les discussions animées. Cependant, Max était visiblement mal à l'aise. Pendant le dîner, il s'excusa trois fois pour aller aux toilettes. Il était en sueur, tourmenté. Et, encore plus surprenant, il ne parlait absolument pas. Ce n'était pas le Max des dîners de shabbat. Il n'y eut pas d'histoires tirées de la Bible, pas de débats philosophiques. Juste un silence anxieux. Quelque chose n'allait pas. Mais Abe savait qu'il valait mieux ne pas poser de questions, et surtout pas en public.

Après le repas traditionnel – potage au poulet, agneau, carottes à la sauce au miel, et abondance de vin et de matzah –, vint le moment d'accomplir le rituel de l'accueil du prophète Élie.

– Emma, lança gaiement Abe, il est l'heure d'accueillir notre hôte exceptionnel.

Emma se leva aussitôt pour se diriger vers la porte.

Soudain, Max se mit à crier : « Non ! *Non !* » et, bondissant de son siège, il lui barra le chemin. Les mains tremblantes du vieil homme agrippèrent violemment l'épaule de la jeune fille.

– N'ouvre pas cette porte, Emma, ordonna-t-il sèchement. Ne t'en approche même pas.

– Pourquoi ça ? demanda Emma, incrédule, en s'écartant de Max et en continuant de se diriger vers la porte.

– Ils te tueront. Écarte-toi de cette porte ! hurla Max qui, avec une vivacité très inhabituelle, poursuivait Emma.

Comme Emma, effrayée, se dégageait de son étreinte, Max tourna vers Abe des yeux de forcené.

– Arrête-la, supplia-t-il. Ne la laisse pas s'approcher de la porte.

– Max, qu'est-ce qui ne va pas ? demanda Abe.

– Ils vont l'emmener.

Sa voix, entrecoupée de sanglots, reprenait l'accent de l'Europe centrale.

– On ne reverra jamais notre Sarah Chava. S'il te plaît, grand-père Mordechai, s'il te plaît, empêche-la, gémit Max.

Abe saisit Max par les épaules et le secoua violemment.

– Qu'est-ce que tu racontes, Max ? Personne ici ne s'appelle Sarah Chava. C'est Emma. Et il n'y a pas de grand-père Mordechai. Regarde-moi, Max. Je suis Abe, ton ami. Reprends tes esprits ! De quoi as-tu peur ? Il n'y a personne dehors.

– Si, il y a quelqu'un ! hurla Max. Ils sont là. Ils nous attendent. Tu ne comprends donc pas ? Ils vont nous tuer. Prandus et ses hommes. N'ouvre pas la porte. Enfuis-toi. Je peux te sauver.

– Je t'en prie, Max, calme-toi. Tu nous effraies, supplia Rendi.

Max tourna ses yeux hallucinés vers Emma, et, désignant Abe et Rendi, il cria :

– Ils ne peuvent pas te protéger. Cours, cache-toi ! Ne les laisse pas t'emmener !

Finalement, en désespoir de cause, Rendi se dirigea à grands pas vers la porte d'entrée et l'ouvrit d'un geste brusque.

– Regarde, il n'y a personne.

Max s'affaissa aussitôt sur le sol, comme une marionnette dont on aurait coupé les fils. Il resta là, pantelant, tandis qu'Emma décrochait le téléphone.

– Non, n'appelle personne. Ça va aller maintenant, insista Max de sa voix normale. Toujours assis, il redressa le buste et fixa le seuil désert.

Puis il se mit à pleurer doucement, son délire hystérique laissant place à la gêne au fur et à mesure qu'il prenait conscience de l'endroit où il se trouvait et de ce qu'il avait fait.

– Je suis vraiment désolé. Abe, Rendi, Emma, Jacob, pardonnez-moi, je vous en prie.

Il se leva lentement en rajustant sa cravate.

– Ça va bien, maintenant. Je vais rentrer chez moi pour que vous puissiez achever le seder.

Abe fixa Max intensément.

– Tu ne vas nulle part. On ne peut pas faire comme s'il ne s'était rien passé. Il y a à l'intérieur de toi quelque chose qui doit sortir. Tu as gardé ça enfermé pendant des années, et ça a failli te rendre fou. Il faut que tu en parles, Max. Nous sommes ta famille, pas de secrets entre nous.

– Je ne peux pas.

– Je t'en prie, supplia Rendi, confie-toi à nous. Nous ne pouvons pas t'aider, si tu te tais.

– Cela me touche que vous vous sentiez concernés, mais j'ai réussi à supporter mon passé uniquement parce que je le gardais en moi. S'il vous plaît, respectez mon secret. Respectez ma décision.

– Non, répondit fermement Emma, en passant un bras autour des épaules de Max et en le conduisant jusqu'à un fauteuil. Tu nous as vraiment effrayés tout à l'heure. Il faut nous expliquer ce qui s'est passé. Tu nous dois bien ça. On t'aime, tu le sais. Et quand tu souffres, nous souffrons. Je t'en prie, oncle Max.

Max resta silencieux pendant plusieurs minutes qui leur semblèrent une éternité. Des larmes coulaient sans bruit sur son visage. Il leva la tête et réalisa qu'Emma pleurait. Rendi pleurait, elle aussi, ainsi que Jacob. Puis Max se tourna vers Abe, l'avocat de la défense, l'homme endurci qui avait tout vu. Abe se tapotait les yeux avec un mouchoir.

– Bon, reprit calmement Max. Vous avez le droit de savoir pourquoi j'ai réagi ainsi. Depuis plusieurs jours, j'étais angoissé à l'idée de ce repas. J'ai même été tenté de vous téléphoner pour me décommander. Mais je savais que cela vous inquiéterait, alors je me suis forcé à venir. Quand j'ai vu les préparatifs du seder, j'ai su, j'ai compris que ce serait difficile. Cela ressemblait trop au dernier seder de Pâque de ma famille – celui dont je rêve toutes les nuits. Je pensais à ma sœur, Sarah Chava, et à mon grand-père, le rabbin Mordechai. C'est pour cette raison que j'ai hurlé leurs noms.

Max se tut, comme pour reconsidérer sa décision. Puis, avec un air d'appréhension mêlée de détermination, il continua.

– Je vais vous parler de Sarah Chava, du rabbin Mordechai et du reste de ma famille.

Deuxième partie

L'HISTOIRE DE MAX

4

Souvenirs de Vilna, Lituanie
Avril 1942

Rendi versa une tasse de thé à Max tandis que le vieil homme se demandait par où commencer son histoire. Il but une gorgée, contempla la table de Pâque, et se lança.

– Quand je vous regardais préparer le seder, je revoyais mon grand-père, le rabbin Mordechai, la veille de notre dernière Pâque. Il était dans le grenier de notre maison, en train de chercher la caisse qui contenait les objets religieux que nous utilisions pour le seder.

« On devait avoir l'air bizarre, dit Max en se rappelant la scène avec un sourire ému. Un vieillard majestueux, avec une grande barbe blanche et une toque de fourrure, rampant dans un grenier sombre. Son petit-fils de dix-huit ans l'éclairant avec un chandelier. J'étais vêtu du costume noir et coiffé de la yarmulke[1], je portais les longues boucles traditionnelles, et une barbe naissante ombrait mon visage.

« Je m'en souviens comme si c'était hier. Grand-père trouva la caisse de Pessah[2] et l'ouvrit, laissant voir le

1. Yarmulke : coiffe pour les hommes.
2. Pessah : la Pâque juive.

grand calice d'argent qui brillait à la flamme de ma bougie.

« Ce calice était dans la famille de ma grand-mère Blima depuis 1492, lorsque les Juifs d'Espagne avaient été forcés de se convertir au christianisme. Les aïeux de ma grand-mère avaient feint de se convertir, mais ils avaient continué en secret à pratiquer le judaïsme, jusqu'à ce qu'ils puissent émigrer en Lituanie. Les chrétiens les appelaient des marranes – un terme méprisant venu de l'espagnol *marrano*, qui signifie "cochon". Ce merveilleux calice, fabriqué par un orfèvre, avait l'aspect d'un objet chrétien. En réalité, ses compartiments secrets contenaient tous les ustensiles nécessaires pour pratiquer le judaïsme, y compris de petits chandeliers et même un rouleau de la Torah en miniature.

« Chaque année, quand grand-père déballait le calice, il me disait : "Maxy, ne te sens-tu pas fier de descendre d'une famille capable de fabriquer un objet comme celui-là ?" Il m'expliquait comment mes ancêtres avaient risqué leur vie, car si l'Inquisition avait découvert leurs trésors cachés, ils auraient tous été tués. Puis il ajoutait : "Si tu perpétues nos traditions, je promets de te léguer le calice, plutôt qu'à ton père."

« Vous ne pouvez imaginer combien cela me blessait d'entendre mon grand-père et mon père se disputer à propos de la religion.

Max rapporta des discussions vieilles d'un demi-siècle comme si elles dataient de la veille, fermant les yeux pour raviver ses souvenirs. Parfois, revenant à son auditoire, il expliquait certains propos d'alors dont il craignait qu'ils ne fussent obscurs.

« Ce n'est pas exactement comme si mon père, David, était athée, précisa Max. Loin de là. Mais, modérément religieux, il estimait qu'un Juif pouvait mener une vie entièrement séculière. Il était opposé aux rituels anachroniques qui interdisent aux Juifs de se mêler aux Gentils. Mon père enseignait l'histoire ancienne à l'université de Vilna. Il avait beaucoup d'amis chrétiens, de collègues chrétiens, d'étudiants chrétiens. Il en invitait certains à la maison. Grand-père Mordechai, lui, ne souhaitait pas que ses petits-enfants se sentent à l'aise au milieu des non-Juifs. "Souvenez-vous de Chava", répétait-il souvent, par allusion à l'histoire de Shalom Aleichem, où Chava, fille de Tevya le laitier, épouse un garçon chrétien. La mise en garde était plus spécialement destinée à ma jeune sœur Sarah Chava, ainsi prénommée d'après ses deux grand-mères.

« En 1942, elle avait seize ans, mais elle paraissait plus jeune. C'était une authentique beauté, qui faisait déjà l'envie de toutes les mères juives du quartier. Elle avait un sourire magnifique, un regard terriblement expressif et un teint doré. Quand elle parlait, tout son visage s'éclairait de joie. Sarah Chava avait tout ce qu'aurait pu souhaiter un futur mari : un bon environnement familial, la santé, la beauté, l'intelligence. Elle était destinée à épouser le fils d'un des grands rabbins de la yeshiva [1] de Vilna.

Lorsque Max avait décrit sa sœur, une souffrance visible s'était peinte sur son visage. Il ferma les yeux comme pour repousser l'image de la jeune fille aux confins de sa mémoire. Après un court silence, il reprit son récit.

« Il était devenu difficile de se lier à des non-Juifs puisque les chrétiens n'avaient plus le droit de nous fréquenter. Mon père, qui avait été renvoyé de l'université, enseignait à la maison à quelques étudiants juifs, eux aussi chassés des écoles. Je me souviens que j'assistais à ces cours particuliers avec respect. Auparavant, je n'avais

1. Yeshivah : école de la Torah.

jamais vu mon père exercer son métier. Ses élèves le considéraient comme un dieu, tandis qu'il se tenait debout, dans la salle à manger, et traitait de sujets que je comprenais à peine.

« Bien que mon père eût choisi de mener une vie séculière – il portait des vêtements modernes, se rasait de près, pratiquait plusieurs langues –, il ne tenta pas de nous inciter, moi ou ma sœur, à suivre sa voie. Nous avions tous les deux décidé de marcher plutôt sur les traces de notre grand-père. Dans mon cas, cela signifiait délaisser l'enseignement laïque pour une éducation rabbinique.

« Emma, je sais que tu trouveras ça difficile à comprendre, prévint Max en se tournant vers sa jeune amie. Mais j'ai donné mon accord pour un mariage arrangé alors que j'étais encore plus jeune que toi.

– Tu avais quel âge ?

– Dix-sept ans, et ma femme, quinze. À cette époque, c'était tout à fait courant.

– À quinze ans, je ne m'intéressais même pas aux garçons.

– Personne ne demanda à Leah, ni à moi, si nous étions prêts, ou encore si nous nous appréciions. Mais j'ai eu beaucoup de chance : Leah était une fille merveilleuse.

– Jolie ?

– Belle, et quand elle a été enceinte, elle était radieuse.

– Elle a été mère à quel âge ?

– Leah a donné naissance à Éphraïm neuf mois après notre mariage, et à l'époque du seder de 1942, elle attendait déjà notre deuxième enfant. Elle souhaitait avoir six enfants, murmura Max en baissant la tête.

« Grand-père Mordechai adorait Éphraïm parce qu'il était son premier arrière-petit-enfant, et qu'il représentait la prochaine génération des Menuchen. La plus grande passion de grand-père, c'était la famille, le *yichus*. Le *yichus*, c'est le lignage. Plus il remontait loin, plus il comptait de grands rabbins, et meilleur il était. À Vilna, officiait un *yachsin* qui dressait les arbres généalogiques certifiant la lignée rabbinique de chaque famille. Même en ce temps de crise, le *yichus* déterminait le rang social de chaque Juif de Vilna, et peu de familles en possédaient un meilleur que celui des Menuchen.

« Cette année-là, l'anniversaire des soixante-dix ans de grand-père Mordechai avait coïncidé avec la circoncision d'Éphraïm, et je n'oublierai jamais sa prière pour que ses enfants, ses petits-enfants et ses arrière-petits-enfants atteignent tous l'âge magique de soixante-dix ans, comme il avait eu le privilège de le faire. J'avais serré dans mes bras grand-père Mordechai, en lui souhaitant de vivre éternellement. Grand-mère Blima, toujours prudente, avait dit aussitôt "Poo poo" en agitant la main.

– Pourquoi faisait-elle ça ? interrompit Rendi.

– Pour écarter les mauvais esprits. Elle craignait que l'on n'attire sur nous le *k'nayna hura*, le mauvais œil.

– Grand-mère Ringel parlait toujours de *k'nayna hura*, rappela Emma en se tournant vers son père.

– Le mauvais œil était sur Vilna en ces jours terribles, poursuivit Max. Un grand nombre de Juifs, en particulier des activistes politiques, avaient été arrêtés, dont M. Bloom, un leader sioniste qui habitait à côté de chez nous. De temps à autre, on entendait des coups de feu. Une épidémie de grippe avait pris quelques vies. Des rumeurs terrifiantes circulaient. Mais la mort n'avait pas touché notre famille.

« Les Juifs n'avaient plus le droit de sortir de leur quartier. Pour moi, c'était merveilleux de rester confiné dans notre vaste et vieille demeure en bois. Ses planchers craquaient comme s'ils étaient hantés par les esprits des rabbins Menuchen qui, pendant des générations, avaient vécu là et tenu des réunions dans la grande bibliothèque.

– Depuis combien de temps la maison appartenait-elle à votre famille ?

– Depuis le XVIe siècle. Mes parents étaient installés à l'étage avec Sarah Chava, Leah et moi au rez-de-chaussée avec notre bébé, grand-père Mordechai et grand-mère Blima dans les anciennes écuries, transformées en logement. Toute notre parentèle habitait dans le quartier et se rendait souvent "à la maison", comme ils appelaient la propriété Menuchen. Et à cette époque, plus que jamais, notre demeure servait aussi de centre communautaire, de synagogue, d'école, de salle de réunion. Pour moi, c'était le paradis, car tous ceux que j'aimais passaient la plus grande partie de la journée sous le même toit.

« À l'approche du seder de Pâque, la maison s'affairait pour les préparatifs. Grand-mère Blima présidait à la confection du repas, distribuant une tâche à chacune. Elle montrait à Surila – c'est ainsi qu'elle appelait Sarah Chava – comment ouvrir les grains de raisin afin que le chou farci soit le plus parfumé possible, selon la vieille recette familiale. Il fallait rouler le chou de façon que la viande et les raisins ne s'en échappent pas. Grand-mère disait que le secret de la réussite tenait à deux choses : choisir de larges feuilles de chou et les plier correctement. Et grand-mère de taquiner Sarah Chava en lui prédisant qu'aucun homme ne l'épouserait si la viande et les raisins tombaient de son chou farci !

Rendi rit et pressa la main d'Emma qui rit à son tour.

Max s'interrompit à nouveau pour prendre une gorgée de thé. Se tournant vers Emma, il reprit :

« Pour toi qui étudies afin d'avoir un métier, il doit être difficile de comprendre une fille comme Sarah Chava. En ce temps-là, les filles étaient élevées pour devenir des épouses et des mères. On les appelait des *baleboosteh*, c'est-à-dire "celles qui s'occupent du maître de la maison".

Emma pinça ses lèvres, comme si elle réprimait son hilarité.

– Qu'y a-t-il, Emma ? J'ai dit quelque chose d'amusant ?

– Non, c'est juste que le mot *baleboosteh* sonne comme « ball busters [1] », ce que les filles de ma génération sont accusées d'être.

– Ce n'est pas drôle, la réprimanda Abe.

– Ce n'est rien, assura Max en pinçant la joue d'Emma. Du moment que Jacob, ici présent, ne s'en formalise pas.

Jacob rougit et secoua la tête tandis que Max reprenait son histoire.

– Mon grand-père et ma grand-mère étaient connus pour leurs magnifiques seders, auxquels ils invitaient toujours toute la famille.

« Notre seder mêlait la spiritualité, le débat intellectuel et une gaieté bon enfant. On priait beaucoup plus que dans le tien, Abe. Et il y avait davantage de convives. Mais pour le reste, ce n'était pas différent. Ma grand-mère tenait de sa mère séfarade un vieux truc pour "ouvrir la mer Rouge", en souvenir de l'épisode de la Bible. En versant avec soin du poivre, de la teinture rouge et du savon liquide dans une grande assiette emplie d'eau, elle créait l'illusion que la mer s'ouvrait. Les enfants adoraient ça. J'essaierai de me rappeler comment elle s'y prenait, et je te l'apprendrai pour tes enfants, promit Max à Emma avec un grand sourire.

« Quand toutes les prières étaient récitées, grand-père se tournait vers l'assemblée et demandait : "*Nu*, est-ce que quelqu'un a une interprétation intéressante ?" Une rafale de réponses suivait. Une fois, à peu près au milieu du

1. Ball buster : expression argotique signifiant littéralement « exploseuse de couilles ».

seder, grand-père posa des questions sur les dix plaies. “Pourquoi l'Égypte a-t-elle été punie ? Après tout, c'est Dieu qui avait endurci le cœur de Pharaon. Si Pharaon n'avait pas de libre arbitre, pouvait-il faire autrement que de refuser de libérer les Israélites ?”

« Sarah Chava fut la première à tenter de répondre. Elle affirma que si Dieu était à la fois omnipotent et omniscient, alors la question de grand-père n'avait pas grand sens, car Dieu agissait avec Pharaon comme il agissait avec chacun. Puis elle commit l'erreur de comparer Pharaon à Hitler. “Ne prononce pas ce nom dans cette maison, la réprimanda sévèrement le rabbin Mordechai. Ce monstre n'est pas invité à notre seder.”

« Sarah Chava s'excusa et essaya de remettre la discussion sur ses rails en demandant à grand-père si les Juifs croyaient au paradis et à l'enfer. Mon père souligna que, dans la Torah, il n'était pas fait mention d'une vie future, mais grand-père répliqua que c'était dans le Talmud.

« Mon père me donna un petit coup de pied sous la table, pour que je suggère un compromis. Je me souviens exactement de ce que j'ai déclaré. “N'est-il pas vrai que les descendants d'une personne sont sa vie future après la mort ? Aussi longtemps que ses descendants se succèdent, cette personne demeure vivante à travers eux.” Le rabbin Mordechai assura que j'avais raison, et me complimenta pour mon interprétation qui renforçait sa foi dans l'importance du *yichus*.

« Le seder se poursuivit sans incident. Les femmes avaient préparé un festin de carpe farcie, de chou farci, de soupe au poulet, de poulet rôti, de carottes au miel et de matzah kugel[1]. Chaque fois qu'un plat était enlevé,

1. Matzah kugel : pâtisserie confectionnée avec de la farine de pain azyme.

grand-mère Blima annonçait fièrement qui l'avait aidée dans sa préparation. L'assistante se levait pour faire une révérence sous les applaudissements de la famille. De temps à autre, les chansons interrompaient les conversations, toujours très animées.

« Le point culminant de la fête – en plus du chou farci – c'était l'arrivée du prophète Élie, qui ne ratait jamais un seder chez les Menuchen. Bien sûr, personne ne le voyait, mais grand-père Mordechai parvenait à "prouver" qu'il était passé parmi nous. Traditionnellement, on prépare un calice pour Élie, dans lequel chaque homme met un peu du vin de son propre verre. Nous utilisions pour l'occasion l'ancien calice marrane, qui contenait la valeur d'un grand verre de vin. Au moment prévu pour l'apparition d'Élie, grand-père Mordechai ordonnait aux enfants d'aller ouvrir la porte de la maison au prophète invisible. À leur retour, il leur montrait qu'une partie du vin dans le calice était en train d'être consommée sous leurs yeux. "Voyez, Élie est en train de boire", assurait-il avec aplomb. Les enfants les plus jeunes le croyaient, et les plus âgés pensaient qu'il y avait un truc. Le jour de leur bar-mitsva, grand-père leur révélait le secret familial. Plusieurs centaines d'années auparavant, un des ancêtres de grand-mère Blima avait aménagé une petite valve dans le calice d'Élie, par laquelle le vin pouvait s'écouler dans le pied. Nos aïeux avaient de l'humour en ce qui concernait les traditions sacrées.

Pendant un instant, Max sourit en se rappelant la joie des seders de son enfance. Puis, soudain, tout son corps se raidit.

« Cette année 1942, ce fut différent. Grand-père Mordechai nous montra le calice plein puis dit à Sarah Chava d'aller accueillir Élie. Ma sœur ouvrit la grande porte en bois et fit un bond en arrière. "*Gottenyu !*" cria-t-elle. Il y avait vraiment quelqu'un à la porte, mais ce n'était pas le prophète. L'homme se présenta poliment : "Capitaine

Marcelus Prandus, de la Police auxiliaire lituanienne." Je n'oublierai jamais son apparence. Le capitaine Prandus était un très bel homme, aux cheveux blonds parfaitement coiffés et aux yeux d'un bleu profond. Il était accompagné de miliciens lituaniens, vêtus de chemises noires, avec des brassards portant la croix gammée, et armés de mitraillettes allemandes.

5

Cambridge, Massachusetts
Le même soir

– Pardon, il faut que je m'arrête quelques instants. C'est difficile pour moi, se justifia Max en essuyant la sueur qui perlait sur ses sourcils.

– Prends ton temps. Va à ton rythme, proposa doucement Abe en prenant la main de Rendi.

L'auditoire attendait avec impatience de savoir ce qu'avaient fait Prandus et ses hommes, mais tous sentaient bien que Max avait besoin de marquer une pause et de reprendre pied dans le présent.

– Ta famille ressemble beaucoup à la nôtre, remarqua Emma. Toujours des frictions entre les générations, un père qui s'imagine qu'il sait tout. Même les discussions : « Y a-t-il un paradis, un enfer ? » On débattait de ça quand j'avais dix ans.

– Oui, c'est vrai, l'interrompit Max. Comme moi, tu adores ton père – et tu le respectes.

– Oui, mais aujourd'hui, les parents et les enfants doivent gagner mutuellement le respect et l'amour de l'autre, fit remarquer Emma.

– Pour ma génération, il était obligatoire de manifester

de l'amour et du respect, même si l'on ne les éprouvait pas toujours, concéda Max d'une voix douce.

– Voilà pourquoi j'ai toujours aimé ta génération, plaisanta Abe.

– Je comprends à présent la raison pour laquelle tu as hurlé le nom de Prandus. Mais pourquoi m'avoir donné le nom de ta sœur ? interrogea Emma.

– Je t'ai appelée Sarah Chava parce que tu me la rappelles beaucoup. Quand tu t'es dirigée vers l'entrée, j'ai soudain vu Sarah Chava allant à la porte, et j'ai eu peur pour toi – pour elle. Tu as quelques années de plus qu'elle, mais elle était mince comme toi, et futée. Et très belle, elle aussi. Tu l'aurais adorée.

– J'en suis sûre, acquiesça Emma.

Tandis que Max reprenait le fil de ses pensées, Rendi lui versa une autre tasse de thé.

– Pour des personnes comme nous, il est impossible d'imaginer ce que tu décris : les ghettos, les coups de feu, Hitler. Tout cela est si étranger à ce que nous connaissons, observa-t-elle.

– C'était étranger aussi à ce que nous connaissions, énonça Max d'une voix amère. Les livres d'histoire parlaient bien de pogroms, de persécutions et d'exactions ponctuelles. Mais rien qui soit comparable aux événements de cette époque. C'était sans précédent. Personne n'était préparé à ce qui allait se produire. Et c'est arrivé si vite. On est paisiblement réuni en famille, et soudain...

Max ne parvint pas à continuer. Il s'enfouit la tête dans les mains, submergé par les sanglots.

Abe se pencha vers lui.

– Tu n'es pas forcé de poursuivre si tu ne le souhaites pas, suggéra-t-il doucement. Je crois que maintenant nous comprenons tous ce que tu ressens.

Max se redressa d'un bloc.

– Comprendre ? Comment le pourriez-vous ?

Abe fit aussitôt amende honorable.

– Je suis désolé. Ce n'est pas ce que je voulais dire.

– Je ne suis pas en colère contre toi, Abe. Et même s'il est impossible de « comprendre » pour quiconque n'a pas vécu ces événements, je tiens à vous raconter chaque détail de mon histoire.

6

Le bois du Ponant, Vilna, Lituanie
Avril 1942

Max inspira profondément et reprit son récit là où il l'avait suspendu.

– Marcelus Prandus nous ordonna de nous diriger sans délai vers la grosse bétaillère garée devant la maison. Il a fallu que l'on s'entasse pour y tenir tous. Pendant la demi-heure de trajet jusqu'au bois du Ponant, nous étions en état de choc. Les enfants pleuraient. Une odeur d'urine se répandait. C'était terrible. Nous étions tous terrorisés. Les adultes restaient silencieux, ils s'étreignaient et étreignaient les enfants.

« Le véhicule s'est arrêté dans un vallon au milieu du bois du Ponant. Il y avait là huit autres camions, d'où descendirent des familles entières. Quoique chaque groupe fût gardé séparément, j'ai reconnu la plupart des prisonniers : tous juifs et de familles importantes, ils étaient habillés de vêtements de fête. Les hommes portaient des *kittels* blancs, les tenues de cérémonie semblables à des toges, réservées aux seders... et aux funérailles.

« J'ai appris plus tard que les nazis choisissaient souvent les fêtes juives pour leurs coups de filet, leurs *Aktions*, comme ils les appelaient. Ils savaient que, ces jours-là, les familles seraient réunies, et il était rare que quelqu'un cherche à fuir lorsqu'il était embarqué avec tous ses parents. Et puis, lors des réjouissances, les Juifs mettaient leurs plus beaux bijoux, que la milice raflait aussitôt comme butin. Marcelus Prandus avait personnellement confisqué le calice marrane pendant que ses hommes nous conduisaient vers la bétaillère. Il déclara que l'objet irait au musée que les nazis prévoyaient de construire pour éduquer la population sur les coutumes de la race juive.

« Chaque groupe se tenait debout, en cercle, serrés les uns contre les autres pour lutter contre le froid de cette nuit printanière. Il y avait du brouillard, et les lumières des camions produisaient un scintillement féerique. D'une main, je serrais mon fils Éphraïm, de l'autre, je caressais doucement le ventre de ma femme enceinte. J'étais terrorisé. Tout le monde était terrorisé. Personne n'osait émettre plus qu'un murmure. Les Lituaniens faisaient leur boulot, poliment. Eux aussi semblaient attendre un signal. Il a mis longtemps à venir.

« Finalement, après plus d'une heure, Prandus a annoncé : "Il est temps de creuser." Les Lituaniens ont sorti six vieilles pelles du camion. Ils m'en ont donné une, ainsi qu'à mon père et à quatre autres hommes. "Papa, je ne me suis jamais servi d'une pelle. Et j'ai peur", ai-je chuchoté. "Regarde-moi. Je vais te montrer comment la manier", me répondit-il à voix basse.

« Les Lituaniens nous ont conduits au pied d'un petit monticule, et nous ont ordonné de commencer à creuser une petite fosse. La terre, gelée en surface, était difficile à entamer, mais au fur et à mesure que les hommes creusaient plus profondément, elle s'amollissait. Je manquais d'adresse. Deux fois, la pelle me tomba des mains. Deux fois, je l'ai ramassée rapidement et j'ai continué de creuser. Puis elle a heurté un rocher, sur lequel elle s'est ébréchée. Mon père a alors échangé sa pelle avec la mienne.

« Au bout d'un moment, Prandus est venu inspecter les travaux. Il ne semblait pas satisfait de la vitesse à laquelle on creusait. Quand il a jugé les trous acceptables, il a fait rassembler les pelles et chaque homme a regagné son groupe. À nouveau, nous avons attendu, en murmurant et en frissonnant. Aussi incroyable que cela paraisse, je crois que personne ne pensait à la mort. Et pourtant, pour quelle autre raison creuser ? Pourquoi une telle équipée en pleine nuit ? Mais, à ce moment, la mort nous paraissait inconcevable. Prandus était si poli, si pragmatique. Un seul d'entre nous pouvait-il vraiment croire que neuf familles avaient été enlevées pendant le seder de Pâque pour creuser des fosses et ensuite rentrer à la maison ? Rien n'était trop absurde en ces jours terribles.

Max se tut et se tourna vers Abe, comme s'il cherchait son approbation.

– Pendant des années, j'ai été torturé à l'idée ne pas avoir deviné ce qui, à l'évidence, se préparait. Si je m'en étais rendu compte, qu'aurais-je fait ? Aurais-je pu hurler quelque chose pour inciter quelques-uns à s'enfuir ? Quant à moi, même si j'avais compris, je n'aurais pas pu abandonner ma femme enceinte et notre enfant. Ni mes parents et grands-parents. Mais la fuite était peut-être envisageable pour mon père ou ma mère ? Ma sœur ? Un cousin ? Un oncle ? Un enfant ? Les chances étaient minces car nous étions cernés par un peloton de miliciens armés. Ils avaient des camions, et nous étions à pied. Mais qu'un ou deux s'enfuient était possible. Même si c'était difficile, ils auraient au moins pu essayer.

Max commença à frissonner. Il reposa sa tasse de thé pour éviter de renverser son contenu.

– Tu as fait tout ce que tu as pu, lui assura Abe d'une voix douce. Ne te blâme pas.

– Je ne me fais pas de reproches. Je me demande juste si ça aurait pu être différent.

Max se tut un instant. Puis, il se prit le menton entre deux doigts et secoua la tête.

– Je comprends maintenant pourquoi j'ai agi ce soir de cette manière insensée. J'ai fait ce que je n'avais pas tenté à ce moment-là : avertir ma sœur. Je suis désolé de vous avoir infligé ça.

– Tu ne nous as rien infligé, le rassura Abe. Tu nous as édifiés.

– Alors je dois compléter votre instruction, dit Max, et il reprit son récit :

« Nous sommes restés debout en silence, serrés les uns contre les autres, jusqu'à ce que, finalement, Marcelus Prandus prenne la parole. "J'ai décidé que votre famille serait la première", nous annonça-t-il comme s'il évoquait quelque privilège. "Vous avez le droit de savoir ce qui vous attend. Pour vous, c'est une affaire de minutes." Puis il sortit un document écrit, et commença à le lire. Cela disait à peu près ceci : "Le Führer a décidé que le problème juif ne pouvait se résoudre que d'une seule manière. La graine d'Abraham doit être à jamais détruite. Il n'est pas question de culpabilité ou d'innocence individuelle. Ce n'est pas votre faute si vous êtes juifs, la faute réside dans vos gènes, dans votre semence." Prandus destinait ce discours autant à ses compagnons lituaniens, dont certains étaient des adolescents, qu'à ses victimes désignées. "Ce que nous allons accomplir, nous le faisons pour le bien de l'humanité. Votre destin doit obéir à la volonté du Troisième Reich. Vous pouvez vous considérer comme des soldats mourant pour sauver leur patrie."

« Prandus prononça ces mots sans aucune trace d'émotion ou de doute. Ses intentions étaient maintenant sans ambiguïté. Pourtant, il n'y eut pas de panique, pas de cris, pas de tentatives de fuite.

« Prandus conduisit grand-père Mordechai près de la fosse que nous avions creusée. "Cet homme est le patriarche de la famille Menuchen. Lesquels sont ses enfants ?" Personne ne répondit.

« Prandus sortit de sa poche une liste tapée à la machine et la consulta. "Il n'y a aucune raison de rendre les choses plus difficiles ou plus douloureuses qu'elles ne doivent l'être", dit-il en s'excusant presque. Peut-être parce qu'il s'imaginait pouvoir protéger son frère, mon père fit un pas en avant et déclara : "Je suis le fils unique du rabbin Mordechai."

« Prandus baissa les yeux sur la liste et rétorqua : "Il y a un autre fils, Moshe. Lui aussi doit s'avancer."

« Personne ne bougea. Prandus pointa son fusil sur grand-mère Blima : "Si Moshe Menuchen ne se désigne pas immédiatement, je tirerai sur sa mère." Moshe fit un pas en avant.

« Le fusil toujours pointé sur Blima, Prandus appela les petits-fils. Je rejoignis mon père près de la fosse, en même temps que les deux fils de Moshe.

« "Et maintenant les arrière-petits-fils." À cet ordre, ma famille commença à hurler : "Non, non !"

« Je lançai une prière désespérée à Prandus : "Mon fils n'est qu'un bébé. Il ne sait même pas qu'il est juif. Je vous en prie, épargnez-le. Prenez-le. Vous ne pouvez pas faire de mal à un enfant !" "Vous ne comprenez pas", répondit Prandus d'une voix égale, en me fixant de ses yeux bleu acier que je n'oublierai jamais. "Les enfants, c'est ce qu'il y a de plus important. Toutes les précédentes tentatives pour anéantir une race ont échoué parce que l'on n'était pas prêt à tuer les enfants. Nous n'échouerons pas à cause d'une telle couardise. Les enfants, c'est ce qu'il y a de plus important", répéta-t-il en posant une main sur la tête d'Éphraïm.

« Je commençai à trembler de terreur. Je ne pouvais même pas pleurer. J'étais pétrifié, submergé par le vertige et la nausée. Je me sentais impuissant. D'autres criaient.

Je les voyais agiter frénétiquement les bras en signe de désespoir. Leur peur était presque palpable. Mais je ne pouvais rien faire d'autre que contempler le visage innocent de mon enfant condamné.

« Prandus passa entre les autres membres de ma famille, les identifiant un par un. Il s'arrêta devant Sarah Chava et la signala à l'un de ses miliciens, qui l'entraîna de force vers un camion. "Elle sera épargnée", annonça Prandus.

« Puis deux Lituaniens poussèrent ma femme Leah, qui hurlait en s'approchant de la fosse, Éphraïm serré contre elle.

« Grand-père Mordechai supplia Prandus : "Je vous en prie, je vous en supplie. Tuez-moi le premier, pour que je ne vois pas ma famille assassinée. La Bible – dans laquelle vous croyez autant que moi – ordonne, quand on prend un bébé oiseau, de tuer d'abord sa mère. Je vous en prie, tuez-moi d'abord."

« "Non", refusa Prandus, impassible. "On a l'ordre de tuer les plus jeunes d'abord. Ce sont eux les plus importants."

« Tandis que grand-père Mordechai commençait à pleurer, je pensai à l'adoration qu'il portait au *yichus*, à ce que sa famille avait apporté au peuple juif pendant tant de générations. Maintenant, notre lignée allait s'éteindre, pour toujours.

« Que j'aie songé à ça, en un pareil moment, peut paraître étrange, mais c'est la vérité. Je me désolais qu'il n'y ait plus personne pour perpétuer le nom des Menuchen. Grand-père Mordechai n'aurait pas de vie future à travers ses descendants, parce qu'il n'y aurait pas de descendants. Sauf peut-être Sarah Chava. Je me souviens avoir pensé ça. Au moins, pour elle, il y avait un peu d'espoir.

« Grand-père Mordechai, comprenant que nous étions tous condamnés, tourna son visage vers le ciel et commença à déclamer : *Ani ma-anim, b'emunah shlaima, beviyas ha-Mashiach* ("Je crois, avec toute ma foi, en l'arrivée du Messie"). Alors, au fond des yeux de mon grand-père, j'ai vu de la confiance. Tandis que dans le regard de mon père, il n'y avait que de la terreur. À cet instant, j'ai compris le pouvoir de la foi. À cet instant, j'ai compris aussi que je ne pourrais plus jamais avoir la foi. J'ai éprouvé le même effroi que mon père en voyant Prandus diriger son fusil vers ma femme.

« Tout s'est passé très vite, au milieu des cris, des hurlements, et de tentatives désespérées pour résister ou pour fuir. Prandus a d'abord abattu ma femme, Leah, d'un coup de feu dans son ventre de femme enceinte. Éphraïm est tombé à terre. Je l'ai recouvert de mon corps. Prandus m'a écarté d'un coup de botte, et a pointé son arme sur l'enfant qui pleurait. J'ai tendu les bras vers Éphraïm en hurlant : "Non, non !" Prandus lui tira une balle dans la tête. J'ai vu exploser son petit crâne fragile. Un instant plus tard, Prandus a tourné son fusil vers moi et a appuyé sur la détente. Le dernier mot que j'ai entendu, ce fut le cri de mon grand-père : "*Nekama !*"

7

Cambridge, Massachusetts
Le même soir

– Il t'a tiré dessus, oncle Max ? demanda Emma, les yeux emplis de larmes.

– J'ai essayé de le sauver. J'ai tenté tout ce que j'ai pu. Mais ça n'a pas suffi, gémit Max, qui n'entendit même pas la question d'Emma.

– Tu n'aurais rien pu faire de plus, intervint Abe.

– Mais j'ai vécu et il est mort. Tous les autres sont morts.

– Comment as-tu survécu ? insista Emma.

– Si je croyais en Dieu, je te dirais que ce fut un miracle. Mais ce ne fut que le fruit du hasard. C'est ainsi que la plupart des survivants s'en sont sortis, par hasard.

– Et Sarah Chava ?

– J'ignore ce qu'il lui est arrivé.

– Alors il est possible, s'écria Emma, qu'elle ait survécu ?

– Il reste toujours une possibilité. Je n'ai jamais abandonné tout espoir, admit Max en hochant la tête. Si elle avait réussi, d'une manière ou d'une autre, à survivre, elle serait une vieille femme aujourd'hui. Elle serait peut-être même grand-mère. Je ne parviens pas à l'imaginer en vieille femme...

En prononçant ces mots, Max recommença à sangloter.

– Si ce salaud de Prandus franchissait la porte à cet instant, je pourrais le tuer de mes propres mains, rugit Emma, le visage tordu par la douleur et la colère.

– Et je t'aiderais, dit Jacob, la voix tremblante d'émotion.

– Lui aussi serait un vieil homme, remarqua Max. C'est plus difficile de tuer un vieillard.

– Ça n'a pas été difficile pour ce monstre, répliqua Emma.

– Est-ce qu'ils l'ont pris, après la guerre ? interrogea Rendi.

– Je ne crois pas. Je n'ai rien entendu à son sujet. Il vit probablement quelque part dans la région de Vilna. À moins qu'il soit mort. Je l'ignore.

– Que signifie le mot que ton grand-père a hurlé ? questionna Emma.

– Ça veut dire « venge-nous ». J'ai appris plus tard que le mot *nekama* avait été écrit sur les murs des camps de la mort et des ghettos. Je ne sais pas à qui était destinée cette imprécation de mon grand-père, puisqu'il pensait qu'aucun d'entre nous ne survivrait. Il s'adressait peut-être à Dieu.

– Et que t'est-il arrivé après que l'on t'a tiré dessus ? Comment en as-tu réchappé ? demanda doucement Rendi pour inciter Max à continuer son récit.

8

Le bois du Ponant, Vilna, Lituanie 1942

– J'ignore ce qui s'est passé juste après le coup de feu. J'ai repris conscience en sentant quelque chose me tomber dessus. Quelqu'un jetait des pelletées de terre sur moi. Ma tête m'élançait de douleur, et pendant quelques secondes, je ne fus pas sûr d'être en vie. Je comprenais juste que l'on était en train de m'ensevelir. Puis mes pensées se sont éclaircies. Être enterré vivant serait sûrement pire qu'une mort instantanée. Peut-être devais-je faire un mouvement et m'assurer ainsi le coup de grâce ? Ou bien devais-je rester immobile pour feindre d'être mort ? Je me suis souvenu combien était peu profond le trou que nous avions creusé. J'avais peut-être une chance de survie.

« Je suis resté sans bouger jusqu'à ce que je ne puisse plus respirer. Ensuite, j'ai retenu mon souffle aussi longtemps que possible. Quand j'ai commencé à sentir que je m'évanouissais, je me suis dit que je n'avais plus le choix. J'ai commencé à remuer, certain que j'allais me faire tirer dessus.

« Je suis parvenu à sortir une partie de ma tête que je secouai lentement pour chasser la terre qui me bouchait les yeux. Je devinai la silhouette en mouvement d'un grand Lituanien, une pelle dans une main et un fusil dans l'autre. Cependant, je n'arrivais pas à distinguer si l'homme se dirigeait vers moi ou s'il s'éloignait. Après un moment de terreur, j'ai réussi à ouvrir grand les yeux, et j'ai vu que le Lituanien se dirigeait vers la fosse d'une autre famille. Je suis resté longtemps immobile, une éternité, soufflant doucement la poussière de mes narines, jusqu'à ce que j'entende enfin les camions faire demi-tour et partir. Alors j'ai essayé de me dégager entièrement, en commençant par les bras. Mais je ne parvenais pas à remuer mes jambes, je ne les sentais même plus. Il fallait absolument que je me libère. Avec l'énergie du désespoir, j'ai gratté le sol autour de moi et au bout d'un moment j'ai pu ramper hors du trou. Je me suis agrippé à un arbre jusqu'à ce que je puisse me tenir debout. Je titubais. Puis j'ai pris une grande bouffée d'air, de cet air vicié par l'odeur de la mort et du sang.

« Le vallon était silencieux. Personne, à part moi. Alentour, je distinguais des monticules de terre, des ruisseaux de sang et des lambeaux de chair sous la lumière pâle de la lune. Puis j'ai entendu un bruit, un gargouillement, en provenance de ma fosse. J'ai creusé rapidement, à mains nues, et bientôt j'ai senti un corps. J'ai poursuivi, furieusement, jusqu'à ce que je découvre ma grand-mère Blima. Morte. C'était son sang, en s'écoulant de sa poitrine, qui produisait ce gargouillement – pendant des années, ce bruit devait me réveiller au milieu de la nuit. J'avais beau savoir qu'ils étaient tous morts, j'ai recommencé à creuser, puis j'ai entendu le bruit d'un camion qui approchait. Il fallait que je m'enfuie.

« J'ai couru en direction d'une cascade dans laquelle mes amis et moi allions souvent nager. J'ai nettoyé mes blessures. La balle, tirée dans ma nuque, était ressortie sous l'oreille. De façon étonnante, elle avait causé peu de dégâts, et je n'avais pas beaucoup saigné. J'ai utilisé mon *kittel* en guise de bandage. Le lendemain, j'ai erré toute la journée dans les bois, la blessure à ma tête me causant une douleur si violente que je craignais de m'évanouir.

« À la nuit, j'ai décidé de tenter ma chance et je me suis approché d'une ferme, en priant pour que ses occupants ne soient pas des sympathisants des nazis, car leur propagande faisait de plus en plus d'adeptes. Mon geste était risqué, mais je n'avais pas le choix. Avant de frapper à la porte, j'ai observé à travers la fenêtre. Une femme et son jeune fils dînaient frugalement de soupe et de pain. Quelque chose me disait que je pouvais faire confiance à cette mère. Peut-être étais-je ému par la dévotion avec laquelle elle récita les grâces avant le repas ou par l'amour qu'elle semblait porter à son enfant. Après avoir couché son fils, la mère est sortie et s'est dirigée vers un appentis. Quand elle est passée près de moi, j'ai murmuré : "Je suis blessé. Pouvez-vous m'aider, s'il vous plaît ?"

« En me voyant avec un bandage autour de la tête, la femme a été surprise, mais pas effrayée. "Entrez", a-t-elle répondu simplement. "Je vais essayer de vous aider."

« "Je suis juif", lui ai-je aussitôt avoué.

« "Je le sais", ajouta-t-elle en fixant mes longues boucles révélatrices. "Mais il est de mon devoir de chrétienne d'aider quiconque se trouve dans le besoin." Et sur ces mots elle m'a conduit à l'intérieur de sa maison.

« Katrina Liatus était une veuve de quarante ans qui travaillait la terre. Mon grand-père l'aurait regardée de haut, n'aurait vu en elle qu'une fruste paysanne, et Katrina n'aurait pas nié qu'elle était une femme simple. Elle ne savait ni lire ni écrire, mais à coup sûr elle ne manquait pas de jugement. Chaque décision qu'elle prit à mon sujet – mais qui la concernait au premier chef puisque ma perte aurait causé la sienne – prouva sa hardiesse. Elle savait exactement en qui elle pouvait avoir confiance, avec qui elle devait ruser, à qui elle devait mentir, et même qui tuer. Elle a fait confiance au commissaire de police, même s'il se montrait amical avec quelques-uns des gars de Prandus. Elle a rusé avec le propriétaire de l'endroit. Elle a menti au prêtre en lui affirmant que j'étais un cousin de Kovno. Elle a tué un voisin ivre qui avait découvert mon secret et menaçait de le révéler si Katrina ne cédait pas à ses avances : feignant d'être d'accord, elle l'a invité à entrer, lui a donné un coup de couteau en plein cœur, puis a raconté à la police qu'il avait essayé de la violer. Comme l'ivrogne était connu pour ses débordements, personne ne fit d'histoires. Si le commissaire de police a soupçonné ce qui s'était passé, il n'en a rien laissé paraître.

« Katrina savait aussi comment soigner mes blessures et éviter qu'elles ne s'infectent, en utilisant des remèdes populaires – emplâtres bouillants, cataplasmes de moutarde, sangsues, sans oublier beaucoup de prières. Je me rappelle encore les effluves de la moutarde chaude sur la plaie à ma tête qui m'élançait.

« Katrina m'a coupé les cheveux, et c'est elle qui m'a rasé pour la première fois. “Si tu veux rester ici, tu ne dois pas ressembler à un Juif.” J'étais d'accord, et je me suis habillé comme les paysans lituaniens. Katrina m'a donné une croix à porter autour du cou. Quand je l'ai mise, je me suis senti nerveux.

« Je vivais avec Katrina et son fils de douze ans, Lukus. On prétendait que j'étais un cousin venu de Kovno pour servir de compagnon à Lukus, et c'est d'ailleurs ce que j'ai été pendant plus de six mois. J'aurais pu rester indéfiniment avec eux, si un groupe de partisans lituaniens n'avait fait irruption, une nuit, dans la ferme, pour y voler de la nourriture. Réveillé par le bruit, je me suis glissé dans la chambre de Katrina pour la prévenir. "Laisse-les prendre ce qu'ils veulent. Ce ne sont que des enfants, comme toi et Lukus", m'a-t-elle répondu.

« J'ai jeté un coup d'œil dans la cuisine. Un homme plus jeune que moi dérobait des œufs et un peu de pain. Soudain, j'ai reconnu une femme du groupe, une Juive prénommée Miriam, une ancienne étudiante de mon père. En tremblant de peur, je suis entré dans la cuisine. Je me suis aussitôt présenté et leur ai raconté l'assassinat de ma famille. Miriam m'a serré dans ses bras et m'a proposé de me joindre à eux. J'ai longuement réfléchi avant de prendre ma décision. Rien ne m'avait préparé à être un partisan. Mais avais-je le choix ? Ces gens luttaient contre ceux qui avaient massacré les miens. J'ai accepté de les suivre, et j'ai fait mes adieux à Katrina et à Lukus.

« En franchissant le seuil, j'ai ôté la croix de mon cou et l'ai mise dans ma poche, en souvenir de Katrina Liatus. Je ne m'en suis jamais séparé. Je la conserve dans un tiroir, à la maison.

« Je ne connaissais rien au combat, ni aux armes, mais j'ai appris. Pendant les années qui ont suivi, jusqu'à la libération, j'ai lutté contre les nazis et, quand j'en avais l'occasion, je recherchais ma sœur. Je ne récitais pas le Kaddish. Je ne pleurais pas. Je dormais si peu que je ne me donnais pas le temps de rêver. Les cauchemars sont arrivés plus tard. À cette époque, il s'agissait seulement de survivre le plus longtemps possible. Les nazis semblaient invincibles. Presque chaque jour, on retrouvait mort un de nos camarades, ou il y en avait un qui ne rentrait pas de mission. Miriam a sauté sur une grenade allemande quelques mois après m'avoir recruté.

« J'ai échappé plusieurs fois de façon miraculeuse à une mort probable. Pourtant, je n'étais pas persuadé pour autant que mon “destin” était de survivre, car cela aurait signifié que celui de ma famille était de mourir. Je ne pouvais pas croire qu'une puissance supérieure était capable d'engendrer un tel mal dans le seul but de favoriser ses obscurs desseins. Je préférais penser que le nazisme était le mal absolu et qu'il fallait tout faire pour l'éradiquer.

« J'ai combattu pendant presque deux ans dans plusieurs groupuscules de partisans. Lors de l'attaque d'un train transportant des troupes allemandes, j'ai tiré sur un soldat, mais j'ignore si je l'ai tué. J'espérais l'avoir fait, mais maintenant, je me rends compte que c'était peut-être un gamin enrôlé de force dans l'armée de Hitler.

« Dans les jours qui ont suivi la libération, j'ai parcouru les rues de Vilnius, comme perdu dans un brouillard. Je demandais à tout le monde s'ils n'avaient pas vu une fille correspondant à la description de Sarah Chava. Je ne pouvais pas arrêter mes recherches, tant que le passé ne m'aurait pas fait un signe.

« Je me suis retrouvé devant la vieille maison des Menuchen. Elle n'avait pas changé depuis cette nuit de Pâque, quand Marcelus Prandus avait frappé à la porte pour assassiner ma famille. Même la grande *mezuzah* [1] en bois était encore en place. Tous ceux que cette demeure avait rassemblés avaient pourtant disparu. Il était difficile de croire que tant de tristes événements s'étaient produits en seulement trois ans. Je me suis approché du seuil et je suis resté là, à me remémorer le passé. Un homme a ouvert

---

1. Mezuzah : cylindre contenant un verset des Tables de la Loi, accroché à la porte, et que l'on touche ou que l'on embrasse pour se porter bonheur.

la porte et m'a demandé ce que je voulais. Quand je lui ai expliqué que cette maison était celle de ma famille, il a rétorqué aussitôt : “Plus maintenant”, en insistant sur le fait qu'elle lui avait été donnée de manière officielle. Il menaça, si jamais je m'approchais à nouveau de chez lui, d'appeler la police, qui terminerait le travail que Hitler avait commencé.

« Malgré la menace, je me suis glissé, un après-midi, dans la maison déserte, pour tenter de retrouver un souvenir des miens. Je suis monté dans le grenier en quête du carton de Pâque du rabbin Mordechai, mais il avait disparu. Les livres de la bibliothèque, eux aussi, s'étaient envolés. J'ai cherché partout un objet quelconque, n'importe lequel, qui puisse me rattacher au passé. Rien. Alors que je m'apprêtais à partir, j'ai reconnu ma vieille commode. J'ai tiré sur chaque tiroir avec frénésie. Quand j'ai ouvert celui du bas, il s'est cassé. Sous le bois pourri, j'ai aperçu une photographie, une seule, qui était tombée derrière le tiroir. Elle avait été prise lors de la fête de la circoncision d'Éphraïm, moins d'un an avant la tragédie du bois du Ponant. On y voyait Sarah Chava, souriante. Au dos, il y avait un petit mot de ma sœur, souhaitant “*mazel tov*” à Éphraïm. J'ai glissé le cliché dans ma poche et je suis sorti par la fenêtre.

« Je dormais dans le cimetière juif, où s'élevaient plusieurs mausolées familiaux. D'autres Juifs survivants s'étaient installés à cet endroit. Je me dirigeais vers chacun d'eux avec la photographie. Je n'avais pas besoin de dire un mot. Je désignais ma sœur. L'autre regardait, et secouait la tête. C'était devenu un rituel. On parlait de Juifs qui s'étaient fait passer pour des chrétiens, ou qui avaient été sauvés par des chrétiens. Peut-être Sarah Chava était-elle de ceux-là. J'ai demandé partout. J'ai montré le vieux cliché à tout le monde. Mais je n'ai rencontré personne qui sache quoi que ce soit au sujet de ma petite sœur. Finalement, après avoir dormi une semaine dans le cimetière juif, j'ai croisé un ami qui fréquentait jadis la même école religieuse que moi. Il s'appelait Chayim, et il avait lui aussi combattu avec les partisans. Je lui ai montré la photographie de Sarah Chava. Il a secoué la tête tristement.

« Chayim m'a invité à me joindre à son petit groupe de survivants : "On a besoin de toi comme minyan [1]", plaisanta-t-il. Ses compagnons envisageaient de faire sauter la prison où avaient été enfermés les membres de la Gestapo et les SS faits prisonniers. J'ai été vivement tenté de le suivre, pensant qu'ils pouvaient peut-être m'aider à retrouver et à tuer Marcelus Prandus.

« Pourtant, j'ai dit non à Chayim, convaincu que les nazis seraient sévèrement punis par les Alliés. La rumeur parlait de procès. Et puis, la fin de la guerre était encore récente pour que je puisse penser à la vengeance. De toute façon, il y avait tellement de misère, de pauvreté et de morts partout, que la nature semblait exercer un cruel châtiment sur ce pays. Des Lituaniennes de seize ans vendaient leur corps pour une miche de pain, une bouteille de lait, une tablette de chocolat. Les communistes se livraient à de terribles représailles.

« J'espérais que quelqu'un s'était déjà vengé de Marcelus Prandus, mais je le recherchais quand même – sans savoir ce que je ferais si je le trouvais. Je ne l'ai jamais trouvé. Vilnius est une grande ville, et dans les mois qui ont suivi la libération, c'était un vrai chaos. En plusieurs occasions, j'ai cru reconnaître Prandus – dans un bus, sur un marché, dans une file d'attente – mais il s'agissait

---

1. Minyan : les dix hommes qui récitent la prière lors des offices religieux.

toujours d'un autre Lituanien, grand, blond, aux yeux bleus. Bientôt, tous les Lituaniens jeunes et biens bâtis commencèrent à me rappeler Marcelus Prandus. J'ai quitté Vilna sans avoir rien appris sur lui. Mais je restais persuadé qu'il était toujours vivant. Les gens comme lui survivent.

9

Cambridge, Massachusetts
Le même soir

– Est-ce que beaucoup de Juifs ont cherché à se venger après la guerre ? interrogea Emma.

– Quelques-uns, comme Chayim. Il y a eu une poignée d'assassinats, rien de plus. Il m'arrive de souhaiter qu'il y en ait eu davantage, avoua Max, d'une voix qui trahissait sa frustration et sa colère. Mais la communauté juive était en état de choc. En fait, les actes violents furent plus nombreux dans le camp de personnes déplacées où j'ai été envoyé quelques mois après la libération, qu'à Vilna même.

– Des nazis se trouvaient dans les camps de personnes déplacées ? demanda Abe, incrédule.

– Non, bien sûr que non. Seulement des Juifs. C'était une vengeance de Juifs contre d'autres Juifs. Je te donne un exemple. Durant ma première semaine au camp, j'ai assisté aux cérémonies de shabbat – pour voir si j'étais encore capable de prier. Au milieu de la lecture de la Torah, j'ai remarqué que l'homme qui était à ma gauche, un Juif polonais, dévisageait l'homme qui était à ma droite, un Juif tchèque. Ce dernier s'est détourné, comme pour se cacher. Soudain, le Polonais a jeté un cri bestial et a bondi sur le Tchèque en hurlant : "*Kapo, kapo !*" Il l'a mordu à la gorge, comme un loup une brebis. J'ai essayé de les séparer et, ce faisant, je me suis fait mordre à la main par le Polonais. On a emmené le Tchèque à l'infirmerie ; son cou saignait abondamment. On lui a fait quelques points de suture, puis il a quitté le camp et l'on n'a plus entendu parler de lui. Presque chaque jour, un survivant d'un camp de la mort reconnaissait un *kapo*, un collaborateur. Des accusations fusaient, suivies par de farouches dénégations, puis on en venait aux mains et, parfois, l'un d'eux ne se relevait pas.

– Pourquoi une telle colère dirigée contre d'autres Juifs ? N'étaient-ils pas des victimes, eux aussi ? s'étonna Rendi.

– Tu dois comprendre, continua Max, que les nazis étaient des silhouettes lointaines, presque abstraites, alors que les collaborateurs étaient des voisins en chair et en os. C'était plus facile d'éprouver des sentiments virulents à l'encontre de quelqu'un avec qui l'on pouvait s'identifier.

– Y a-t-il eu des rencontres heureuses, dans le camp ? s'enquit Emma. Est-il arrivé que quelqu'un y retrouve un être cher ?

– Oui, c'est arrivé. De temps à autre, un ami ou un parent que l'on croyait mort réapparaissait. C'est ce qui m'encourageait à continuer de rechercher Sarah Chava, même si je savais que les chances qu'elle ait survécu étaient minces. Dans chaque camp, il y avait un tableau sur lequel on accrochait des photographies et des descriptions de personnes aimées et perdues, en demandant des informations. Des gazettes circulaient entre les camps. Mais les bonnes nouvelles étaient rares. Autant que les mauvaises, d'ailleurs. Le plus souvent, on n'apprenait rien.

Max resta un moment silencieux, ses pensées tournées vers sa sœur. Il essayait désespérément de masquer le désarroi qui s'était emparé de lui au fur et à mesure qu'il racontait. Il aurait mieux fait de se taire, pensait-il maintenant. Se confier avait fait ressurgir non seulement le chagrin, mais aussi le besoin de justice et même la soif de vengeance, auxquels il croyait avoir définitivement renoncé.

Il fallait qu'il parte, qu'il se retrouve seul. Il ne voulait pas montrer à ses amis ses véritables sentiments. Il avait honte de ses pensées. Il fouilla sa mémoire pour tenter de conclure par quelque chose de positif.

– J'ai entendu des histoires de bravoure incroyable, relatées par des jeunes femmes dont la vie avait été épargnée uniquement pour permettre aux nazis d'exercer leurs humiliations sexuelles sur elles. Une classe entière de lycéennes s'étaient empoisonnées plutôt que de subir le sort que leur réservaient leurs tortionnaires. Je me suis demandé si Sarah Chava avait eu à faire le même choix. Je rêvais de Sarah Chava. La plupart du temps, il s'agissait de cauchemars, mais je n'ai rien appris sur son sort. Je ne peux qu'espérer, dit Max, le regard perdu au loin. Mes seules retrouvailles heureuse dans ce camp, ajouta-t-il, furent celles d'un voisin d'enfance, Dori Bloom. Nous sommes devenus de grands amis. Nous sommes allés ensemble en Palestine. Nous avons combattu côte à côte dans l'armée. Nous sommes même allés en voyage en Allemagne.

Max recommença à pleurer.

– Je ne peux pas continuer. Je vous ai rendus suffisamment tristes pour ce soir. Maintenant, il faut que je m'arrête, et que je rentre chez moi. Veuillez m'excuser, s'il vous plaît.

Abe passa un bras autour des épaules de Max tandis que le vieil homme se dirigeait vers la porte.

Il était minuit passé quand Max prit congé de la famille Ringel pour rentrer chez lui. Il sentait qu'un poids énorme lui avait été ôté.

En remontant Brattle Street, sa rue depuis près de quarante ans, il pensa à son existence. Sa carrière de professeur à Harvard avait été aussi proche que possible de la perfection. Il avait gagné le respect, l'admiration, les honneurs. Son travail novateur sur l'Ecclésiaste, qui n'était au début qu'une thèse de doctorat à l'Université hébraïque, avait fait de lui un des exégètes les plus réputés au monde. Il avait puisé à la fois dans l'enseignement religieux de son grand-père et dans la recherche séculière de son père pour créer une nouvelle forme d'études des Écritures. Mais sa vie privée aux États-Unis ne pouvait le satisfaire entièrement. Quelques amis, comme Abe et sa famille, et, bien sûr, Haskell, mais pas de relations intimes. Pas de véritable amour. Son âme n'était pas en paix. Il devait compter avec ses souvenirs. Durant la journée, son travail les écartait. Mais la nuit, ils emplissaient son esprit. Depuis ce soir d'avril 1942, Max n'avait plus jamais dormi d'un sommeil profond, n'avait plus jamais connu, même pour un jour, un bonheur parfait. Il était obsédé par Marcelus Prandus, se demandant sans cesse s'il était vivant ou mort, s'il avait des enfants, s'il se sentait coupable de ce qu'il avait commis. Prandus était-il à présent, comme Raskolnikov, le personnage de Dostoïevski, dévoré par ses crimes impunis qui détruisaient sa vie ? Ou bien, comme Staline, n'y avait-il plus jamais pensé ?

À peu près une fois par mois, Max « voyait » Prandus, au milieu d'une foule, à la télévision, se reflétant dans un miroir, et même dans sa salle de cours. Tout cela se passait dans sa tête, mais chaque fois qu'il « voyait » l'assassin de sa famille, son cœur s'affolait.

Max se rappela la pire des « apparitions » de Prandus,

quelques années plus tôt. Un soir qu'il était dans sa baignoire et zappait d'une chaîne à l'autre, il avait entendu son nom sur CNN. Il n'avait pas réagi immédiatement et était déjà passé à une autre chaîne quand cela l'avait frappé, comme une gifle au visage. Il était resté un instant pétrifié, devant une émission de téléachat, tandis que le nom du démon résonnait dans son cerveau à un rythme lancinant : Prandus, Prandus... Un nom qui avait terrorisé des milliers de personnes et qui était encore capable, cinquante ans après, de faire perdre à Max le contrôle de sa vessie.

Le temps de revenir sur CNN, le speaker traitait déjà une autre information. Un coup de téléphone à la chaîne lui avait confirmé que l'émission avait bien mentionné un collaborateur des nazis du nom de Prandus. Il venait d'être renvoyé en Lituanie pour avoir menti sur son rôle pendant la guerre, auprès des Juifs de Kovno. Sur son formulaire d'immigration, Prandus avait déclaré avoir été épicier, mais le Bureau des investigations spéciales du ministère de la Justice avait prouvé qu'il était garde dans un camp de la mort à Sobibor.

L'employé de CNN avait été assez aimable pour faxer à Max une copie des informations disponibles sur Internet, illustrées par une photo de Prandus, âgé de soixante-dix-sept ans, devant sa modeste maison dans la banlieue de Chicago. Un coup d'œil rapide à l'image du petit vieillard au teint sombre avait suffi à Max pour réaliser que ce Prandus, dont le prénom américain était Michael, n'était pas le Marcelus Prandus qui avait assassiné les siens. Ce Prandus avait assassiné d'autres familles juives. Il était peut-être même parent avec Marcelus. Mais il n'était pas celui qui obsédait Max Menuchen.

Cet espoir déçu avait précipité Max dans un état de déséquilibre émotionnel qui avait duré plusieurs semaines.

Inlassablement, il se demandait quelle aurait été sa vie s'il avait réussi à se venger de Prandus.

Max avait lutté contre ce vertige en consacrant chaque heure de veille à son travail. Pour ne pas penser sans cesse à sa famille disparue, il mettait son temps libre à la disposition de ses nombreux étudiants, qui le considéraient souvent comme leur père spirituel. Max prenait sa fonction à cœur, mais il souhaitait éviter tout engagement affectif et préserver sa vie privée. Ses élèves savaient qu'ils devaient respecter sa réserve. Ils le savaient tous, sauf Danielle Grant qui, ironie du sort, était la plus brillante de ses protégés.

Max se demanda, avec une pointe de regret, ce qu'était devenue son ancienne étudiante. Il aurait été bien incapable d'imaginer qu'elle allait bientôt faire partie intégrante de sa quête de vengeance.

Troisième partie

AFFRONTER LA VÉRITÉ

10

Cambridge, Massachusetts
Six semaines plus tard : mi-mai 1999

Une rencontre fortuite

C'était un dimanche matin magnifique, une journée idéale pour une promenade le long de la Charles River. Max, dès huit heures et demie, était dehors. Quand il arriva à Memorial Drive, il croisa une marche contre le sida. Les manifestants portaient des tee-shirts avec le slogan « Combattre le sida, pas les gays ». Différentes institutions – corporations professionnelles, écoles, églises – étaient représentées. Il y avait un petit groupe de l'École de la Divinité d'Harvard, dans lequel Max reconnut Danielle Grant. Ils se saluèrent chaleureusement, et elle lui suggéra de se joindre au cortège. Max déclina l'invitation. Il préféra s'asseoir sur un banc pour regarder passer la manifestation, avant de continuer sa promenade.

Si Max avait alors tourné la tête pendant quelques secondes – pour observer un rouge-gorge, par exemple –, il n'aurait pas aperçu ce qui allait bouleverser son avenir. Son existence aurait poursuivi son chemin bien tracé jusqu'à son terme : une retraite confortable, une mort sans histoire, annoncée par une notice nécrologique respectueuse, saluant sa carrière exemplaire de professeur d'études bibliques à l'École de la Divinité d'Harvard ; et si la cordialité l'emportait sur les habituelles rivalités universitaires, ses collègues pourraient même reconnaître que le docteur Max Menuchen était celui qui avait élucidé le mystère de l'écriture de l'Ecclésiaste.

Mais Max ne tourna pas la tête. Et sa notice nécrologique serait de ce fait bien différente. Sa carrière universitaire, les ouvrages qu'il avait publiés, son enseignement seraient en définitive résumés dans un court paragraphe, paru discrètement dans la presse locale, à cause du crime horrible qui entacherait sa réputation.

Max regardait, droit devant lui, les manifestants défiler lentement. Soudain, du coin de l'œil, il distingua un profil – à peine plus qu'une image fugitive, mais qu'il associa aussitôt au visage qui hantait ses cauchemars depuis un demi-siècle. L'homme se retourna. Ses traits lituaniens caractéristiques évoquaient irrésistiblement ceux de Marcelus Prandus, et ses yeux bleu acier étaient semblables à ceux qui avaient fixé froidement Max, tandis que résonnait la sentence qui condamnait à mort sa famille. Il était grand et bien bâti. Comme Prandus. Cependant, la ressemblance n'était pas parfaite. L'inconnu portait des lunettes, était coiffé différemment, avait un visage plus mince. Un instant, Max lutta sous le choc et douta de ce qu'il voyait. Après tout, il avait « reconnu » Marcelus Prandus tant de fois au cours des années écoulées. Cet homme n'était peut-être qu'un autre grand Ukrainien blond. Max se rappela un des arguments de la défense au procès d'Ivan le Terrible de Treblinka : pour les victimes juives, tous les Ukrainiens se ressemblaient. Cette fois-ci, pourtant, Max « voyait » quelque chose de plus dans ce visage noyé dans la foule. Cette fois, il avait la certitude viscérale qu'il avait à portée de main une trace de Marcelus Prandus. Son bourreau devait approcher les quatre-vingts ans. Cet homme-là avait la quarantaine. Pouvait-il s'agir d'un parent ? L'individu marchait derrière une banderole indiquant « Social Gospel Group, Église lituanienne de Salem ».

Sans plus réfléchir, comme si ses jambes décidaient à sa place, Max emboîta le pas aux manifestants, en restant à bonne distance de celui qu'il suivait. Quelques minutes plus tard, le cortège s'arrêta à un feu, à l'entrée du pont de Western Avenue. Max donna une petite tape sur l'épaule de l'homme.

– Excusez-moi, monsieur. Je risque de vous paraître présomptueux, mais votre visage m'est familier. Pourrais-je vous demander votre nom ?

– Paul Prandus, répondit l'inconnu d'une voix douce, en tendant la main poliment. Je vous connais ?

Instinctivement, Max recula, tandis que la vérité se faisait jour dans son esprit. Son cœur battait à tout rompre. Ses mains se mirent à trembler. La tête lui tournait. Il rassembla pourtant son courage, et continua.

– Non, je ne pense pas. Mais vous ressemblez beaucoup à un autre Prandus, de Vilnius, en Lituanie.

– C'est de là que vient mon père. Votre ami était peut-être de la famille. Comment s'appelait-il ?

– Marcelus Prandus.

– Hé, c'est papa !

Le tremblement de Max s'accentua de façon visible. Il avait du mal à parler. Mais il réussit à émettre une réponse, faisant de son mieux pour cacher son agitation.

– Je suppose qu'il habite dans le coin ?

– À Salem. Vous devriez lui téléphoner. Je suis sûr que ça lui ferait plaisir d'avoir des nouvelles de quelqu'un du pays. Quel est votre nom ?

Max frissonna. Que devait-il répondre ? Il n'était pas un bon menteur. Mais il fallait qu'il poursuive la conversation.

– Mon patronyme actuel ne lui dirait rien. J'en ai changé quand je suis arrivé aux États-Unis après la guerre.

– Beaucoup de personnes ont agi de même. Nous, on a gardé le nôtre. Comment vous appeliez-vous, dans votre ancien pays ? Je parie que papa s'en souviendra. Sa mémoire est encore très bonne.

– Lukus Liatus, répondit Max en donnant le nom du fils de Katrina, la fermière qui l'avait sauvé pendant la guerre.

– Je demanderai à papa. Je vous donne son numéro, dit l'homme en griffonnant sur une carte de visite. Il adore évoquer ce qu'il appelle le « bon vieux temps » en Lituanie. Cela lui remonte le moral. Surtout depuis qu'il est malade. Cancer du pancréas. Il n'y a pas beaucoup d'espoir...

Le mot « cancer » provoqua un onde de choc dans le corps de Max. Combien de fois avait-il souhaité à Marcelus Prandus une lente agonie, à la suite d'une maladie douloureuse ? Mais pas en cet instant. Décéder à près de quatre-vingts ans, après une vie longue et heureuse, entouré de sa famille, c'était une trop belle façon de mourir.

– Je suis désolé de l'apprendre, déclara Max, qui ne mentait qu'à moitié.

– Nous sommes tous désolés.

– Vous avez des enfants ? interrogea Max en essayant de ne pas penser à sa propre famille disparue.

Paul acquiesça.

– Ce sont les petits-enfants qui prennent le plus mal la terrible nouvelle. Ils l'aiment tant. Mon fils, Marc, se prénomme comme lui. Il est la prunelle des yeux de papa. Nous habitons tous à Salem, à proximité les uns des autres. Papa est très famille. Je parie que vous aussi, ajouta Paul en souriant.

– Oui, c'est vrai, mentit Max.

– Il faut que j'avance, conclut le jeune Prandus. C'est moi qui conduis ce groupe disparate. Quel hasard de s'être rencontrés ici, monsieur Liatus ! Je sais que cela fera plaisir à mon père.

– Merci, monsieur Prandus. Mes amitiés à votre père, répondit Max en serrant dans sa main la carte de visite sur laquelle était inscrit le numéro de téléphone de l'assassin de sa famille. Il prit aussitôt la direction de la maison d'Abe Ringel.

11

La quête de justice

Abe était en train de noter quelque chose sur son agenda quand il entendit frapper. Il alla à la porte, en survêtement et en pantoufles.

– Max, comment vas-tu ? demanda Abe en faisant entrer le vieil homme.

– Je ne sais pas. La tête me tourne.

– Assieds-toi. Je vais te chercher de l'eau de Seltz.

Quand Abe revint avec une bouteille d'eau de Seltz à l'ancienne et un verre, Rendi l'accompagnait.

– Tu n'as pas l'air bien, dit-elle à Max. Tu veux que j'appelle un médecin ?

– Non, ça va aller. C'est juste que je viens d'apprendre une chose qui a accéléré mon rythme cardiaque.

– Quelle chose ? interrogèrent en chœur Abe et Rendi.

– Il est vivant, déclara lentement Max.

– Qui est vivant ?

– Marcelus Prandus. L'homme qui a assassiné ma famille.

– Comment sais-tu qu'il est vivant ?

– J'ai vu son fils.

– Où ? Comment peux-tu savoir qu'il est son fils ?

questionna Abe sur le rythme rapide qu'il utilisait pour ses contre-interrogatoires.

– À Cambridge, à deux pas d'ici, leur apprit Max, le bras tendu vers la porte.

Il parlait très vite, maintenant.

– Dans une manifestation. Quelque chose en lui m'a rappelé son père. Je lui ai posé la question. Il me l'a dit. Il est son fils. Il m'a noté le numéro de téléphone de son père sur une carte de visite. Là, regardez.

Max sortit le carton froissé.

– Marcelus Prandus vit depuis des années à Salem. Et il est en train de mourir d'un cancer.

– La justice divine, je suppose, commenta Rendi. Personne ne le pleurera.

– Si. Si. C'est justement le problème. Il a mené une existence heureuse. Il a eu des enfants et des petits-enfants. Il leur manquera. Il finira ses jours comblé. Il faut que l'on fasse quelque chose avant qu'il ne meure, supplia Max en agrippant le bras d'Abe. Est-ce que tu peux le faire expulser ? Comme ça il mourra tout seul.

– Calme-toi, conseilla Abe d'une voix rassurante et en se dégageant de la poigne de Max. Je sais quel traumatisme ça doit être pour toi. Je ferai tout mon possible.

– Moi aussi, ajouta Rendi. J'ai des antennes. Je découvrirai tout ce que je pourrai.

– Tu le feras expulser ? insista Max, dont la voix montait.

Abe prit les mains du vieil homme entre les siennes.

– Écoute, la machine judiciaire avance lentement. L'instruction pourrait prendre pas mal de temps. À quel point est-il malade ?

– Il a un cancer du pancréas.

– Je ne sais pas s'il vivra assez longtemps pour faire l'objet d'une procédure. Je passerai quelques coups de fil, j'ai un contact au ministère de la Justice, au département qui traite des crimes nazis. Donne-moi le numéro de téléphone de Prandus. Je le communiquerai à cette personne. Ça sera un début.

– Oui, oui, un début, répéta Max, enthousiaste.

Abe eut peur de susciter des espoirs irréalistes.

– Je dois te prévenir, Max. Il est probablement trop tard pour un procès. Il a été puni. Il est en train de mourir. Tu devrais peut-être laisser tomber. Laisser la maladie le punir dans sa chair.

– On ne peut pas l'arrêter ? Le garder pendant que l'on enquête ?

– Je vais essayer, affirma Abe. Mais je ne veux rien te promettre.

– Tu peux le faire extrader, Abe. Je sais que tu le peux. Tu dois le faire, insista Max en quittant la maison des Ringel.

12

Danielle Grant

Max savait qu'il était encore temps de faire justice. Tandis qu'il rentrait chez lui à pied, une phrase de l'Ecclésiaste lui traversa l'esprit : « J'ai vu toutes choses dans mes jours de vanité ; il y a l'homme juste qui persiste dans sa justice, et le méchant qui prolonge sa vie dans le mal. » Max savait qu'il ne pouvait pas être aussi tolérant que l'auteur de l'Ecclésiaste. Maintenant qu'il savait Marcelus Prandus vivant, il n'avait plus d'excuse pour repousser sa vengeance. C'était comme si le destin, en plaçant Paul Prandus sur son chemin, l'avait défié : Es-tu capable de satisfaire le dernier vœu de ton grand-père – *Nekama ?*

Max devait relever le défi. Il lui fallait agir, quelles qu'en soient les conséquences, et rapidement, avant que la mort de Marcelus ne le prive de cette occasion. Max décida qu'il laisserait Abe Ringel solliciter les voies légales. Abe était un grand avocat. Si quelqu'un pouvait faire aboutir une telle procédure, c'était bien lui. Mais si Abe échouait, Max exercerait sa propre justice. Mais par quels moyens se venger pleinement d'un homme en train de mourir ? s'interrogea Max. Il avait besoin d'un avis éclairé et connaissait la seule personne capable de le lui donner. Cependant, il ne pourrait pas lui dévoiler toute la vérité.

Danielle Grant avait été l'étudiante la plus brillante de Max, avant qu'elle n'enfreigne la règle principale édictée par celui-ci : aucune question sur sa vie privée, ni sur son passé. L'excellence de Danielle Grant avait été une surprise pour Max, qui ne pouvait imaginer qu'une fille du Sud, née dans un milieu fondamentaliste chrétien, puisse jamais devenir une étudiante soulevant son admiration. Max était agnostique par nécessité professionnelle. Selon le professeur Menuchen, il fallait être à la fois sceptique, empli de doutes et avoir l'esprit ouvert pour pouvoir persévérer dans l'étude critique de la Bible. Bien que nombre de ses collègues fussent croyants – pour quelle autre raison auraient-ils décidé de se consacrer à l'étude des livres sacrés ? –, ils s'en tenaient, dans leurs cours, à un scepticisme prudent. Max était différent. Il était athée dans sa vie personnelle, alors que sa profession lui donnait la possibilité de croire.

Dès le début, Danielle avait refusé de se plier à la règle du professeur Menuchen.

– Parlez-moi de vous, lui demanda-t-elle lors de leur première rencontre, alors qu'elle était encore nouvelle à l'université.

– Lisez mes livres, avait répondu Max, abasourdi par son audace. Vous y trouverez tout ce que vous avez besoin de savoir à mon sujet.

– J'ai lu vos livres, et ils ouvrent de passionnantes perspectives sur votre esprit. Mais ils ne révèlent que votre côté rationnel. Je voudrais en savoir plus sur votre âme.

– Mon intellect, ça vous regarde, en tant qu'étudiante. Mais mon âme ne concerne que moi, avertit le professeur sans la moindre rudesse.

Il n'y avait pas davantage de rudesse dans l'apparence de Max Menuchen. Il avait un visage rond, des yeux enfoncés, des sourcils gris en bataille, et un sourire chaleureux et franc qui, cependant, semblait dissimuler un secret – comme s'il savait une chose que personne d'autre ne pouvait comprendre. Et, bien qu'il n'y eût à coup sûr aucune aura sexuelle chez Max Menuchen, une passion l'habitait. Durant les quarante années précédentes, cela avait été la passion de l'étude. Maintenant, tandis que Max rentrait chez lui, celle-ci était en train de céder rapidement le pas à celle de la vengeance.

Il fallait qu'il s'entretienne avec Danielle. Elle était devenue professeur assistant en études bibliques. Même s'ils s'étaient éloignés à cause de l'insistance de la jeune femme à fouiller dans la vie privée de son professeur, il avait continué à suivre son parcours. Au début, ce qui distinguait Danielle des autres étudiants, c'était sa soif d'apprendre et son approche personnelle des études. Elle était fermement convaincue que l'on ne pouvait pas comprendre l'enseignement d'un professeur sans une connaissance approfondie de sa personnalité. Cette opinion n'était pas inhabituelle parmi les personnes de sa génération, nourries de critiques littéraires orientées vers la psychologie, mais c'était un peu surprenant chez une fille qui étudiait la Bible et croyait que Dieu l'avait écrite. Danielle Grant s'intéressait en particulier au concept de la justice dans la Genèse. Le séminaire qu'elle dirigeait sur ce sujet était parmi les plus recherchés du département. On pensait à elle, dans plusieurs grandes universités – y compris Harvard –, pour un poste de professeur à part entière.

Danielle avait aussi un hobby : elle consacrait tout son temps libre à la réalisation de montages vidéo. Son « film » sur la Création avait choqué le département des études bibliques, plutôt rigide. En utilisant des images de l'espace fournies par la NASA, la vision en accéléré de fleurs en train de s'épanouir, enregistrée sur la chaîne *Nature*, et des dessins qu'elle avait conçus sur ordinateur, Danielle avait réussi à illustrer le récit biblique de la Création. Intitulé *Terem Kol* – de l'hébreu ancien désignant les abysses primordiaux –, ce montage était un tour de force que même les plus sceptiques et les plus fondamentalistes parmi les membres du département avaient bien été obligés d'admirer. Comme l'avait fait remarquer Max après l'avoir visionné : « Ça remporterait sûrement un prix si ça entrait dans une catégorie d'art existante. »

Danielle était hautement imprévisible. Elle parlait avec l'accent courtois du Sud qu'elle avait hérité de son grand-père paternel, dont les ancêtres avaient acquis des plantations aux environs de Charleston et avaient occupé tous les postes politiques, depuis celui de délégué de l'Assemblée de la Fédération jusqu'à celui de maire de Charleston. Mais pour les idées, elle tenait surtout de sa grand-mère paternelle, issue d'une famille du Sud abolitionniste depuis le début du XIXe siècle.

Bref, Danielle avait un sacré bagage familial. Max n'avait jamais rencontré quelqu'un comme elle, mais il n'avait pas cédé pour autant à ses demandes polies pour qu'il lui ouvre son âme.

Le conflit culmina lorsque Danielle décida de faire sa thèse sous la direction de Max Menuchen. Elle avait l'intention de remettre en question son analyse de l'Ecclésiaste. Pour cela, expliqua-t-elle, il fallait qu'elle en sache le plus possible sur son passé, ses expériences, sa famille. Avant de lui exposer son projet, Danielle fit des recherches en bibliothèque sur la famille Menuchen. Elle se rendit à New York et fouilla à l'Institut de recherches juives, dans les archives qui retraçaient l'histoire détaillée de la communauté juive de Vilna. Elle demanda à un ami israélite de lui traduire des dossiers des archives Yad

Vashem, à Jérusalem. Le résultat était très décevant, car il y avait peu de choses concernant les individus, ou même les familles ; on mentionnait essentiellement des communautés entières qui avaient péri. Après des semaines de recherches colossales, Danielle avait toutefois réussi à reconstituer le destin des Juifs de Vilna et à présumer ce qui avait dû arriver à la famille Menuchen.

– Voilà, professeur, avait-elle dit fièrement en tendant à Max trente-cinq pages nettes et précises. Mon projet de thèse développera l'hypothèse selon laquelle votre interprétation de l'Ecclésiaste reflète les expériences de votre jeunesse à Vilna.

Max avait parcouru rapidement quelques feuillets et sa colère montait en silence. À la fin, il n'avait plus réussi à la contenir.

– Comment avez-vous pu oser fouiner de cette façon dans ma vie privée ?

– Vous êtes un personnage public, avait répliqué Danielle. Je n'ai utilisé que des sources publiques. Un étudiant doit procéder à des recherches sur le sujet qu'il a choisi, et vous êtes le sujet que j'ai choisi. Je n'ai pas à vous présenter des excuses.

– Est-ce que vous apprécieriez, avait bredouillé Max, que je fasse une enquête sur vous ?

– Je ne suis pas un personnage public, avait répondu Danielle, sur la défensive, en élevant un peu le ton. Pas pour l'instant, du moins.

Il avait semblé à Max que Danielle avait protesté trop vivement, comme s'il y avait eu dans son passé quelque secret qu'elle n'avait pas souhaité dévoiler. Il n'avait eu aucune idée de ce dont il avait pu s'agir, et d'ailleurs ça lui avait été égal. Pourtant, il se considérait plutôt comme un bon juge en la matière.

– Vous n'auriez aucune raison d'entreprendre des

recherches à mon sujet, avait poursuivi Danielle, hormis la satisfaction d'une curiosité personnelle.

– Mais je *suis* curieux. Pourquoi êtes-vous à ce point obsédée par un inconnu comme moi ? Je passe mon temps assis dans mon bureau à écrire sur de vieux textes obscurs de la Bible. Je ne fais de mal à personne. Pourquoi vouloir me blesser ?

– Parce qu'il faut que je vous comprenne, pour mieux analyser vos travaux.

– Mes travaux se suffisent à eux-mêmes, avec leurs qualités et leurs défauts, avait insisté Max.

– Je ne peux pas croire que votre passé, avec la tragédie qu'il recèle, n'a pas d'influence sur la façon dont vous pensez et écrivez.

– Je n'ai pas la patience suffisante pour de telles spéculations psychologiques, avait-il affirmé pour couper court. Le passé est loin. On ne doit pas se laisser opprimer par le fardeau des souvenirs. Il faut avancer.

Danielle avait bien vu que Max ne pensait pas ce qu'il disait. Au vu des événements de Vilna, il était impossible que Max Menuchen ne soit pas écrasé par le poids du passé. Jusqu'à quel point il l'était, elle ne devait l'apprendre que plus tard.

– Je ne peux pas vous aider, avait repris Max.

– Vous le pouvez, mais vous ne le ferez pas, avait répliqué Danielle avec colère.

– Je ne coopérerai pas à votre projet, avait insisté Max. Je ne lirai même pas votre thèse.

Cela avait été leur dernière vraie conversation. Par la suite, ils avaient échangé des « hello » polis, quelques bavardages de circonstance, mais aucune véritable discussion. Max avait suivi les progrès de Danielle. Comment aurait-il pu ne pas le faire ? Elle était la jeune vedette du département – les professeurs s'étaient battus pour diriger sa thèse de doctorat. Bien que Max admirât son travail, il la trouvait excentrique. Il s'était contenté de l'observer de loin – jusqu'à aujourd'hui. Maintenant, il avait besoin d'elle, bien plus qu'elle ne le comprendrait jamais. Seul, il ne pourrait venir à bout de son problème. Il lui fallait une autre tête – une autre âme, osait-il penser – pour l'aider à discerner si ce qu'il voulait accomplir était juste. Évidemment, il y avait Abe Ringel, mais il était avocat, et considérait toute chose dans une perspective strictement légale. Max avait besoin de quelqu'un qui puisse réfléchir au-delà des lois, de quelqu'un qui puisse juger si telle action était juste, même si elle était illégale. Max ne connaissait personne d'aussi qualifié pour l'aider que Danielle Grant. Cependant, il n'imaginait pas à quel point elle allait devenir essentielle pour organiser – et même exécuter – sa vengeance contre Marcelus Prandus.

13

Branle-bas de combat

Abe frappa à la porte d'Emma. Une jeune femme portant un tee-shirt à l'effigie de Che Guevara vint lui ouvrir.

– Angela Davis Bernstein, je présume, dit Abe en tendant la main.

– Monsieur Ringel, comment allez-vous ? Qu'est-ce que vous faites à New Haven ?

– Je suis venu inviter Emma à manger une pizza chez Pepe.

– Elle vous attendait ? Je crois qu'elle est sortie avec Jacob.

– Ah, j'aurais dû téléphoner. Je suis en route pour New York. Alors, je suis passé à l'improviste. Vous savez où ils sont allés ?

– Je crois que oui. Ils passent leur temps dans un café européen, sur York Street. Si vous voulez, je vous y emmène.

Angela monta dans la voiture d'Abe, et il leur fallut cinq minutes pour arriver au Milano.

– Alors, vous posez votre candidature pour faire un stage avec Cravath ? demanda Abe en souriant.

– Non, je les traîne en justice, répondit Angela,

sérieuse comme un pape. Ils représentent la banque suisse qui conserve l'or confisqué aux Juifs pendant la guerre, et notre Guilde des avocats veut leur en contester la propriété au motif que c'est l'argent du sang.

– Et quels sont vos arguments juridiques ? demanda Abe, d'un ton professionnel.

– C'est justement à ça que l'on travaille.

Lorsqu'ils entrèrent dans le café, Emma et Jacob étaient en grande conversation.

– Salut, papa. Comment vas-tu ?

– Bien, ma chérie, mais il faut que je te parle. En fait, c'est un sujet dont je peux vous entretenir tous les trois.

– Prenez des chaises et commandez des cappuccinos, conseilla Emma. Ils sont super bons, ici.

Après que le serveur eut pris leur commande, Abe commença.

– C'est à propos de Max.

– Il se porte bien ? Je m'inquiète pour lui, interrompit Emma.

– Physiquement, ça va. Mais il vient d'arriver quelque chose.

– Quoi ?

– Marcelus Prandus est vivant.

– Oh, mon Dieu. Ils l'ont retrouvé à Vilnius ?

– Non. Il vit à Salem, à quelques kilomètres de Cambridge.

– Mais c'est un criminel de guerre ! Un complice du génocide ! Comment est-ce possible ?

– C'est pour ça que je suis ici. Quand aurez-vous fini vos examens ?

– Dans quinze jours.

– Est-ce qu'il vous serait possible, à tous les trois, de consacrer quelques jours à cette affaire ?

– Évidemment ! s'écria Emma.

– Mais on a prévu d'aller à Amsterdam, pour voir mes parents, murmura Jacob.

– On ira après. Je veux d'abord coincer ce salaud de Prandus. Je t'en prie, Jacob, fais ça pour moi, supplia Emma.

– OK, d'accord. Mes parents comprendront, concéda Jacob.

– Et toi, Angie ? Ce serait super de t'avoir dans notre équipe. Dis oui, je t'en prie, ajouta Emma.

– Hé, je n'ai rien de mieux à faire. Je n'ai pas de petit ami qui m'emmène à Amsterdam ou ailleurs. C'est d'accord.

– Maintenant, comment allons-nous nous y prendre pour foutre en taule cet enfoiré de Prandus ?

– Ça ne sera pas facile, répondit son père. Le gros problème, c'est le délai : il a un cancer. Et Max veut le voir extradé et poursuivi avant qu'il ne meure.

– Je peux manquer des cours et commencer dès aujourd'hui, proposa Emma.

– Inutile, ma chérie. Il faut d'abord réaliser quelques recherches en bibliothèque, et pour ça, il y a peu d'endroits plus indiqués que l'université de Yale.

– Que doit-on chercher ? interrogea Jacob. J'ai acquis pas mal d'expérience dans la collecte d'informations depuis que je travaille à ma thèse.

– On a besoin de plusieurs choses. D'abord, il nous faut la preuve que Prandus a tué des Juifs. Max l'identifiera, mais il ne l'a pas vu depuis plus de cinquante ans. Son identité devra être confirmée. Je suis en route pour New York, où ils ont des dossiers sur toutes les villes d'Europe dans lesquelles des Juifs ont été assassinés par les nazis. Je ne sais pas ce que je vais trouver dans ces vieux dossiers poussiéreux. J'ai besoin de votre aide.

– Quelle sera notre tâche ? demanda Angela.

– Vous, les jeunes, vous savez vous servir d'ordinateurs,

et il doit y avoir des tas de renseignements intéressants sur Internet. Rendi va fouiner autour de Salem, où vit ce Prandus. Mais il ne doit pas savoir qu'on le piste – pas pour l'instant. À la fin de la semaine prochaine, je veux en savoir plus sur lui que n'en savent ses propres enfants.

– La moisson risque d'être maigre, prévint Jacob. Il y a encore un tas d'anciens collaborateurs des nazis à Amsterdam, et leurs enfants croient tous qu'ils faisaient leur travail habituel pendant la guerre.

– Trouvez tout ce que vous pourrez. Voilà son numéro de téléphone personnel. Pour l'instant, je n'ai rien de plus.

– C'est un début, dit Emma. On va coincer ce fils de pute avant que l'ange de la mort ne le terrasse à notre place.

14

L'hypothèse du roi malfaisant

– Quelle bonne surprise, après tant d'années ! s'exclama Danielle. Je me suis précipitée dès que j'ai eu votre message.

– Merci, répondit Max en la faisant entrer. J'ai besoin de votre aide.

– Mon aide ? Je sais bien peu de choses sur l'Ecclésiaste. Même après avoir lu vos commentaires, j'ai encore du mal à comprendre comment ce livre a été admis parmi les textes canoniques.

– Moi aussi, moi aussi. On n'en sait malheureusement pas assez sur ceux qui ont choisi les textes canoniques...

– C'est pour ça que vous m'avez contactée ? Pour parler de l'Ecclésiaste ? interrogea Danielle.

– Non. J'ai besoin de votre aide pour résoudre un problème théorique, qui est de votre domaine d'expertise.

– Mon domaine, c'est un livre vieux de trois mille ans qui s'appelle la Genèse. Je me souviens qu'un jour vous m'avez sermonnée parce que je me vautrais dans le passé.

– On ne peut pas oublier tout ça ? Vous aviez touché une corde sensible. Mais je ne souhaite pas revenir sur nos vieilles querelles.

– D'accord. Que puis-je faire pour vous ?

– Voici le problème. Il est plutôt simple. Mais j'ignore s'il a jamais été clairement posé par les exégètes de la Bible, ou même par les philosophes.

– Vous me faites un sacré compliment en me demandant d'explorer un terrain où personne ne s'est encore aventuré, s'enthousiasma Danielle en tournant nerveusement sa bague.

– L'hypothèse est la suivante, commença Max, à sa manière académique. Un roi malfaisant ordonne le meurtre de toute la population d'un village – hommes, femmes, enfants.

– De tels événements se sont hélas réellement produits, bien trop souvent, interrompit Danielle.

– Oui. L'ordre du roi malfaisant est exécuté, et le village est détruit. Puis le roi perd une bataille. Il est capturé et jugé.

– Devant une cour comme le Sanhédrin ?

– Exactement. Mais il y a un hic. Le roi est en train de mourir d'une maladie douloureuse. L'idée d'être exécuté lui est indifférente. Que peut faire la cour pour le punir ?

– Je pense que l'on pourrait le torturer. Lui infliger une mort lente.

Max secoua la tête, insatisfait.

– Endurer ce genre de souffrance lui donnerait juste l'occasion de devenir un martyr. Et ce serait sans rapport avec sa faute : l'assassinat d'enfants innocents.

– Où voulez-vous en venir, professeur ?

– À ceci : serait-il juste de s'en prendre aux descendants du roi, pour se venger de ce qu'il a fait subir aux enfants d'autres personnes ?

Danielle leva les sourcils, apparemment choquée que le professeur Max Menuchen fasse une telle suggestion.

– Il y a certes maints précédents historiques, admit Danielle. Les révolutionnaires russes ont exécuté tous les enfants du dernier tsar pour être sûrs qu'il n'y aurait plus de prétendants au trône. Beaucoup d'autres régicides ont tué des princes et des princesses pour des raisons semblables.

– Oui. Mais ces assassinats, quoi que l'on puisse en penser, étaient perpétrés pour éviter des oppositions à venir, pas pour punir un roi du mal qu'il avait commis dans le passé.

– Est-ce que cela fait une différence ?

– Pour moi, oui. Une *énorme* différence. Ma question, c'est : peut-il être juste d'ôter la vie à un enfant innocent, dans l'unique but de punir son aïeul malfaisant d'avoir massacré d'autres innocents ?

– Personnellement, je trouve cela injuste, même si l'histoire contient de nombreux exemples semblables. Dans certains pays arabes, encore aujourd'hui, la loi du talion requiert qu'un père dont le fils a été tué prenne la vie du fils de l'assassin. Dieu lui-même a anéanti le fils aîné de Pharaon – et le fils aîné de chaque Égyptien – pour atteindre Pharaon. Il a tué le fruit innocent des relations illicites de David et Bethsabée pour châtier David. Mais c'est la manière d'agir de Dieu. Et il est parfois difficile de comprendre la justice divine. Pour les hommes, il doit exister un moyen de punir plus équitable que de supprimer des innocents. Souvenez-vous, dans *Les Justes* d'Albert Camus, l'assassin refuse de faire sauter le carrosse du méchant duc, quand il voit un enfant assis à côté de lui.

– C'est exact, admit Max, mais il pensait trouver une autre occasion d'exécuter le duc, quand celui-ci serait seul. S'il n'y a pas d'autre occasion, pas d'autre moyen ? Si le *seul* châtiment qui atteigne le roi malfaisant consistait à frapper ses enfants ?

– Emmanuel Kant dirait qu'il n'est jamais bon de se servir d'une personne pour se venger d'une autre.

– Mais il réclamait également que chaque meurtrier sur l'île-royaume soit mis à mort avant que l'État ne se désagrège. Il refusait que l'injustice reste impunie, rappela Max d'un ton désappointé.

– Il me semble évident que les hommes sont incapables de résoudre ce problème. Cette question doit être laissée à la justice divine, affirma d'un ton sec Danielle, aussi frustrée que lui.

– Je ne crois pas à la justice divine. Après ce que j'ai vu pendant l'Holocauste, ce serait insulter Dieu que de reconnaître son omniscience et son omnipotence. Cela signifierait qu'il avait le pouvoir d'intervenir et qu'il a cependant choisi de ne pas le faire.

– Comment pouvez-vous ne pas croire à la justice divine ? demanda Danielle avec colère. Si vous n'avez pas foi en Dieu, pourquoi restez-vous juif ?

Max se leva, fit quelques pas, puis répondit d'une voix douce, comme s'il s'adressait à lui-même plutôt qu'à Danielle :

– Après l'Holocauste, il est impératif, pour un Juif, de rester juif, même s'il a perdu sa foi en Dieu. J'admire encore bien des enseignements de la Bible. Comme le dit l'Ecclésiaste : « Tout va au même endroit ; tout est poussière, et tout retournera à la poussière. » Celui qui a écrit l'Ecclésiaste était un Juif qui ne croyait pas plus que moi à la justice divine.

– En quoi avez-vous foi alors ? interrogea Danielle d'une voix stridente. En la justice humaine ?

– Pas après avoir vu ce que les hommes étaient capables de s'infliger les uns aux autres, sans que personne n'intervienne.

– Si vous ne croyez ni à la justice divine, ni à la justice humaine, qu'est-ce qu'il vous reste ?

– L'immense responsabilité de réfléchir par moi-même

au concept de justice équitable, expliqua Max en hochant la tête. Je dois résoudre ce problème complexe.

– Si vous croyiez en la justice divine, vous n'auriez pas à affronter un tel dilemme, remarqua Danielle, du ton qu'elle aurait employé pour convertir un ami plus jeune.

– Peut-être, mais c'est *mon* hypothèse, rappela doucement Max. Je vous en prie, essayez de m'aider en respectant mes données. Quelle serait la justice humaine adaptée au roi malfaisant ?

– Je ne suis pas certaine qu'elle existe. La seule solution est peut-être d'attendre ce qu'Isaïe appelle « le jour de vengeance de Notre Seigneur ».

– Cela pourrait être acceptable pour un chrétien, mais je ne peux pas me contenter de cette réponse. Réfléchissez-y encore un peu, je vous en prie. Voyez si les exégètes en ont parlé. Essayez de trouver quelque chose de mieux, s'il vous plaît.

Il y avait dans la voix de Max un désespoir qui contrastait avec la formulation académique de sa question.

– Bien sûr, promit Danielle en se préparant à partir. C'est une hypothèse fascinante, ajouta-t-elle.

Elle se tut et fixa Max d'un regard pénétrant.

– Un vrai casse-tête, continua-t-elle avec une note de formalisme cynique. Je reviendrai dans quelques jours, le temps de faire des recherches. J'espère que j'aurai une idée à vous soumettre.

– J'attache vraiment beaucoup d'importance à vos avis. Ce problème me tient éveillé la nuit, avoua Max.

– Je le vois bien, dit Danielle en s'enfonçant dans la fraîcheur du soir.

15

Cas de conscience

Tandis que Danielle réfléchissait à cette discussion surréaliste à propos d'un roi malfaisant, les pensées de Max s'ancraient dans le réel.

Il savait que Marcelus Prandus ne méritait pas de mourir de mort naturelle, entouré de ses enfants et petits-enfants qui l'aimaient, comme tant d'autres assassins nazis.

Pour Prandus, comme pour le roi imaginé par Max, la mort serait une délivrance. Une exécution rapide lui épargnerait, ainsi qu'à sa famille, une longue agonie, voire le purgatoire religieux, s'il envisageait de se suicider pour échapper à la souffrance physique. Si Max le tuait, il serait son Dr Kevorkian. Il se rappela une ancienne bénédiction juive : « Puisse votre famille mourir dans le bon ordre. » Prandus allait connaître cette bénédiction, alors qu'il l'avait refusée à tant de Juifs, y compris à la famille Menuchen.

Max se demanda s'il aurait la force de torturer Prandus. Il décida que oui. Il n'aurait qu'à penser à la scène dans le bois du Ponant pour devenir capable de la plus grande barbarie. Aussitôt qu'il eut formé ces pensées, Max réalisa que Prandus n'avait torturé personne, sauf peut-être quand il avait refusé à grand-père Mordechai de mourir le premier. Il semblait qu'il n'y eût pas de haine chez Prandus, se souvint Max. Juste une obsession maladive de la descendance des Juifs.

Non, il ne torturerait pas Prandus. Il ne l'exécuterait pas non plus. Ce serait encore trop bon pour celui qui avait exterminé sa famille. Il n'y avait qu'un seul châtiment juste pour Marcelus Prandus. Max trembla en prononçant sa sentence contre l'homme qui avait abattu son fils : Max Menuchen tuerait un des petits-enfants de Marcelus Prandus. Un frisson parcourut son corps quand il s'imagina ôter la vie à un enfant. Est-ce que Max Menuchen, un honnête homme, pouvait réellement assassiner un innocent ? Il se rappela la question abstraite d'Ivan, dans *Les Frères Karamazov* : « Serait-il juste de tuer un petit enfant si c'était le seul moyen de faire naître un monde heureux ? » Puis il pensa au dilemme bien réel auquel avaient été confrontés des Juifs pourchassés par les nazis : « Était-il juste de tuer un enfant dont les larmes mettaient en danger toute une famille ? » Bien des pères avaient dû résoudre cet effroyable problème en étouffant un bébé innocent.

Max commença à réfléchir à la façon dont il devrait procéder. Il pourrait écraser un des petits-fils de Marcelus Prandus avec sa voiture, ce qui le tuerait instantanément, sans le faire souffrir. L'enfant n'aurait pas le temps de comprendre ce qui lui arrivait. Marcelus Prandus, lui, serait au désespoir, car il saurait pour quelle raison son petit-fils aurait été tué. Il saurait que c'était sa faute si la vie avait été enlevée à la chair de sa chair. Ce serait un juste châtiment, songea Max, pas quantitativement proportionnel aux supplices infligés, certes, mais qualitativement, oui.

Max réalisa que d'autres innocents souffriraient : les parents, les frères, les sœurs de la victime. Mais cette affliction était inhérente à l'acte de justice. La famille

Prandus se retournerait contre le vieil homme, qu'elle considérerait comme le responsable de la mort de leur fils, de leur frère, ce qui aggraverait la douleur de Marcelus. Il mourrait misérable et malheureux, en maudissant le jour de sa naissance. Ce serait une justice parfaite.

Il n'y avait qu'un seul moyen pour que Max sache s'il était capable de tuer un des petits-fils de Prandus. Il fallait qu'il le voie de ses propres yeux, qu'il le suive, qu'il le traque. Mais d'abord, évidemment, il lui fallait s'assurer qu'il s'agissait bien du bon Marcelus Prandus, et pas de l'un de ces homonymes aperçus à la télé.

Approcher Marcelus Prandus fut une entreprise aisée. Max découvrit son adresse en appelant au numéro de téléphone que lui avait laissé son fils Paul. Il se fit passer pour un prêtre de Lituanie, en visite aux États-Unis, qui désirait envoyer gratuitement des livres religieux du pays à ses compatriotes exilés.

À Salem, Max arpenta English Street, là où résidait Prandus, jusqu'à ce qu'il vît le vieil homme sortir pour sa promenade du soir qui le conduisait au Cercle américano-lituanien. Dès que Max l'aperçut, il sut. Même avec son embonpoint et ses cheveux blanchis, il n'y avait aucune erreur possible. Son visage était bien celui que Max avait vu des milliers de fois en rêve. Max commença à trembler de peur et d'impatience. Il lui fallut se contrôler pour ne pas lui sauter dessus, là, dans la rue. Il savait pertinemment que s'il cédait à cette pulsion, il pourrait dire adieu à la vengeance qu'il désirait. Il se remémora le conseil de Goethe : « se hâter lentement ».

Max comprit aussi qu'il devrait passer à l'acte dans un court délai – avant la fin du mois. La vie avait commencé de quitter Marcelus Prandus. Qui pouvait dire quand elle s'arrêterait ? Il était hors de question qu'il meure sans avoir fait l'expérience d'au moins une partie de ce que Max avait enduré dans le bois du Ponant.

Il fut très facile pour Max de savoir à quelle école allait Marc Prandus, âgé de huit ans. Quelques jours lui suffirent pour repérer son emploi du temps. Tous les matins, il longeait seul quatre pâtés de maisons pour se rendre à son école et traversait un grand carrefour avec des feux et un agent de la circulation. Comme c'était facile de planifier un meurtre, et même de le répéter – comme on répète une pièce de théâtre. Max était surpris par son aisance. En rentrant à Cambridge au volant de sa vieille Volvo, il entendait presque le rabbin Mordechai murmurer « *Nekama, nekama* » et lui donner des instructions. L'épreuve, cependant, n'était pas encore passée. Comme Raskolnikov, Max, jusqu'au dernier moment, ne saurait pas s'il pourrait réellement tuer un être innocent.

Mais, de retour chez lui, il allait apprendre quelque chose qui mettrait fin à ses dernières hésitations et le convaincrait d'agir de façon encore plus implacable.

16

La traque

– Alors, qu'est-ce que nous avons ? demanda Abe en arpentant la vaste pièce de son cabinet, dont les baies vitrées donnaient sur la Charles River.

La salle était chichement meublée. Un large bureau faisait face à la fenêtre. Comme il était rare qu'Abe fût assis lorsqu'il travaillait, il n'y avait pas de fauteuils. Il recevait ses clients dans la bibliothèque, autour d'une grande table en chêne. Rendi était juchée sur un meuble-classeur bas. Emma, Jacob et Angela étaient assis par terre.

Rendi commença.

– On sait où il vit. Il a deux enfants – l'un est avocat, l'autre, agent de change. Il appartient à un cercle lituanien. Il vote républicain. Il n'aime pas les Noirs, ni les homosexuels. Il va à l'église. Il était mécanicien. Il est à la retraite. Il est veuf. Il a deux petits-enfants. Il est membre du Rotary Club. Il n'a pas de casier judiciaire.

– Et Vilna ?

– C'est moi qui ai mené les recherches là-dessus, répondit Emma en feuilletant ses notes. Il y avait deux villes distinctes qui cohabitaient tant bien que mal. Vilnius, la capitale, un foyer de nationalisme et de fascisme, et Vilna, surnommée « la Jérusalem du Nord » à cause du grand nombre de Juifs cultivés qui y vivaient.

– Que leur est-il arrivé ?

– Bien avant que les nazis occupent la Lituanie, les nationalistes avaient déjà les Juifs en aversion. Voici un extrait des directives de leur chef : « Il ne doit pas y avoir de possibilité pour les Juifs de continuer à vivre en Lituanie. »

– Haskell m'a dit qu'ils avaient atteint leur but, remarqua Abe.

– Haskell avait raison, poursuivit Emma. J'ai trouvé un compte rendu du *Los Angeles Times* très explicite : « Tandis que les Allemands luttaient avec les Soviets pour le contrôle de la Lituanie, les nationalistes lituaniens ont formé des unités paramilitaires et ont tué des milliers de Juifs en quelques jours. Après que les nazis eurent pris le pouvoir, un grand nombre de jeunes Lituaniens se sont portés volontaires pour les Escadrons de la mort qui utilisaient des champs d'exécution tels que le bois du Ponant. En quelques mois, 95 % des quelque 250 000 Juifs de Lituanie sont morts. La plupart n'étaient même pas envoyés en camps de concentration. Les Lituaniens ne pouvaient attendre pour les tuer. Ils les conduisaient dans les bois, les alignaient à côté de fosses et les abattaient. »

– Comment ont-ils réussi à tuer autant de Juifs en si peu de temps ? s'étonna Rendi.

– Je voudrais que vous regardiez cet extrait de *Soixante Minutes*, continua Emma. Je vous préviens, cela glace le sang.

Emma glissa une cassette vidéo dans le magnétoscope. Antanas Kenstavicious, l'ancien chef de la police lituanienne, émigré au Canada après la guerre, apparut à l'écran.

Il avait un sourire chaleureux, un visage large et doux. Il aurait pu tenir le rôle de saint Nicolas dans le spectacle local de Noël. Le vieil homme se mit à décrire ce que les milices avaient fait aux familles juives qu'il aidait à rafler pendant le mois d'avril 1942 :

« On leur ordonnait de s'allonger, et les Juifs venaient et s'allongeaient... sans un cri. Ils étaient comme des moutons. À l'arrivée du commandant, on tirait, bang, et ils tombaient... Ils tombaient dans la fosse... En une heure, c'était fini. Plus de Juifs[1]. »

Emma commença à renifler doucement. Jacob passa un bras autour de ses épaules.

– Comment ce salaud a-t-il réussi à fuir au Canada ? s'insurgea Angela.

– Juste après la guerre, c'était facile. Le Canada accueillait les nazis sans poser trop de questions, du moment qu'ils étaient anticommunistes, expliqua Rendi.

– Après la diffusion de *Soixante Minutes*, a-t-on essayé de l'extrader ou de lui intenter un procès ? demanda Abe.

– Il est mort peu de temps après l'émission. Il avait quatre-vingt-cinq ans, précisa Emma. Je redoute qu'il se passe la même chose avec Prandus.

– Comment Prandus est-il arrivé aux États-Unis ? interrogea Abe.

– J'ai étudié la question, répondit Rendi. Il a affirmé sous serment que, pendant les années de guerre, il était joueur de football professionnel. Il n'a pas mentionné la milice.

– Formidable ! s'exclama Abe en frappant du poing sur son bureau. Si l'on arrive à prouver qu'il a tué la famille

1. *Soixante Minutes*, 2 février 1997 (vol. XXIX, n° 20) : « Canada's Dark Secret ».

de Max, on peut le faire expulser pour avoir menti sur sa demande de visa.

– Comme Al Capone, pour avoir fait une fausse déclaration aux impôts, interrompit Angela.

– Oui, mais même si ça marchait, il retournerait en Lituanie, où il serait considéré comme un héros. J'ai lu sur Internet que des bourreaux nazis vivaient comme des pachas à Vilnius, aujourd'hui encore, rapporta Emma.

– Au moins, il mourra loin de sa famille – si l'on arrive à prouver qu'il est un assassin. A-t-on une chance d'y parvenir ? reprit Abe.

– Je n'ai pas trouvé la moindre mention de Marcelus Prandus dans aucun des dossiers que j'ai consultés, déclara Angela. On a d'autres noms de collaborateurs lituaniens, mais le sien est absent. Ce n'est pas bon pour nous, n'est-ce pas, monsieur Ringel ?

– Ce n'est pas décisif. Souvenez-vous qu'absence de preuves n'est pas toujours preuve d'absence, déclama Abe de façon pédante, répétant un argument qu'il utilisait souvent avec les jurés. Continuez à chercher.

– J'ai une bonne piste, annonça Jacob. Les Russes ont commencé à ouvrir leurs dossiers des temps de guerre, et j'ai un ami qui étudie en ce moment à Moscou. Je lui ai demandé de fouiller dans ces archives. Il doit me recontacter d'ici une semaine.

– Dites-lui de s'y mettre dès aujourd'hui, supplia Abe. Il se peut que ce Prandus n'en ait plus pour longtemps.

– Je vais essayer.

– Quoi d'autre ? continua Abe.

– Comment va Max ? demanda Emma.

– Pas très bien. Apprendre que l'assassin de sa famille a passé sa vie dans le coin lui a vraiment fichu un coup. Il faut que l'on agisse rapidement.

– Est-ce que tu peux saisir les autorités à Washington

avec les éléments que nous avons réunis ? s'impatienta Emma. Max peut déjà identifier Prandus.

– On aura quand même besoin que ses déclarations soient corroborées. Après le fiasco de Demjanjuk – tu te souviens, Ivan le Terrible –, ils hésitent un peu, là-bas, à prendre en compte des témoignages visuels sans preuves. Nous ne sommes pas encore prêts. Il nous en faut plus.

– Et ce serment selon lequel il était joueur de football ? Ça ne suffit pas ? insista Angela.

– Pas vraiment. Il jouait peut-être au football, quand il n'était pas occupé à tuer des Juifs. Si l'on ne découvre pas un document prouvant qu'il a assassiné des Juifs, nous ne pourrons présenter que le témoignage de Max, non corroboré, pour l'accuser de fausse déclaration. On compte sur votre ami en Russie, Jacob. J'espère qu'il va trouver quelque chose, et rapidement.

17

Pièces à conviction

Quelques jours plus tard, Jacob entra en courant dans le bureau de Max, Emma sur ses talons.

– Monsieur Ringel, monsieur Ringel, on le tient !

Il brandissait une liasse de feuilles.

– Ces documents viennent d'arriver de Moscou, par fax. J'y ai jeté un coup d'œil, et le nom de Marcelus Prandus y est écrit partout.

– Gagné ! Vite, passez-moi ça.

Abe commença à lire tandis que Jacob et Emma regardaient par-dessus son épaule.

– Ce sont les minutes d'un procès... L'accusé est un certain général Heinrich Gruber...

– Gruber était le chef allemand de la Gestapo à Vilna, expliqua Jabob, en reprenant son souffle. À la fin de la guerre, il a été capturé par les troupes soviétiques, puis il a été jugé. Les noms de quelques collaborateurs lituaniens ont été cités au procès. Pour sa défense, Gruber a déclaré que les Lituaniens commettaient eux-mêmes les assassinats.

– Le voilà, le voilà, s'exclama Abe en pointant le nom de Marcelus Prandus.

Il commença à lire à voix haute.

– « Le matin du 3 avril 1942, j'ai reçu le rapport du capitaine Marcelus Prandus, de la Police auxiliaire lituanienne, à propos d'une action menée la nuit précédente. Il m'a informé que ses hommes avaient arrêté cent soixante-deux communistes et traîtres, et les avaient conduits dans le bois du Ponant pour les interroger. Quand ils sont arrivés dans le vallon, les collaborateurs et les traîtres ont essayé de résister et de s'enfuir. Ils ont tous été abattus et enterrés dans des fausses communes.

– Le salaud, s'écria Emma. Essayer de rendre les victimes responsables.

– C'est classique, commenta Jacob. Au cours de mes recherches, j'ai souvent lu ce genre de dépositions. On mentionne les Juifs, jeunes ou vieux, comme des communistes ou des traîtres, et, invariablement, ils sont abattus parce qu'ils cherchaient à s'enfuir. Les Soviétiques ont contesté ces affirmations après avoir exhumé de plusieurs fosses des cadavres de bébés et des crânes d'adultes présentant des traces de tir à bout portant.

– Est-ce que l'on peut faire confiance aux Soviétiques ? Souvenez-vous que c'était l'époque de Staline, remarqua Abe.

– La plupart des historiens sont persuadés que ces comptes rendus étaient exacts, surtout quand ils s'appuyaient sur des preuves matérielles et des rapports de médecins légistes, insista Jacob.

– OK, laissez-moi continuer.

Abe poursuivit sa lecture du témoignage du général Gruber et trouva d'autres mentions des actions dirigées par le capitaine Prandus.

– Voici quelque chose d'intéressant, remarqua Abe. Écoutez cette question et cette réponse : « Question : Vous savez ce qu'est devenu le capitaine Prandus ? Réponse : On m'a dit qu'il avait vécu à Vilnius pendant un moment, après la guerre. Mais quand j'ai essayé de le faire citer comme témoin, j'ai appris que sa mère et lui avaient fui aux États-Unis. »

– Eh bien, c'est certainement suffisant pour saisir Washington, triompha Emma.

– Plus que suffisant, s'exclama Abe, enthousiaste. Je les appelle tout de suite. Pendant ce temps, vous deux, les chercheurs vedettes, vous lisez le reste du rapport et vous y soulignez la moindre référence à Prandus.

– D'accord. C'est génial, j'ai l'impression d'être une vraie avocate !

– Tu es une vraie avocate, ma chérie. Vous aussi, Jacob. Et c'est une affaire bien réelle. On va faire expulser ce salaud avant qu'il ne meure, conclut Abe avec un air déterminé qu'Emma lui avait déjà vu lors de certaines affaires. Il va mourir seul, quelque part en Lituanie, ou avec des menottes, pendant son voyage. Maintenant, les enfants, vous retournez à la bibliothèque, pendant que je téléphone à mon contact au ministère de la Justice.

– Pourrais-je parler à Martin Mandel, du Bureau des investigations spéciales, je vous prie ? demanda Abe, puis il attendit.

– Mandel, BIS, lui répondit-on au bout d'un instant.

– Bonjour, mon nom est Abe Ringel.

– C'est un plaisir de vous entendre, monsieur Ringel. Haskell Levine, qui a souvent travaillé pour nous, m'avait parlé de vous.

– Je crains de vous appeler à propos d'un sujet qui n'a rien de plaisant.

– Ici, on ne s'occupe que de sujets déplaisants. De quoi s'agit-il ?

– Un certain Marcelus Prandus. Il vit à Salem, Massachusetts. Il est arrivé aux États-Unis en 1947, en prétendant être un ancien joueur de football professionnel. Mon client, Max Menuchen – par ailleurs, un vieil ami d'Haskell Levine –, peut témoigner que ce Prandus a été capitaine dans la Police auxiliaire lituanienne et qu'il a abattu de sa main plusieurs membres de sa famille, y compris sa femme enceinte et son bébé.

– A-t-il été témoin de la chose ?

– Oui. Prandus a tiré sur lui également, mais Max Menuchen a survécu.

– Nous avons besoin que sa déposition soit corroborée. Un témoin qui s'est fait tirer dessus, ce n'est pas suffisant. Plus après l'affaire Demjanjurk.

– Son accusation est corroborée.

– Par quel élément ?

– Les minutes d'un procès soviétique, arrivées directement de Moscou par fax.

– D'accord, envoyez-moi tout ça.

– Je vais le faire. Mais il y a un problème.

– Il y en a toujours. C'est quoi, cette fois ?

– Prandus est en train de mourir d'un cancer du pancréas. Il n'a sans doute plus que quelques mois à vivre.

– C'est un problème sérieux. Il faut du temps pour instruire une affaire, aussi claire que celle-ci puisse paraître. Il faut que ces minutes soient authentifiées. Avec la bureaucratie russe, cela peut prendre plusieurs mois.

– Vous ne pouvez pas accélérer la procédure ? Ce type est en train de mourir.

– On peut essayer, mais il faudra quand même un peu de temps. Prandus va prendre un avocat. Vous comprenez bien ça. Et cet avocat va jouer la montre. Vous comprenez ça aussi, monsieur Ringel.

– En attendant, vous ne pouvez pas l'arrêter ?

– Est-ce qu'il a une famille, des liens sur le sol américain ?

– Je crains que oui.

– Alors aucun juge ne lui refusera la liberté sous caution. Il pourra rester chez lui.

– Est-ce qu'il y a quoi que ce soit de plus rapide que nous puissions tenter ?

– J'ai bien peur que non. Il n'y a aucune chance d'arrêter ce type, ou de l'expulser, avant six mois ou un an.

– D'ici là, il sera mort.

– Je suis désolé. Ça nous arrive tout le temps. Nos collègues au Canada viennent d'avoir le cas d'un autre tueur lituanien – c'était dans *Soixante Minutes*. Il est mort chez lui, en famille, avant qu'ils ne puissent instruire l'affaire. Et il s'était confessé à la télévision. Je suis sincèrement désolé, monsieur Ringel, mais il est sans doute trop tard pour que la justice tente quelque chose contre le capitaine Prandus. Espérons qu'il y a un enfer. C'est la seule punition qu'il subira.

– Merde ! hurla Abe en raccrochant.

Il courut vers la bibliothèque.

– Mauvaises nouvelles, lança-t-il en ouvrant la porte.

Emma pleurait dans les bras de Jacob.

– Que se passe-t-il, ma chérie ? Ça ne va pas ?

– Non, ça ne va pas ! s'écria Emma, incapable de contrôler son émotion. Sarah Chava, ils l'ont... Je vais tuer ce salaud de Prandus ! Ne me laisse jamais l'approcher. Je le tuerais de mes propres mains !

– Que lui est-il arrivé, ma chérie ? Il faut en informer Max.

– Il l'a violée, gémit Emma en se rappelant sa propre souffrance. Prandus l'a violée. Puis il...

Mais elle ne parvint pas à aller plus loin. Elle recommença à pleurer, tandis qu'Abe essayait de la réconforter.

– Ici, dit Jacob en montrant un paragraphe surligné. C'est le témoignage d'un membre du groupe de Prandus, qui a fourni des preuves contre le général Gruber. Tout est là.

Abe parcourut la page, au bord de la nausée.

– Il faut que j'aille voir Max, tout de suite.

Il sortit du bureau en courant, la feuille à la main et la rage au cœur.

18

Sarah Chava

Abe se hâta vers la maison de Max, tout en se demandant comment annoncer la terrible nouvelle à son vieil ami. Quelques instants plus tard, il frappa à sa porte.

Max lui ouvrit, une tasse de thé à la main.

– Abe, que se passe-t-il ? On dirait que tu as couru.

– Effectivement. J'ai des nouvelles. De très mauvaises nouvelles.

– Tu ne peux rien contre Prandus, supposa Max, fataliste. C'est trop tard. Je m'y attendais. Tu as fait de ton mieux. Merci.

– C'est exact. Je me suis entretenu avec un responsable du Bureau des investigations spéciales, à Washington. Ça prendrait au moins six mois.

– D'ici là, Prandus sera mort, protesta Max en élevant légèrement la voix.

– Il y a pire, continua Abe en se rapprochant de son ami. Je crains d'avoir une nouvelle encore plus bouleversante.

– Que pourrait-il y avoir de plus bouleversant ?

– C'est à propos de Sarah Chava.

– Elle est morte. Tu en as la preuve ?

– Oui, laisse-moi te lire ce que Jacob vient de recevoir de Moscou. Assieds-toi. Ça va être très difficile.

Max s'effondra dans un fauteuil, la tête entre les mains, tandis qu'Abe commençait à lire le témoignage de Jarus Plink, membre de la Police auxiliaire lituanienne.

– « Une fille de seize ans, dont le nom de famille était Menuchen, a été violée par Marcelus Prandus puis envoyée au chef local de la Gestapo allemande, Heinrich Gruber, qui a lui aussi abusé d'elle avant de l'envoyer à Auschwitz pour y être prostituée auprès des gardes allemands. »

Abe enchaîna directement sur les conclusions de la cour :

– « La femme Menuchen n'était pas parmi les prisonniers libérés à la fin de la guerre, et l'on suppose qu'elle a été gazée au bout de quelques mois, en même temps que d'autres femmes juives qui avaient été contraintes de se prostituer. »

Max imaginait ce que sa sœur, une adolescente, avait dû subir durant des mois, entre le bois du Ponant et la chambre à gaz. Avait-elle essayé de s'enfuir ? Était-elle tombée enceinte ? Ses bourreaux l'avaient-ils rendue folle ?

– Si seulement elle était morte en même temps que le reste de la famille... gémit Max en proie à des visions d'horreur. Si seulement, moi aussi, j'étais mort en même temps que le reste de notre famille !

Il se mit à trembler et une sensation de vide l'envahit. Il se sentait nauséeux, fiévreux. La peur et l'impuissance, ces sentiments familiers, le paralysaient. Puis, soudain, il comprit. Son corps reproduisait les symptômes qu'il avait éprouvés au moment où Marcelus Prandus avait prononcé la sentence de mort des Menuchen.

Abe, craignant l'effet de ces terribles révélations sur Max, essaya de le réconforter, mais il ne parvint pas à calmer le désespoir du vieil homme.

– Abe, laisse-moi maintenant, haleta Max entre deux sanglots.

Abe, impuissant, se dirigea vers la porte. Il était évident que Max avait besoin de se retrouver seul avec ses souvenirs.

19

L'accident

Dès qu'Abe eut refermé la porte derrière lui, Max se sentit perdre le contrôle qu'il avait réussi à garder jusque-là. Il courut à sa chambre et ouvrit la vieille boîte à thé dans laquelle il conservait la photographie de Sarah Chava, celle qui avait été prise le jour de la circoncision d'Éphraïm. Elle avait quinze ans alors, et ce doux sourire qui était resté gravé dans la mémoire de Max. Il regardait rarement ce cliché, parce qu'il ravivait d'horribles souvenirs. Mais à cet instant, il ne pouvait s'en empêcher.

Il contempla longuement la photographie, imaginant ce que sa sœur avait dû endurer avant sa mort. Il commença par pleurer, puis il hurla, et il finit par frapper la table de ses poings jusqu'à ce qu'ils enflent. Cette nuit-là, il se libéra du chagrin, de la colère et de la frustration accumulés au fil des années. Il pleura, hurla, frappa jusqu'à ce qu'il aperçût la première lueur de l'aube. Alors il prit le portrait de Sarah Chava, sortit de sa maison et marcha jusqu'à sa voiture. Il tremblait tellement qu'il n'était pas sûr de pouvoir conduire. Avec délicatesse, il plaça la photo sur le pare-soleil face au siège du conducteur, mit le contact et se dirigea vers Salem. Quelques minutes plus tard, il se trouvait sur Storrow Drive. En examinant le compteur, il se rendit compte qu'il faisait du cent à l'heure. C'était la première fois que Max Menuchen ne respectait pas les limitations de vitesse. Tandis qu'il conduisait, les délires amers et embrouillés du roi Lear lui traversaient la tête : « J'exercerai de telles vengeances. Je ferai de telles choses. Je ne sais pas encore ce qu'elles seront, mais elles seront la terreur de l'univers. » Le dernier mot de son grand-père – *nekama* – résonnait sans fin dans son esprit, comme un mantra.

Les événements du bois du Ponant n'avaient plus eu lieu il y a un demi-siècle. Ils se déroulaient maintenant. Le viol et le meurtre de Sarah Chava venaient de se produire. Ce que Max s'apprêtait à accomplir, il ne le ferait pas de sang-froid. Il serait comme le justicier décrit dans la Bible : « Si le justicier met à mort l'assassin, il ne s'agira pas d'un meurtre. » La Bible comprenait que les vengeances sous le coup de l'émotion étaient choses humaines. Les rabbins du Talmud affirmaient que la vengeance immédiate était une obligation.

Le destin qu'avait connu sa petite sœur justifiait, aux yeux de Max, n'importe quel acte contre Marcelus Prandus. Les dés étaient jetés. Max monta à cent dix, à cent vingt...

Le lendemain, aux alentours de midi, Max se réveilla souffrant de courbatures et de contusions. Il jeta un coup d'œil par la fenêtre à sa vieille Volvo et se rendit compte que l'avant en était cabossé. Pendant un instant, il se demanda quelle pouvait être la cause de ses douleurs et des bosses sur sa voiture. Avait-il réellement écrasé le petit-fils de Marcelus Prandus ?

Puis, tout lui revint en un éclair. Sa Volvo avait heurté une barrière. Il n'avait tué personne. Tout au moins pas pour l'instant. Il était décidé. Pas moyen de faire demi-tour.

20

La solution maïmonidienne

À peu près au moment où Max s'éveillait, Danielle se rendait à son bureau à la faculté. Quand elle apprit qu'il n'avait pas assuré son cours du matin, elle se précipita chez lui. D'abord cette discussion à propos d'un roi malfaisant, maintenant, Max qui ratait un cours, contrairement à toutes ses habitudes. Elle commençait à s'inquiéter sérieusement.

Dans un premier temps, Max décida de ne pas aller voir qui frappait à la porte. Les événements des dix-huit dernières heures – ce qu'il avait appris sur Sarah Chava, son trajet jusqu'à Salem, son accident – l'avaient tellement secoué qu'il ne souhaitait voir personne.

Mais Danielle insista. Elle resta sur le perron jusqu'à ce que Max finisse par céder et lui ouvre la porte.

Danielle parcourut du regard l'intérieur de la petite maison, décorée avec de vieux meubles d'acajou venus d'Europe, tandis que Max restait là, debout, chancelant, encore plus pâle que d'habitude.

– J'ai eu un petit accident, se justifia-t-il. Il faut que je me repose un peu. C'est gentil d'être passée, mais, je vous en prie, j'ai besoin d'être seul.

– Je crois avoir résolu votre problème de roi malfaisant, annonça-t-elle comme si elle ne l'avait pas entendu. Votre instinct était juste. J'ai trouvé la réponse dans un commentaire du Livre de Job, rédigé au XIIe siècle par un brillant érudit juif qui vit en Égypte. J'appelle ça « la solution maïmonidienne ».

– Je suis persuadé que c'est remarquable, mais j'ai décidé, finalement, de ne pas écrire cet article. Le sujet m'en paraît discutable. Je suis désolé que vous vous soyez déjà lancée dans ces recherches.

– N'insultez pas mon intelligence, avertit Danielle. Je sais parfaitement que tout ça n'a rien à voir avec un quelconque article. Je me suis intéressée à votre passé, rappelez-vous. Je crois savoir ce qui est arrivé à votre famille. Les terribles événements de Vilna sont consignés à Yad Vashem [1].

– Que savez-vous ?

La voix de Max était sèche.

– Que presque toutes les familles juives de Vilna ont été exterminées. La vôtre aussi sans doute. Je le sais depuis le début. Toute cette histoire d'article, c'est une tentative de rationalisation. Vous avez besoin de vengeance, un besoin viscéral. La vengeance est une des plus puissantes motivations humaines. Mais il vous faut la justifier en termes de justice.

– Je veux que justice soit faite, affirma Max, sur la défensive.

– Appelez ça comme vous voulez. Je crois que j'ai trouvé la solution à votre problème. Mais il faut que vous me fassiez confiance. Vous devez me dire exactement ce qui se passe.

– Je ne peux pas vous mêler à ça.

1. Yad Vashem : mémorial à Jérusalem consacré à la Shoah.

– Je suis déjà impliquée et je veux vous aider. J'ai besoin de vous aider – c'est autant pour moi que pour vous.

– Je l'ai retrouvé, laissa échapper Max.

Il lui parla de Marcelus Prandus, des assassinats, du viol.

– Oh, mon Dieu, s'écria Danielle, horrifiée.

Max tremblait à nouveau. Il se mit à hurler en yiddish : « *Nekama !* » puis « *Ganze mishpoche*[1] *!* ».

Danielle saisit Max, agité de frissons, par les épaules.

– Qu'êtes-vous en train de dire ? interrogea-t-elle. Expliquez-moi.

– J'ai décidé de tuer toute la famille de ce Prandus, lâcha Max sans hésitation, le regard empreint de sauvagerie. Je veux arracher leurs racines, comme lui a arraché les nôtres. Je n'ai pas le choix. L'âme de mon grand-père réclame vengeance. *Nekama* – « venge-nous » – a été son dernier souhait. Toute ma famille l'exige, particulièrement Sarah Chava.

En prononçant le nom de sa sœur, Max commença à sangloter. Puis il essuya ses larmes, et fixa Danielle droit dans les yeux.

– Dans quelques jours, c'est l'anniversaire de Marcelus Prandus, continua-t-il dans un murmure. J'ai appris d'un commerçant de Salem que toute sa famille sera pour l'occasion réunie à dîner. Exactement comme les Menuchen l'étaient ce soir de Pâque 1942. Je frapperai à la porte, comme Marcelus Prandus a frappé à la nôtre. Quand elle s'ouvrira, je lancerai une bombe. J'avais d'abord prévu de supprimer son petit-fils de huit ans. Mais à présent, je suis persuadé qu'il est plus facile

1. *Ganze mishpoche* : « toute la famille ».

d'assassiner un grand nombre de personnes qu'une seule. Les nazis avaient compris ça.

Danielle serra la main de Max plus fort et le dévisagea.

– Vous n'êtes pas un nazi. Vous n'êtes pas un tueur. Votre plan ne marchera pas. Écoutez-moi, je vous en prie. Je m'y connais mieux que vous en armes à feu. Il y a des fusils dans ma famille depuis la guerre civile. Je pratique le tir près de ma villa du Berkshire, et je fabrique ma propre poudre. Si vous optez pour la bombe, vous n'arriverez qu'à vous faire sauter vous-même.

– Cela ne serait pas si dramatique, remarqua froidement Max.

– Écoutez, reprit Danielle du ton décidé de la personne qui prend les choses en main. Même si vous deviez faire sauter toute la famille Prandus, votre acte ne serait pas proportionnel à ce que Prandus a infligé aux vôtres. Ils ont été forcés de se voir mourir les uns les autres ! Le patriarche – votre grand-père – a vu exécuter chacun de ses descendants ! Votre plan n'est pas approprié pour une justice « équitable ».

– Je dois agir, insista Max. N'essayez pas de m'en empêcher.

– Je ne l'essaierai pas. Je n'en ai pas le droit. Je vous montrerai seulement comment faire mieux. La solution maïmonidienne est la vengeance parfaite. Je vous expliquerai comment infliger un châtiment adéquat. À une condition : vous m'autorisez à vous aider. Aujourd'hui, j'étais venue simplement pour vous exposer la solution que j'avais trouvée, mais après avoir entendu ce qui est arrivé à votre famille, en particulier à votre sœur, je me dois de vous seconder.

– Pourquoi accepteriez-vous de risquer votre liberté et même votre vie pour moi ?

– J'ai mes raisons.

– Alors vous devez me les confier avant que j'accepte.

J'ai toujours soupçonné que vous me cachiez quelque chose. Maintenant, j'en suis certain. Qu'est-ce qui vous pousse à me rejoindre dans cette dangereuse quête de vengeance ? Votre intérêt abstrait pour la justice dans la Bible n'explique pas que vous soyez prête à tout risquer pour m'aider à me venger d'un homme qui ne vous a rien fait.

– Ne me posez pas de questions, je vous en prie, murmura Danielle.

– Pourquoi pas ? demanda Max. Vous avez bien exploré ma vie privée. Pourquoi n'en ferais-je pas autant ?

Danielle baissa la tête et parla doucement.

– Soit, je vois qu'il me faut vous raconter ce que je n'ai jamais avoué à personne, pas même à ma mère. Si nous devons travailler ensemble, vous avez le droit de savoir.

Elle se tut un instant, puis reprit :

– À quatorze ans, je sortais avec un garçon noir, au lycée. Quand mon grand-père l'a appris, il est entré dans ma chambre, une nuit, et a menacé de me tuer si je continuais de fréquenter ce « nègre ». Il m'a giflée. Il a exigé de savoir si j'avais eu des relations sexuelles avec lui. Je lui ai dit la vérité, que je n'en avais pas eu. Il ne m'a pas crue. Il a répondu qu'il allait vérifier lui-même.

Tout en parlant, Danielle détournait son regard, perdu dans le vide.

– Il a commencé à hurler que je n'étais pas vierge. Puis il m'a violée. Mon propre grand-père. Il a déclaré que j'étais trop bonne pour un « nègre », et qu'il valait mieux que j'aie un enfant de mon propre grand-père plutôt que d'un Noir.

– Oh, mon Dieu ! s'exclama Max en prenant doucement la main de Danielle. Comment un grand-père peut-il faire ça à sa propre chair, à son propre sang ?

Danielle fondit en larmes. C'était la première fois que Max la voyait dans une telle détresse.

– Je me suis retrouvée enceinte, et j'ai avorté en secret. J'ai réglé ça toute seule. Cela allait à l'encontre de mes convictions religieuses les plus profondes, mais je l'ai fait. J'ai tué mon enfant, celui de mon grand-père. Je me suis justifiée à mes propres yeux en me persuadant qu'il aurait hérité des gènes de mon grand-père, et qu'il aurait été un monstre, lui aussi. Mais ce n'était pas la faute de cet enfant. Il aurait pu vivre.

Elle soupira en essuyant son visage.

– Puis j'ai été tourmentée par mon héritage génétique. Si mon grand-père avait été capable de commettre une telle infamie, qu'en était-il de moi ? Est-ce que je pouvais, moi aussi, me transformer en Mr Hyde ? Si la réponse était oui, j'étais maudite. Si la réponse était non, j'avais avorté sans raison.

– Ne soyez pas si cruelle envers vous-même. Il ne faut pas vous en vouloir.

– Peut-être, concéda Danielle d'une voix tremblante. Mais, comme vous, j'ai besoin de vengeance. Je n'ai jamais pu châtier mon grand-père. Il est mort peu de temps après mon avortement. Il n'a même jamais su que j'étais enceinte. Il faisait comme s'il ne s'était rien passé. Il est mort paisiblement, dans son sommeil. Je veux punir un autre violeur, l'homme qui a abusé de votre sœur. Quand je verrai Prandus souffrir, je verrai souffrir mon grand-père, continua Danielle, les poings serrés et les yeux brillants. Vous comprenez, maintenant, pourquoi je prends à cœur votre projet ?

– Merci de m'avoir aidé non seulement à vous comprendre, mais aussi à me comprendre moi-même, déclara Max.

Les deux professeurs tombèrent dans les bras l'un de l'autre, et se tinrent serrés un long moment. Enfin Max rompit le silence.

– Exposez-moi votre plan, mais ensuite, s'il vous plaît,

allez-vous-en. Je dois l'exécuter seul. Je ne veux pas que vous y soyez mêlée davantage.

– Tout seul, vous n'y arriverez pas. Il faut être deux. Laissez-moi vous assister et, demain matin, je reviens avec un scénario détaillé. Je vous promets que ça marchera.

Max découvrait les différentes facettes de Danielle : chrétienne, passionnée d'armes à feu, vidéaste, petite-fille d'un monstre, survivante d'un inceste, violente, rongée de remords, volontaire. Un cocktail détonant qui aurait pu la plonger dans la psychose. Au contraire de quoi, elle avait réussi à se bâtir de manière cohérente – du moins en surface. La rage, la haine et la frustration qui l'habitaient avaient été mises en sommeil par sa réussite professionnelle. Maintenant, elles allaient exploser comme les images de son montage vidéo, si Max refusait de partager sa vengeance avec elle. De la même façon que lui, elle avait besoin de sa *nekama*. Ils se ressemblaient davantage qu'il aurait jamais pu l'imaginer.

– On se retrouve demain matin, accepta Max.

Le lendemain, quand Danielle fit la démonstration étape par étape de sa solution maïmonidienne, Max fut tout de suite d'accord, à la condition que, s'ils se faisaient prendre, toute la faute retombe sur lui. Après avoir entendu le plan astucieux de la jeune femme, il était certain de tenir enfin sa vengeance. Il jubilait.

Durant les deux jours suivants, Max et Danielle enregistrèrent tous les mouvements de la famille Prandus.

À bord de sa Volvo, Max montait et descendait English Street, à Salem, où Prandus vivait dans un petit pavillon, tandis que Danielle enregistrait avec une caméra vidéo les déplacements du vieillard. Max fit aussi quelques courses dans les magasins des environs, se faisant passer pour un parent en visite, afin d'apprendre plus de détails sur la famille Prandus. Ils repérèrent aussi les petits-enfants, et les filmèrent sur le chemin de l'école, se rendant chez leurs camarades ou chez leur grand-père. C'était facile, car les Prandus vivaient à quelques rues les uns des autres. Le soir, Max et Danielle visionnaient les cassettes et planifiaient l'étape suivante. Pendant leurs séances de préparation chez Max, Danielle lui avait montré comment synchroniser ses actions avec les événements qu'elle filmait.

Au fur et à mesure qu'approchait la dernière phase de leur projet, la plus difficile, Max était de plus en plus nerveux. Danielle le rassura en lui promettant qu'il ne pouvait rien leur arriver tant qu'ils s'en tiendraient à ce qu'ils avaient soigneusement planifié. Max ignorait s'il était terrorisé à l'idée d'échouer ou à celle de réussir. La seule chose qu'il savait, c'est qu'il était trop tard pour revenir en arrière. Ils devaient accomplir le pas suivant.

21

Inquiétude

– Je me fais du souci pour Max, murmura Abe à Rendi alors qu'ils étaient couchés. Je vais l'appeler, décida-t-il en se redressant.

Alors qu'Abe commençait à s'extraire du lit, Rendi tira sur son pyjama.

– Reste ici. Il est deux heures du matin. Tu ne peux pas l'appeler maintenant. C'est un vieil homme. Il fera une crise cardiaque si tu le réveilles en sursaut. Tu l'appelleras demain matin.

– Je n'arrive pas à dormir.

– Je sais, tu as passé la nuit à te tourner et te retourner, se plaignit Rendi en s'asseyant.

– J'ai peur qu'il n'attente à sa vie. Imagine sa déception ! Je ne lui ai été d'aucun secours, Rendi. Dieu ne l'a pas entendu. Le système légal est impuissant. On ne peut rien faire. C'est si injuste, c'est terrible, enragea Abe, dont la voix se brisait. Je ne peux pas admettre ça. Je me sens nul. Il faut que l'on trouve une solution.

– Ne pourrait-on pas montrer Prandus du doigt ? Écrire un article sur lui ? Organiser une conférence de presse ? Au moins, ses voisins seraient au courant.

– Ils diront tous qu'il a l'air si gentil, si doux. Ils ne

croiront pas ce que l'on révélera de son passé. Rappelle-toi Demjanjuk. Pour ses voisins, il est devenu un héros.

– Il y en aura bien quelques-uns qui le regarderont d'un drôle d'air. Ça lui causera du souci. Ses propres enfants se poseront des questions. Il souffrira.

– Tu ne comprends pas, insista Abe en revenant sous les couvertures. Je me fous complètement de Prandus. En ce qui me concerne, il appartient à l'histoire. Je m'inquiète pour Max. Une conférence de presse ne l'aiderait pas. Ça servirait juste à le frustrer davantage, surtout si l'entourage et les voisins de Prandus soutiennent ce salaud.

– Parfois, Abe, le docteur ne parvient pas à sauver le patient. Tu ne dois pas t'en vouloir. Tu as tenté tout ce qui était en ton pouvoir.

Abe n'écoutait plus Rendi.

– J'aimerais qu'Haskell soit encore en vie, ajouta-t-il. Lui saurait quoi faire pour nous sortir de cette impasse. À la première heure, demain matin, j'irai parler à Max. Il pourrait peut-être venir passer quelques jours chez nous.

– D'accord. Avec Max dans la chambre à côté, tu pourras peut-être te reposer un peu, espéra Rendi en enfouissant sa tête dans l'oreiller pour se rendormir.

Quatrième partie

NEKAMA !

22

Le dernier anniversaire de Marcelus Prandus

– Marc, maintenant que tu as huit ans, tu es assez grand pour dire les grâces. Est-ce que tu as appris de jolies prières, à l'école ? demanda Marcelus Prandus, le patriarche, à son petit-fils.

– Oui, grand-père Chelli, répondit le garçonnet aux cheveux blonds qui appelait son aïeul par son surnom.

Le vieil homme écouta fièrement l'enfant dire les grâces.

Les anniversaires étaient les fêtes préférées de Marcelus Prandus. C'était si américain, et Marcelus était un fervent patriote de sa terre d'adoption. Il appréciait ce que les États-Unis avaient fait pour sa famille. C'est vraiment, pensait-il souvent, le pays où tout est possible. Ses deux fils avaient reçu une bonne éducation et avaient réussi au-delà de toutes ses espérances. Ses deux petits-enfants avaient des loisirs typiquement américains. Le garçon jouait au base-ball et se passionnait déjà pour l'informatique, la fille jouait avec des poupées Barbie et faisait du patin à glace.

Marcelus Prandus avait caché à ses descendants sa haine des Juifs et des Noirs. Il se plaignait des « youtres » et des « nègres » au Cercle américano-lituanien, où il retrouvait de vieux amis du pays. Devant ses enfants et ses petits-enfants, il ne vilipendait aucune ethnie. Il savait qu'avouer de telles haines aurait nui à son intégration et l'aurait empêché d'accomplir son « rêve américain ».

Tout n'était cependant pas parfait. Peter, le plus jeune de ses fils, allait rarement à l'église, et avait rompu la tradition familiale en envoyant sa fille à l'école publique plutôt qu'à celle de la paroisse. Il n'était pas athée, mais un peu flemmard question religion.

Paul, au contraire, était très religieux, mais pas dans le bon sens. Il envoyait son fils dans une école catholique progressiste. Aux yeux de Marcelus, Paul prenait l'enseignement du Christ trop au pied de la lettre. Au sein de l'Église lituanienne, il faisait entendre une voix critique. Il réclamait plus d'actions concrètes en faveur des pauvres et des démunis. Le conflit entre le père et le fils atteignit un sommet quand Paul participa à l'organisation d'une manifestation contre le sida. Marcelus était furieux. Pour lui, le sida était « la manière dont Dieu punissait le mode de vie immoral des homosexuels ».

Pourtant, Paul restait le préféré de Marcelus. Comme son père avant lui, il avait été un athlète de haut niveau : joueur de football américain, de base-ball et de football. Grand et d'une beauté éblouissante, Paul avait été, aux côtés de son père, bénévole à la YMCA [1] locale dès l'âge de dix ans. Après l'école, il aidait son père à l'atelier de réparation de voitures. Le dimanche, ils assistaient ensemble à la messe. Ensuite, si les Red Sox étaient en ville, ils prenaient la voiture jusqu'à Fenway Park pour partager bières et hot dogs devant un bon match de base-ball.

Marcelus aurait souhaité que Paul devienne policier, et,

1. Young Men's Christian Association : « Association des jeunes hommes chrétiens ».

enfant, Paul avait rêvé de porter un uniforme, de posséder un pistolet et de coincer les mauvais garçons. Paul avait fait partie de la Ligue athlétique de la police, dont Marcelus était un membre honoraire et le coach bénévole de l'équipe de foot.

Au lycée, Paul se battait souvent à coups de poings, avait toujours des ennuis avec les filles et buvait pas mal. Son sang chaud, sa grande gueule et ses gros mots lui avaient valu la réputation d'être un adolescent agressif. À la plus légère provocation, son visage devenait écarlate et les veines de son cou se gonflaient.

À quatorze ans, Paul avait eu sa première expérience sexuelle avec une majorette plus âgée que lui – et son père en avait conçu une certaine fierté. À quinze ans, il avait été renvoyé du lycée pour la première fois. Rien de grave – aux yeux de Marcelus –, juste une bagarre avec un camarade de classe. En fait, Marcelus admirait le cran de Paul. « Au moins, ce n'est pas un pédé, comme tous ces gamins à lunettes qui passent leurs journées à la bibliothèque », se vantait-il auprès de ses copains du Cercle.

Puis tout avait changé. L'entraîneur de Paul s'était arrangé pour qu'il obtienne une bourse pour Holy Cross, où Paul jouerait au football américain tout en étudiant l'histoire. Marcelus avait suivi de près son fils pendant la première année. En deuxième année, Paul s'était inscrit à un cours sur l'histoire européenne au XXe siècle. Au milieu du premier trimestre, le professeur avait commencé à traiter de l'occupation soviétique et allemande dans les pays de la Baltique, y compris la Lituanie. Paul avait bientôt laissé tomber, et annoncé à son père qu'il changeait de matière principale, qu'il choisissait l'administration. Peu de temps après, il arrêta le football pour se consacrer exclusivement à ses études. Ce faisant, il commença à s'éloigner de Marcelus. Au milieu de sa deuxième année, il rencontra sa future femme, une catholique irlandaise du sud de Boston, et il resta avec elle, sans ciller, tout le temps que durèrent l'université et la fac de droit, ce qui l'éloigna encore plus de son père. Il alla à la faculté de droit de Boston, et ouvrit un petit cabinet d'avocat à Salem. Il se maria, acheta une maison modeste, et s'installa à quelques rues de chez Marcelus.

Bien que Paul restât à proximité de son père, ce n'était plus comme au temps du lycée, car il avait pris une voie différente. Malgré tout, le vieil homme était content que son fils ait choisi de s'installer à un jet de pierre de chez lui, surtout parce que cela lui permettait de voir son petit-fils chaque jour.

À présent, Paul avait une bonne situation professionnelle. Sa parfaite éducation catholique lui avait donné le goût d'aider son prochain. Il s'habillait donc comme un avocat, parlait avec un accent recherché, et se faisait l'écho des opinions progressistes de bien des catholiques de sa génération. Il restait fidèle à son épouse bien qu'elle parût avoir dix ans de plus que lui et qu'elle s'intéressât de moins en moins au sexe, tandis que lui voyait augmenter son appétit en la matière et les occasions de le satisfaire. Marcelus n'avait jamais manqué de lui faire remarquer tout ce qu'il perdait, arguant que « ce qu'ignore l'épouse d'un homme ne fait de mal à personne ». Mais l'attitude de son père avait au contraire affermi Paul dans sa fidélité conjugale.

Depuis qu'il était entré à la faculté de droit, Paul parlait presque en murmurant, au point qu'il fallait tendre l'oreille pour l'entendre. Une sorte de contre-pied au comportement bravache qui avait été le sien quand il était plus jeune. En fait, toute sa personnalité d'adulte semblait être construite en opposition systématique à l'exubérance de son adolescence. Même sa manière de s'habiller – costume et gilet – reflétait la sobriété. Mais il lui était bien difficile de dissimuler ses muscles saillants qui donnaient à ses vêtements des allures de carcan étriqué. Paul ne ménageait pas ses efforts pour paraître conventionnel, c'est-à-dire bien élevé, modeste, conservateur et au langage châtié.

Pourtant, sous le costume trois-pièces, derrière la façade du bon juriste, bon époux et bon père, couvait une rage contrôlée. Les femmes de son entourage professionnel voyaient en lui un homme viril mais timide, incapable de se délivrer des contraintes imposées par la morale. Il avait beau ne jamais flirter et s'évertuer à se montrer indisponible, sa beauté et son corps d'athlète étaient le sujet de plaisanterie favori à la pause-café. Seul Paul savait à quel point il lui fallait se dominer pour ne pas céder à ses tourbillons intérieurs. Quelque chose le dévorait, mais il ne voulait surtout pas savoir quoi, et il n'en parlait à personne. Il était content d'afficher sa réussite professionnelle et familiale, de contrôler ses passions, mais inquiet de refouler à ce point sa véritable personnalité. Il craignait qu'un jour un événement fasse entrer en éruption la violence qui se cachait en lui. Il espérait être capable de retarder ce moment le plus longtemps possible. Jusqu'à présent, il avait toujours maîtrisé la situation. Sa femme, son fils, ses amis, ses collègues avaient devant eux l'image d'un homme apparemment équilibré, normal, heureux.

Marcelus savait que Paul était en conflit avec lui-même. Il l'avait vu changer. Il percevait sa tension. Autant il avait aimé le jeune Paul – si semblable au jeune Marcelus –, autant il se sentait mal à l'aise avec le Paul plus âgé, l'élitiste qui donnait des leçons à son père à propos des « véritables » enseignements du Christ et de l'Évangile, ce que Marcelus qualifiait de « merde libérale déguisée en christianisme ».

Les anniversaires de Marcelus étaient toujours des réunions de famille agréables. Si les fêtes de Noël et de Pâques se terminaient souvent en disputes à propos de la religion, lors des anniversaires, il n'y avait jamais de querelles. Un des enfants récitait une prière, Marcelus y répondait, remerciant Dieu de l'avoir conduit aux États-Unis, rappelant la mémoire de ses parents et souhaitant vivre encore une année heureuse. Après quoi, le chapitre de la religion était clos et laissait la place à quelques coutumes familiales comme, par exemple, la découverte de la dinde. Du vivant de Greta, la femme de Marcelus, le plat principal des repas d'anniversaire était un jarret, parce qu'elle ignorait comment cuisiner correctement une dinde. Quoi qu'elle fît, la volaille était toujours trop sèche, alors que le jarret, préparé suivant une recette lituanienne, était toujours succulent. Après la disparition de Greta, Marcelus décida d'apprendre à cuisiner une dinde moelleuse. D'année en année, il se perfectionna jusqu'à obtenir, comme il s'en vantait, une qualité digne d'un restaurant. Le rituel était immuable : quand il apportait la dinde, recouverte d'une énorme cloche en argent, tout le monde se levait ; alors Marcelus soulevait la cloche, révélant l'oiseau d'un brun doré, qui faisait le tour de la table sous les applaudissements et les cris d'admiration. L'aîné des petits-enfants avait alors l'honneur d'aider grand-père Chelli à découper la première tranche de blanc : « Viens, Marc. Prends le couteau. Mais attention, il est aiguisé. »

Il y avait une autre tradition familiale. Marcelus Prandus sortait un vieux calice apporté de Lituanie. « C'est une sorte de vase à secrets, expliquait-il, qu'un vieux Juif m'a donné, un jour, pour me porter chance. » Marcelus Prandus croyait beaucoup à la chance. N'avait-il pas été comblé par le destin : une famille merveilleuse, une existence agréable. Même si, à présent, il était en train de mourir d'un cancer, il savait qu'il laissait une belle descendance. Marcelus Prandus buvait dans le vieux calice, puis priait en silence, demandant une mort sans souffrance pour lui et une longue vie pour ses enfants et petits-enfants.

Tandis que le vieil homme reposait dans son coffret la magnifique coupe, Paul se demanda une nouvelle fois pourquoi un vieux Juif aurait fait un cadeau d'un tel prix à son père.

L'anniversaire de Marcelus était particulièrement poignant cette année-là. C'était le premier depuis que l'on avait diagnostiqué son cancer. Même si personne n'en parlait, tous savaient que cet anniversaire serait aussi son dernier. « Votre père tiendra peut-être jusqu'à Noël, avaient pronostiqué les médecins, mais il y a peu de chances pour qu'il voie Pâques. »

En dépit de sa mort prochaine, ou peut-être à cause d'elle, Marcelus Prandus observait sa famille d'un cœur joyeux. Si son agonie devait être douloureuse, il serait capable de la supporter. Il était un homme, un vrai. Il n'avait pas peur de l'au-delà, même s'il savait que son passage à travers les portes de nacre ne serait pas facile. Son confesseur, le père Grilus – la seule personne à qui il eût avoué son passé –, lui avait affirmé que le salut était possible pour chacun, quoi que l'on ait fait, à condition de mourir en état de grâce. Marcelus Prandus était prêt. Il passerait ses dernières semaines avec sa famille à ses côtés. Qui plus est, il mourrait dignement, sans gémir ni se plaindre ; il serait un exemple pour ses enfants et ses petits-enfants. C'était important pour lui.

Mais pour l'instant, Marcelus Prandus avait envie de profiter de son dernier anniversaire. Cette fête serait la plus joyeuse de sa vie.

– Buvez, exigea-t-il en faisant circuler une vieille bouteille de slivovitz, une eau-de-vie de prune importée d'Europe de l'Est.

Paul en sirota une gorgée et s'étouffa en voyant qu'elle titrait quarante-cinq degrés ! Marcelus rit.

– C'est trop fort pour toi, Paul ? Au pays, mon père en buvait un verre entier. Tu te ramollis, ce n'est pas digne d'un Lituanien.

Marcelus voulait que ses enfants et ses petits-enfants se souviennent de grand-père Chelli lors de son dernier anniversaire. Il partirait heureux, sachant que sa merveilleuse famille perpétuerait son nom, son héritage, sa mémoire.

À la fin du repas, le vieil homme souffla les bougies de son gâteau. Tout le monde chanta « Happy birthday to you ». Marcelus entonna une chanson d'anniversaire lituanienne. À six heures du soir, après les étreintes et les baisers, Marcelus quitta la maison avec un grand sourire pour se diriger vers le Cercle américano-lituanien, quelques rues plus loin.

Ce club représentait le lien de Marcelus avec son passé. Là-bas, il pouvait évoquer son ancien pays avec des amis de longue date. Quand la conversation tombait sur la guerre, ils employaient toujours des euphémismes. Les rafles et les exécutions, ça concernait les communistes, les traîtres et les parasites. Le mot « juif » était rarement prononcé, sauf lorsqu'on se plaignait du pouvoir qu'ils possédaient encore. Ils ne parlaient jamais des enfants qu'ils avaient massacrés ni des familles qu'ils avaient détruites. Ils n'éprouvaient aucun sentiment de culpabilité. Ils avaient fait ce qu'ils devaient, et ils ne s'étendaient pas là-dessus. Pas de cauchemars, pas le moindre remords. Leurs enfants ne devaient pas porter le poids d'un passé qu'ils ne pouvaient pas comprendre. Le monde avait oublié rapidement ; pourquoi eux, auraient-ils dû se souvenir ? Ils croyaient fermement que les événements désagréables de jadis ne pointeraient plus jamais leur vilain museau.

Tout en marchant, Marcelus Prandus imaginait déjà avec délices l'agréable soirée qu'il allait partager avec ses vieux amis lituaniens, à évoquer le bon vieux temps, quand les enfants suivaient encore les traces de leurs pères.

23

L'enlèvement

Le moment était venu de kidnapper Marcelus Prandus. L'anniversaire fournissait une opportunité parfaite. Danielle n'avait qu'à placer son break, capot relevé, sur le chemin qu'empruntait Prandus pour se rendre au Cercle américano-lituanien.

– Excusez-moi, monsieur, dit-elle à l'homme qui sifflotait en descendant la rue. Je crois que j'ai un problème avec ma voiture.

– À votre service, je suis de la partie. Dans le temps, j'ai possédé un atelier de mécanique, raconta le vieil homme, en soulevant poliment son chapeau.

Quand Prandus se pencha sur le moteur, Danielle lui enfonça un pistolet dans les côtes.

– Dans la voiture. Tout de suite. Pas un mot, ou je vous tire dessus. Il y a un silencieux.

– Ne tirez pas. Je ferai tout ce que vous voudrez, répondit Marcelus, nerveux, en ouvrant la portière et en s'asseyant.

Danielle monta à côté de lui, son pistolet toujours braqué dans sa direction.

Max apparut au coin de la rue. Il s'installa derrière le volant et démarra. La voiture prit la route des Berkshires.

Pendant les deux heures et demie que dura le trajet, Marcelus Prandus n'arrêtait pas de se demander ce qui lui arrivait.

– Je suis vieux, je suis malade. Je n'ai pas d'argent. Vous devez vous tromper de personne.

Il faisait sombre, Marcelus ne voyait pas bien le conducteur.

Max ignorait si l'autre le reconnaîtrait, mais cela n'avait guère d'importance. Danielle ne cessait de répéter :

– On ne vous fera pas de mal. On veut juste vous montrer quelque chose.

Au crépuscule, ils s'arrêtèrent devant une petite maison de chasse, au fond des bois, à des kilomètres de toute habitation. Danielle possédait une villa d'été dans les parages. Dès que Prandus entra dans la cabane, il comprit qu'il était là pour quelque temps. Tout avait été soigneusement aménagé. Des stores opaques empêchaient la lumière de filtrer à l'extérieur. Les fenêtres, garnies de barreaux, étaient équipées de verrous. Pas de téléphone, ni aucun autre moyen de communication. Le seul appareil en vue était un petit poste de télévision, avec magnétoscope intégré. Prandus en conclut avec soulagement que l'on n'allait pas le tuer. Sinon, pourquoi avoir préparé la cabane avec tant de soin ?

Danielle attacha le vieil homme à un large fauteuil de chêne. Quand elle eut terminé de lui lier les bras et les jambes, elle annonça :

– Maintenant, que le spectacle commence. Voici le maître des cérémonies.

Max s'approcha et fixa Prandus droit dans les yeux.

– Vous vous souvenez de moi ? interrogea-t-il.

Marcelus l'observa pendant une bonne minute, se creusant la cervelle à la recherche d'un indice.

– Votre visage m'est familier. Est-ce que je vous connais ?

– Je m'appelle Max Menuchen, déclara l'homme qui lui faisait face.

Après un instant de silence, il pointa son doigt sur Prandus et déclara, d'une voix sombre et sans appel :

– Vous avez assassiné toute ma famille dans le bois du Ponant, en avril 1942.

Son regard était d'une dureté implacable.

– Vous nous avez ordonné de creuser notre propre tombe. Votre seule erreur, c'est de ne pas m'avoir tué. J'ai survécu et je me suis échappé. Cela fait cinquante ans que j'attends de me venger. Et le moment est arrivé.

– Oh, mon Dieu. Je... Je ne sais pas de quoi vous parlez, bégaya Marcelus, paniqué. Vous devez vous tromper de personne.

Avec un sourire forcé, il continua :

– Prandus est un nom répandu. J'ai un cousin qui a été renvoyé en Lituanie. C'était lui, pas moi. Vous devez me laisser partir. Je vous aiderai à le retrouver.

– Je n'oublierai jamais vos yeux !

Max hurlait, tandis que sa main giflait violemment Prandus. C'était la première fois de sa vie que Max frappait quelqu'un. Marcelus se recroquevilla de peur. Le coup avait été terrible, mais les paroles de cet homme davantage. Max entendait résonner en lui les mots du roi Lear : « Tremble, pervers qui as en toi des crimes pas divulgués, pas fustigés par la justice [1]... »

– Ce n'était pas moi. Mon cousin me ressemble, et il porte le même nom. Pendant la guerre, j'ai aidé des Juifs. Les Greenberg, les Levine, les Bloom. Je les ai aidés. Je vous en prie. Je vous en supplie. Ne me faites pas de mal.

– Si, nous allons vous faire du mal, à un point que

1. William Shakespeare, *Le Roi Lear*, III, 2, traduction d'Armand Robin.

vous ne pouvez pas imaginer. Vous allez ressentir ce que j'ai ressenti. Vous souffrirez comme j'ai souffert, comme nous avons tous souffert pendant cette horrible nuit.

La voix de Max était celle d'un juge prononçant une sentence capitale.

– Je suis en train de mourir d'un cancer, gémit Marcelus. Ce n'est qu'une question de mois, et je serai mort. Ne pouvez-vous avoir pitié d'un homme qui agonise ?

– Et vous, avez-vous eu pitié de ma famille ?

Max se rendait compte que la peur avait envahi Prandus, mais pas encore la terreur. Ce serait bientôt le cas lorsqu'il comprendrait que les enjeux étaient plus importants, bien plus importants que sa misérable existence qui s'éteignait.

Marcelus tenta en vain de se débarrasser de ses liens. Il était fait comme un rat, pas moyen de sortir de ce piège. Inutile d'essayer plus longtemps de se disculper. Il changea de tactique.

– J'ai eu tort. Ce que j'ai fait est terrible. J'étais si jeune. Je vous en prie, pardonnez-moi.

Max perçut le regret dans la voix de Prandus, mais c'était celui du criminel rattrapé.

Prandus supplia :

– Laissez-moi mourir en paix !

– Souvenez-vous de mon grand-père, qui vous a imploré de l'abattre en premier.

Jusqu'à cet instant, Prandus ne se souvenait pas distinctement des Menuchen. Il avait pris part à tant d'*Aktions*, il avait exterminé tant de Juifs. Tout était mélangé dans son esprit. Pourtant, la mention du grand-père qui avait demandé à être tué le premier fit ressurgir une image de cette famille en particulier. C'était la première fois que Marcelus y repensait depuis cette nuit-là, plus de cinquante ans auparavant. Pour lui, le bois du

Ponant était un épisode parmi d'autres, et chacun d'eux avait été rapidement oublié. Pour ses victimes, ils étaient gravés pour l'éternité.

Prandus ne put que pleurnicher :

– Je suis vraiment désolé. Je vous en prie, ne me tuez pas.

– Je ne vais pas vous tuer. Vous allez subir ce que vous avez infligé à mon grand-père.

– Que voulez-vous dire ? s'affola Marcelus, tandis que le cœur commençait à lui manquer à l'idée du sort que l'on pouvait lui réserver. Que voulez-vous dire ? Que voulez-vous dire ? répéta-t-il d'une voix qui devenait aiguë sous le coup de la terreur.

– Vous avez un petit-fils qui s'appelle Marc.

– Oh, mon Dieu. Ne faites pas de mal à mon Marc, hurla Prandus, tandis qu'une sensation de nausée commençait à monter en lui. Que dois-je faire pour vous empêcher de faire du mal à Marc ? Je vous paierai ce que vous voudrez. J'ai pas mal d'argent à la banque. Prenez ma maison, prenez mon or.

– Je ne veux pas de votre argent.

– Oh, mon Dieu. Alors prenez ma vie. Torturez-moi. Faites-moi n'importe quoi, mais ne touchez pas à Marc, je vous en supplie. Je vous implore. Ce n'est qu'un enfant. Il n'est coupable de rien. Ce n'est pas sa faute.

– Ce sont les mêmes mots que je vous ai adressés cette nuit-là. Avant que nous ne tuiez mon bébé, mon fils. Vous vous souvenez de ce que vous avez répondu ?

– Non. Je regrette tout ce que j'ai pu dire. Je vous en supplie, pardonnez-moi.

– Je me souviens de chaque parole que vous avez prononcée : « Ce n'est pas sa faute, mais la faute est en lui. Dans ses racines, dans ses gènes. »

– Non, non, je vous en supplie. Ne lui faites pas de

mal, pleurait Prandus en tirant de toutes ses forces sur ses liens.

Ses muscles roulaient sous les cordes. Ses bras devenaient rouges. Les veines de son front commençaient à gonfler. On aurait dit qu'il allait avoir une attaque. Puis le vieil homme réalisa qu'il ne pourrait pas se libérer, et l'épuisement le submergea.

– Cette fois-ci, c'est *vous* qui êtes impuissant, remarqua Max avec satisfaction.

– Ramenez-moi auprès de mon petit-fils, sanglota Marcelus, comme s'il espérait, contre tout espoir, qu'il pourrait le prévenir ou le sauver.

– Vous ne quitterez jamais cette pièce. Nous amènerons Marc ici, et vous le verrez mourir sous vos yeux.

– Non, non, je vous en conjure. Pas ça. Je ne pourrai pas le supporter. Je mourrai le premier.

Prandus s'agitait à nouveau.

– Vous n'aurez pas cette chance.

– Je suis une personne différente, aujourd'hui. L'homme que vous punissez n'est pas celui qui a commis ces actes terribles dans le bois du Ponant. Pendant cinquante ans, je me suis bien conduit.

– Les cinquante années de bonheur dont vous avez bénéficié, malgré vos crimes, sont une raison de plus pour vous châtier.

– J'étais si jeune, répéta Marcelus. N'y a-t-il pas de place pour le pardon dans votre cœur ?

– Ce n'est pas à moi de vous pardonner, je ne suis là que pour obtenir vengeance.

– Œil pour œil ?

– Si je voulais que ce soit œil pour œil, je commencerais par violer votre petite-fille. Vous vous souvenez de ma sœur, Sarah Chava ?

– Non. Je n'ai jamais violé personne.

Max le gifla à nouveau, et du sang jaillit de ses lèvres.

– Ne niez pas ce que vous avez fait. Ça ne vous servira à rien, avertit Max sévèrement.

– On obéissait aux ordres, pleurnicha Prandus.

– C'est vous qui les donniez.

– Mais j'en recevais de mes supérieurs.

– Avec lesquels vous étiez d'accord.

– J'avais tort. Et je rôtirai sans doute en enfer pour l'éternité parce que j'ai obéi à ces ordres. Et vous aussi, si vous faites du mal à mes petits-enfants innocents. Vous voulez brûler en enfer ?

– Le bois du Ponant était pire que n'importe quel enfer. Et, depuis, chaque jour a été pire que n'importe quel supplice. Je peux supporter la damnation éternelle, si c'est ce qui m'est réservé.

– Vous ne croyez pas à l'enfer, n'est-ce pas ?

– Et *vous* ?

– Je n'y croyais pas quand j'étais jeune, mais maintenant oui. Mon confesseur m'a absous pour ce que j'ai fait dans le bois du Ponant, sans me promettre le salut. Il m'a prévenu que Dieu me jugerait sévèrement, mais uniquement après ma mort.

– Eh bien, je suis votre juge et votre jury, exactement comme vous avez été le juge, le jury et le bourreau de ma famille. En punition de vos crimes, je vous condamne à être le témoin de la mort de votre petit-fils. Pendant que vous assisterez à son exécution, vous saurez qu'on l'assassine pour une seule raison : ce que vous avez fait dans le bois du Ponant. Un philosophe a dit un jour que celui qui tue son prochain manifeste, par cet acte, la volonté de sa propre mort. En exterminant ma famille, vous avez voulu la perte de votre famille. C'est *vous* leur assassin.

– Ils sont innocents.

– Alors ils iront au paradis, où vous ne les retrouverez

jamais car, quoi que vous ait raconté votre confesseur, vous irez certainement en enfer.

– Comment le savez-vous ? s'insurgea-t-il sauvagement.

– S'il y a un enfer, il est sûrement réservé à des personnes comme vous et moi, qui sont prêtes à tuer de sang-froid des innocents, en particulier des enfants. J'accepte de passer l'éternité en enfer pour ce que j'ai décidé d'accomplir. Êtes-vous prêt à passer l'éternité en enfer pour les crimes que vous avez commis ?

– Si je pouvais sauver ma famille à ce prix, je choisirais l'enfer de mon plein gré.

– On ne m'a jamais donné ce choix.

– Vous n'êtes pas Dieu ! hurla Prandus.

– Vous ne l'étiez pas non plus. Mais vous aviez le pouvoir de vie et de mort sur les miens. Et vous avez opté pour la mort. Maintenant, j'ai le même pouvoir sur votre petit-fils. Et je dois choisir. Vous souvenez-vous du dernier mot de mon grand-père ?

– Non, je ne m'en souviens pas.

– C'était *Nekama*. Cela signifie « Venge-nous ». Je dois obéir à son ordre ultime.

Danielle avait écouté en silence le dialogue entre Max et l'homme qui avait tué toute sa famille. À différents moments, elle avait eu envie de l'interrompre et d'exprimer ses propres sentiments. Mais elle se rendit compte que ceux-ci se rapportaient à son propre grand-père, dont Prandus n'était qu'un substitut. C'était l'heure de Max. La solution maïmonidienne était son idée à elle, mais c'est Max qui devait s'occuper de son prisonnier.

Au signal de Max, Danielle mit un bâillon sur la bouche de Prandus tandis que le vieil homme secouait frénétiquement la tête de droite à gauche.

– Marc sera mort d'ici demain, déclara Max au moment où ils quittèrent Marcelus Prandus gémissant, impuissant, attaché à son fauteuil.

24

Max a disparu

– Il n'est pas chez lui, et il n'est pas à son bureau, commença Abe. Personne ne sait où il est passé.

– Est-ce que quelqu'un a jeté un coup d'œil à l'intérieur de sa maison ? demanda Rendi.

– Oui, moi. J'ai une clef. Rien d'anormal. J'ai même vérifié ses bagages. Tout est là. Je suis inquiet.

– Il doit être à la bibliothèque, ou en promenade. Quand l'a-t-on vu pour la dernière fois ?

– Hier. Il a demandé quelques ouvrages consacrés à la Bible à sa secrétaire. Les trucs habituels.

– Écoute, moi aussi, je suis embêtée. Mais on ne peut rien faire. C'est trop tôt. Les flics ne vont pas se lancer à la recherche un type qui a disparu depuis vingt-quatre heures.

– Tu as raison, mais cela ne me rassure pas pour autant. Je vais appeler les hôpitaux.

– Je vais t'aider. Je m'occupe de Mont-Auburn, toi de Cambridge-City. Après ça, on essaiera Boston.

Tandis qu'Abe et Rendi téléphonaient, un par un, aux hôpitaux des environs, une autre famille, à plusieurs kilomètres au nord, recherchait un vieil homme qui, lui aussi, avait disparu, à peu près au même moment.

25

Paul Prandus

– Mon père n'est jamais arrivé au Cercle américano-lituanien, déclara Paul Prandus à son ami, le détective Freddy Burns.

– Que veux-tu dire par « jamais arrivé » ? Il est peut-être allé ailleurs.

– Tu ne connais pas papa. Ce cercle est son deuxième foyer. Il nous a prévenus qu'il allait y retrouver ses amis. Ils l'attendaient. Il n'est jamais arrivé. Il a disparu.

Même si Paul avait sa voix douce habituelle, son angoisse était perceptible.

– Il n'a pas disparu, tenta de le rassurer Freddy. J'ai vu un million de cas comme celui-là. Le type rentre chez lui le lendemain. Parfois, il a un œil au beurre noir. Parfois, il a la gueule de bois. Mais il rentre toujours.

– Papa se rend toujours directement à son cercle. Il a quitté la maison à six heures du soir. C'est à dix minutes à pied. J'ai peur que quelqu'un ne l'ait enlevé. Il faut qu'on le retrouve.

– Paul, tu regardes trop de films. Qui voudrait enlever ton père ? Tu n'es pas vraiment Bill Gates, tu sais. Tu ne pourrais même pas payer une rançon qui couvre les frais d'un kidnapping.

– Il ne s'agit peut-être pas de rançon, suggéra Paul d'une voix plus sourde.

– De quoi alors ?

– Je ne sais pas.

– Et les explications classiques : petite amie, accès de dépression, crise cardiaque ?

– Il est trop vieux pour avoir une petite amie. Et il n'était pas déprimé. Enfin, malgré son cancer, il est fort comme un cheval, à la fois psychologiquement et physiquement. Son cœur est en parfaite santé. Il a été kidnappé, je ne vois que cette possibilité.

– OK. Je vais travailler là-dessus. Où est-ce que je commence mon enquête ?

– Aucune idée.

– Eh bien, c'est une sacrée piste. Il faut d'abord vérifier les hôpitaux, le poste de police, l'église, les vieux amis, le parc, la morgue. Interroge le poste de police et l'église. Je m'occupe du reste. On va éliminer les endroits évidents. Ensuite, s'il n'a pas réapparu – et je suis sûr qu'il va refaire surface –, on envisagera les pistes les plus improbables, comme ton hypothèse de l'enlèvement.

– Retrouve-le, je t'en prie. Je veux qu'il meure chez lui, entouré de sa famille. Pas tout seul, au fond d'une cave. Loin de mon fils qui l'adore, ajouta Paul en ouvrant son portefeuille pour montrer à Freddy la photo du jeune Marc. Je t'en prie, Freddy.

Paul était certain que l'on ne retrouverait pas son père dans un endroit « évident ». Il devinait, sans savoir exactement sur quoi se fondait son intuition, que la disparition de son père n'avait rien de banal.

Freddy Burns n'avait assurément pas l'air d'un détective privé. C'est peut-être pour cette raison qu'il réussissait si bien dans son travail. À une époque, maintenant éloignée, il avait eu la tête de l'emploi. Du temps où il était officier de police à Boston. Il soignait alors davantage son apparence et avait presque belle allure. Mais depuis qu'il avait reçu cette balle en pleine gueule, il se laissait aller.

Il avait été touché lors d'un échange de coups de feu avec un émigré russe qui menaçait de tuer ses enfants et sa femme, si celle-ci n'acceptait pas de retourner en Russie. Freddy et son agresseur avaient été conduits tous les deux aux urgences, où l'on avait soigné le forcené avant le flic parce que ses blessures étaient plus graves. Quand les médecins avaient fini par s'occuper de Freddy, ils avaient été incapables de lui redonner son visage d'avant, même avec l'aide de la chirurgie esthétique.

Freddy n'oublierait jamais la première personne qui lui avait rendu visite à l'hôpital : un célèbre avocat de la défense de Cambridge, Abe Ringel, qui lui avait fait subir un contre-interrogatoire en plusieurs occasions, tentant toujours de démolir son témoignage. Freddy avait malgré cela beaucoup de respect pour l'avocat. Si, un jour, j'ai des ennuis, songeait-il, je sais bien qui j'appellerai pour me défendre.

Quand il quitta enfin l'hôpital, on le colla derrière un bureau, d'abord comme coordinateur, puis comme porte-parole de la circonscription. Freddy détestait ça. Il se sentait enfermé. Il jugeait que son nouveau boulot n'était qu'une « putain de manifestation de pitié », et il démissionna au bout d'un an, avec une pension d'invalidité équivalant aux trois quarts de son ancien salaire. Une fois payés la pension alimentaire de son ex-femme et les frais d'entretien de ses enfants, il ne lui restait pas un centime. Alors Freddy Burns ouvrit l'Agence B & B, spécialisée dans la protection rapprochée et les enquêtes discrètes. Le deuxième B était l'expression de son rêve – jamais réalisé – de rencontrer une femme qui serait à la fois sa partenaire et son épouse.

Le premier avocat à avoir fait appel à Freddy était un jeune diplômé de la faculté de droit de Boston, qui venait d'ouvrir un cabinet à Salem. Il s'appelait Paul Prandus. C'était un homme sérieux, un peu rigide, qui consacrait la majeure partie de ses loisirs aux activités de sa paroisse. Freddy se rappelait très bien Paul du temps où il était la vedette locale de football. En dépit de sa constitution athlétique, Paul ne se comportait pas comme une star à la retraite : il ne frimait pas, ne célébrait pas sa gloire passée. Il se conduisait comme un simple avocat. Son client était un type du coin, en dernière année de fac, accusé d'homicide dans une affaire bizarre. Il s'était battu, dans la cour de la fac, avec la brute de la classe, qu'il avait envoyé valser d'un coup de poing. La tête du gars avait heurté le sol sous un mauvais angle, et il était dans le coma. On le maintenait en vie grâce à un respirateur et, après dix mois, sa mère envisageait sérieusement de faire débrancher l'appareil. Paul avouait s'identifier avec son jeune client à cause de ses propres bagarres de jeunesse. « Il faut que l'on aide ce gosse », pressa-t-il Freddy.

Il se trouva que Freddy avait séjourné dans le même hôpital que celui où était le garçon dans le coma. L'issue de l'affaire était entre les mains des médecins-chefs, car, selon la loi, si la victime d'une agression meurt moins d'un an et un jour après l'agression, il y a homicide. Si la victime survit plus d'un an et un jour, il n'y a qu'agression. L'accusé avait engagé Paul Prandus pour qu'il empêche la mère de débrancher son fils, ce qui aurait fait de lui un assassin.

C'est Freddy qui avait appelé le jeune avocat pour lui proposer de mener sa petite enquête. Prandus l'avait embauché, et Freddy avait fouiné sans difficulté dans l'hôpital, où il avait été un visage familier durant plusieurs mois. Il avait découvert que la mère du gamin blessé n'avait jamais rendu visite à son fils et qu'elle ne le voyait plus depuis des mois, bien avant qu'il ne tombe dans le coma. Et surtout, elle avait souscrit après l'accident plusieurs polices d'assurance sur la tête de son fils, du genre « aucun examen physique requis ». Cette information avait aidé Prandus dans ses négociations, et il avait obtenu que la tentative de meurtre soit écartée et le jugement suspendu.

Depuis cette affaire, Paul Prandus prenait toujours Freddy Burns comme enquêteur.

Freddy et Paul vérifièrent rapidement toutes les pistes, mais revinrent les mains vides.

– Quelqu'un l'a enlevé, ou l'a tué, répéta Paul. J'en suis sûr. Je le sens dans mes os.

– Je ne crois pas. Mes couilles me suggèrent qu'il est quelque part avec une pute, quoi que tu en dises. Personne n'est jamais trop vieux pour une petite partie de jambes en l'air. Mais c'est ton père, alors on suivra tes os, et pas mes couilles.

– Par où commence-t-on ?

– Commençons par toi. Est-ce que quelqu'un pourrait vouloir se venger de toi en faisant du mal à l'un de tes proches ?

– Je suis un avocat de la défense. On n'est pas l'espèce la plus aimée au monde.

– Je le sais. Les types comme vous, on les classe quelque part entre les putois et les serpents venimeux. Plus près des serpents venimeux. Mais pourquoi toi en particulier ?

– Je l'ignore. J'ai défendu quelques personnages peu recommandables. J'ai gagné ma part d'affaires, j'en ai perdu autant.

– Quand tu perds, le type qui va en taule t'en veut ?

– Possible. Et si je gagne, c'est la famille de la victime qui m'en tient rigueur.

– Ça n'affine pas beaucoup la liste des suspects potentiels. Ce que tu es en train de me dire, c'est que chaque affaire criminelle dont tu t'es occupé peut fournir un mobile !

– Quand un avocat de droit pénal est visé, tout le monde est suspect. Même ceux qui ne nous connaissent pas nous détestent. Tu devrais lire les lettres anonymes que je reçois.

– Je vais les lire. On ne sait jamais où l'on peut trouver une piste.

– Pourtant, je n'arrive pas à croire que quelqu'un m'en veuille suffisamment pour risquer une longue peine de prison et peut-être devenir un assassin.

– Devenir un assassin ? Quelques-uns de tes clients avaient déjà ce statut bien avant de faire ta connaissance. Et c'est foutrement plus facile de tuer sa deuxième victime que sa première. Alors, des candidats ?

– J'ai perdu récemment une affaire importante, dont le prévenu était un type de la mafia dont la liste des crimes va d'ici à Cape Cod. Cependant, je ne pense pas que je sois dans sa ligne de mire. Je ne suis pas le genre d'avocat qui suscite des passions. Je suis plutôt guindé. On n'est d'ailleurs jamais allé jusqu'à me menacer. Me haïr, oui, me menacer, non.

– Cela rend notre enquête encore plus difficile. Ceux qui menacent ne tuent jamais. C'est de ceux qui restent silencieux mais gardent leur ressentiment, qu'il faut se méfier. Racontes-en moi plus sur ce type de la mafia.

– Il est enfermé à Walpole, à perpétuité, mais il a des amis.

– Dresse-m'en la liste.

– Elle aurait la taille d'un annuaire, protesta Paul. On parle de la mafia, n'oublie pas. Ils ont des tueurs partout dans le monde.

– Oui, leur jeu préféré c'est de croiser quelques balles.

– Hein ?

– Ils envoient un type du Kansas pour descendre un gars de Boston, et un gars de Boston pour s'occuper d'un type du Kansas. Ils croisent.

– Je ne sais toujours pas par où commencer.

– Je connais un peu la mafia, reprit Freddy. Pour moi, ça ne ressemble pas à un de leurs contrats. Ils ne s'en prennent pas aux avocats qui ont perdu un procès. Encore moins aux membres de sa famille. Ils respectent trop la famille. Pas comme les drogués de Miami. Si la mafia te gardait rancune, c'est toi qui aurais disparu, pas ton père. Ce n'est pas la mafia.

– Je suis d'accord.

– Est-ce que quelqu'un d'autre pourrait t'en vouloir ?

– Je n'arrive pas à imaginer que quiconque puisse avoir un motif suffisant pour s'en prendre à mes proches. Enfin si, peut-être Scooter.

– Qui est Scooter ?

– Scooter Scott. Un trafiquant de drogue de Malden. Mon client l'a balancé. Il en a pris pour dix ans. C'est moi qui ai passé le marché.

– Dis-m'en un peu plus.

– Scooter n'est pas un ange. Il menaçait mon client. J'en ai fait état pour que la sentence de mon gars soit suspendue. J'ai expliqué que l'envoyer en prison avec une étiquette de mouchard, cela équivalait à une sentence de mort.

– Alors, où se trouve ton petit ange ?

– Programme spécial de protection des témoins. Quelque part dans le Midwest – Borington, USA. C'est là qu'ils envoient tous les mouchards.

– Est-ce que Scott a cherché à t'intimider ?

– Non. Il m'a juste regardé de travers.

– De travers ? À quel point ?

– Normal, rien de vraiment particulier.
– Scooter, il a un réseau ?
– Pas que je sache. Plutôt du genre solitaire.
– Il n'a pas le profil que l'on cherche. Quelqu'un d'autre ?
– Non. Je ne pense pas que la disparition de mon père ait un rapport avec moi.
– D'accord. Admettons que tu ne sois pas la cible. Qui d'autre dans ta famille ?
– La seule personne à qui je songe, c'est papa lui-même.
– Ton vieux ? À qui aurait-il fait du mal ?
– Je l'ignore, mais ça pourrait être lui.
– Il n'était pas mécanicien ou quelque chose d'approchant ?
– Il a exercé plusieurs métiers depuis qu'il est arrivé aux États-Unis. Vigile, mécanicien, homme à tout faire... Il a pris sa retraite il y a plusieurs années. Depuis, il traîne presque tous les jours au Cercle américano-lituanien, à discuter avec des copains du pays.
– Il faisait quoi en Lituanie ?
– Il n'en a jamais beaucoup parlé. Je sais qu'il a fait la guerre. Il a combattu les communistes. C'est pour ça qu'il est parti. Staline n'avait pas envie de le voir rester.
– Eh bien, au moins, on sait que ce n'est pas Staline. Ce salaud était un dur, mais même lui ne peut pas se venger par-delà la tombe.
– Papa appartenait à une sorte de milice qui raflait les communistes. Il a toujours refusé d'évoquer cette époque. Peut-être qu'une personne qu'il aurait arrêtée lui en veut ?
– Après cinquante ans ? Tu rigoles ! Même la mafia n'a pas la rancune aussi tenace. Non, c'est un cul-de-sac. J'ai une règle en ce qui concerne les mobiles : les passions refroidissent vite. Regarde hier, et pas le mois précédent. Concentrons-nous sur des événements plus récents.

– J'ai l'étrange intuition que la disparition de papa nous ramène au Vieux Continent. Ce qui s'est passé là-bas a suscité des sentiments plutôt forts. J'ai appris quelques trucs à ce sujet, à la fac. C'était vraiment horrible. Tu ne pourrais pas faire quelques vérifications ? Mais pas un mot de ça à ma famille. Pas maintenant, du moins. Tout le monde est sous le choc. Je ne veux pas que quiconque soit poussé à bout sans nécessité. Il faudrait fouiner un peu, avec discrétion.

– Je pourrais toujours aller au cercle de ton père et interviewer quelques-uns de ses vieux copains...

– Inutile, ils ne te diront jamais rien. C'est une bande de vieillards à l'esprit étroit. Tu n'es pas lituanien. Un Irlandais comme toi, pour eux, c'est comme un Martien. Sauf si je t'accompagne. À moi, ils se confieront peut-être.

Paul et Freddy franchirent à pied les quelques rues qui les séparaient du club. Une demi-douzaine d'hommes, tous dans les soixante-dix ans, jouaient aux cartes en parlant lituanien. Un homme dans un fauteuil roulant lisait un livre. Les murs étaient couverts d'affiches et de photographies, des paysages de la Lituanie et des portraits des célébrités nationales.

– Paulus ! C'est la première fois que je vous vois ici, lança Peter Vovus, un des amis de Marcelus. Tout va bien chez vous ? Votre papa n'est pas venu aujourd'hui.

– Ni hier, intervint un autre homme. Il était censé venir hier, mais on ne l'a pas vu. Est-ce que son cancer empire ?

– C'est de ça que je voudrais discuter avec vous. Papa n'est pas rentré à la maison. Il a disparu. Cet homme, Freddy, est un détective. Il a de bonnes raisons de croire que quelqu'un a pu enlever papa ou lui faire du mal.

– Oh, mon Dieu. Votre père n'a rien à se reprocher. C'est un homme bon, un bon père de famille.

– Freddy, ici présent, pense que ça pourrait avoir un rapport avec le passé de papa, à Vilnius pendant la guerre.

Quand Paul prononça ces mots, il y eut des murmures dans l'assistance. Un par un, les joueurs posèrent leurs cartes et regardèrent Paul. L'homme dans le fauteuil roulant ferma son livre et s'approcha.

– On a besoin de votre aide, continua Paul. On n'a pas de temps à perdre. Si mon père est encore en vie, on n'a peut-être que quelques heures, quelques jours, pour le retrouver. Il faut que nous découvrions la vérité à son sujet. Même si c'est douloureux. Alors, pas de mensonges. S'il vous plaît. Nous sommes venus vous poser une question : est-ce que mon père a commis des actes répréhensibles pendant la guerre ?

Pour toute réponse, régna un silence pesant. Depuis qu'ils étaient arrivés aux États-Unis, dans les années quarante, personne n'avait jamais demandé à ces hommes ce qu'ils avaient fait pendant la guerre.

Paul se souvenait comment, à la maison, son père évitait d'évoquer ces années-là. Quand, un jour, il l'avait interrogé, Marcelus lui avait répondu qu'il avait appartenu à la police et qu'il avait aidé à rafler des communistes. À présent, Paul ne pouvait plus se contenter de cette réponse.

– Il faut que je sache, nom de nom, insista Paul avec emphase, mais sans élever la voix. En gardant le silence, vous ne rendez pas service à papa. Vous savez ce qu'il a fait. Dites-le-moi. Est-ce qu'il a participé à une rafle de Juifs ? Je dois le savoir. Car il existe peut-être un lien avec son enlèvement.

– C'est une histoire compliquée, admit Peter Vovus. Personne ne peut la comprendre s'il n'était pas présent. C'étaient des temps tragiques, et il s'est passé des choses vraiment horribles – pour les Lituaniens comme pour les autres. Vous ne pourriez jamais comprendre ça, Paulus, vous qui êtes né aux États-Unis.

– C'est également ce que déclare papa. Mais je dois connaître les faits, même si j'ai du mal à les comprendre.

– On n'en parle jamais. Ce que l'on a fait serait mal interprété.

– Il ne s'agit pas de vous juger, monsieur Vovus, ni même de juger mon père. Il s'agit de le sauver. Je vous en prie. On ne répétera jamais ce que vous allez nous confier. Nous devons savoir.

– Très bien, accepta Peter Vovus. D'abord, il faut que je vous dresse un tableau général. Tout a commencé avec votre grand-père, que vous n'avez pas connu. Asseyez-vous et écoutez. Votre père m'a relaté cette histoire plus d'une fois.

Paul et Freddy s'assirent, tandis que Peter Vovus commençait à raconter.

– Au départ, c'était une discussion futile à propos de football, puis ça s'est transformé en bagarre générale. Votre grand-père, Paulus Prandus, a cogné Matius Plusk. Plusk a pris une bouteille de vodka et en a frappé la tête de votre grand-père. Votre grand-père a titubé jusqu'à la porte. Plusk l'a suivi, en le menaçant. Plusieurs habitués de la Taverne du Loup, y compris mon oncle, ont essayé de s'interposer, mais Plusk a réussi à le frapper à nouveau, cette fois avec une grosse lanterne. Votre grand-père est tombé mort sur le sol.

Peter Vovus s'agita sur sa chaise, mal à l'aise. Il avala une gorgée de vodka pour s'éclaircir la voix, puis reprit son récit.

– Votre grand-mère a toujours pensé que les Juifs étaient responsables de la mort de son mari. La taverne

– comme beaucoup d'autres en ce temps-là – appartenait à un Juif. Le propriétaire, Shmulka Grossberg, n'était pas intervenu dans la bagarre. Il n'intervenait jamais. Il disait toujours : « Quand ils sont ivres, il faut laisser les *goyim*[1] – c'est comme ça qu'il nous appelait – se tuer entre eux s'ils en ont envie. C'est leur façon de faire. Toujours, ils se saoulent et se battent. » Cette fois-là, votre grand-père a été tué. Une mort étrange. En général, pour décéder, il faut plus que quelques coups sur la tête. Il n'y a pas eu de poursuites, parce que tout le monde avait vu Paulus porter le premier coup. Mais aux funérailles, le prêtre a désigné clairement le vrai coupable : « Les Juifs nous remplissent d'alcool pour leur bénéfice personnel, a prêché le père Grekus. Ils ne s'inquiètent que des autres Juifs. Nous ne sommes pour eux que des sources de profit. » Tout le monde savait que Grossberg cachait un fusil derrière son comptoir, au cas où il y aurait des voleurs, mais il ne s'en était pas servi. « La vie d'un chrétien, pour un Juif, n'a aucune valeur. C'est écrit dans leur Talmud », a ajouté le prêtre. Même avant ce drame, votre père avait appris – de ses parents, des prêtres, des voisins – que les Juifs et les communistes étaient les ennemis de leur mode de vie, et que les Juifs avaient créé le communisme. On nous enseignait ça à tous.

– C'est la vérité, intervint l'homme dans le fauteuil roulant. Et je me fous de ce que l'on raconte aujourd'hui. C'est toujours vrai.

– Tais-toi, Oleg. Ils ne sont pas là pour entendre tes opinions. Ils veulent des faits, coupa Vovus en haussant les épaules pour s'excuser. Votre père a toujours aimé l'autorité, les règles, les ordres. Son choix de devenir policier lui convenait parfaitement. Il aimait les fascistes,

1. Goyim : non-Juifs.

même avant qu'ils ne sauvent notre pays des communistes. Après ça, tout le monde a aimé les fascistes. Aussitôt que l'armée de Hitler a libéré Vilnius, votre père – il avait vingt et un ans à l'époque – a été volontaire pour servir dans les opérations dirigées contre les Juifs. Il connaissait ceux de Vilna. Il comprenait leur langue. Ils avaient tué son père. Il était persuadé qu'ils devaient être anéantis.

« Le chef de la gestapo locale, le général Heinrich Gruber, a confié à Marcelus la responsabilité de diriger les rafles de Juifs. Votre père idolâtrait Gruber, car c'était le premier nazi allemand qu'il approchait.

« En moins de six mois, Marcelus est monté en grade. Son physique avantageux et sa force lui donnaient la prestance d'un chef. Il avait vraiment belle allure dans l'uniforme noir de la milice, se souvint Vovus avec nostalgie. Son intelligence, son charme, ses bonnes manières lui valaient le respect de ses collègues et de ses supérieurs allemands. Il a été rapidement nommé capitaine dans la Police auxiliaire lituanienne. Sa mère était fière. Pour lui, c'était important. Il était devenu le chef de famille.

« Après la guerre, les communistes sont revenus au pouvoir. Il y a eu des rumeurs de procès pour collaboration, mais on ne voyait pas bien comment ce serait possible, puisque tout le monde avait collaboré. Nous étions d'accord avec les nazis. Ils étaient de notre côté. C'étaient ceux qui avaient soutenu le communisme – les soi-disant partisans – qui avaient collaboré avec l'ennemi. Mais tout ça était du passé maintenant que les Russes occupaient Vilnius, et Marcelus a appris que son nom était sur une liste de suspects établie par l'Armée rouge.

« Votre grand-mère avait des parents à Boston, alors c'est là qu'ils se sont enfuis. Plus tard, ils se sont installés ici, à Salem. Il se trouve que mes parents connaissaient des gens à Salem, alors, nous aussi, on est venus ici.

« Vous connaissez la suite de l'histoire, Paul. Après la guerre, votre père a mené une existence exemplaire. En dehors de sa famille, sa vie, c'est le Cercle américano-lituanien dont il est le président.

« Je ne m'attends pas à ce que vous compreniez, mais j'espère que cette information sera utile à votre enquêteur. C'est la première fois que j'en parle depuis des années.

Paul resta assis, abasourdi. Il s'était toujours douté que, dans le passé de son père, il y avait plus que quelques rafles de communistes mais, même dans ses pires cauchemars, il n'avait pas imaginé que son père avait été un nazi.

– Mon père n'a jamais tué lui-même aucun Juif, n'est-ce pas ? demanda faiblement Paul, bien qu'il connût déjà la réponse.

– Qu'est-ce qu'il vous a dit ?

– Qu'il n'avait jamais fait de mal à personne.

– Alors restons-en là.

– Ce n'est pas possible. Il faut que je sache. Est-ce qu'il a tué des Juifs ? insista Paul d'une voix plus forte.

– Tout le monde en a tué. Ils étaient l'ennemi. Votre père n'a fait qu'obéir aux ordres. Il n'éprouvait pas de plaisir à rafler des traîtres. Il faisait juste son boulot.

– Est-ce que vous vous souvenez du nom de certains Juifs arrêtés par mon père ?

– Il y en avait tellement.

– Faites un effort, je vous en prie.

– Au début, ils ont raflé les familles en vue. Les Bloom, les Solevichick, les Kaplan, les Menuchen, les Glassman.

Freddy notait les noms au fur et à mesure que Vovus les citait.

Nekama !

– C'est un début, commenta Freddy. Travaillons là-dessus.

Après ce qu'il venait d'entendre, il était prêt à croire que Marcelus pouvait avoir été enlevé. Il se rappela la règle numéro un en cas de disparition : si vous ne retrouvez pas la personne dans les tout premiers jours, vous ne la retrouverez sans doute pas vivante.

26

La vengeance en marche

Le lendemain matin, Max fit exactement ce qu'il avait projeté, méthodiquement, et sans ressentir ni culpabilité ni hésitation, tandis que Danielle enregistrait la scène avec sa caméra vidéo afin que Marcelus puisse la regarder.

À midi, Max et Danielle revinrent à la cabane des Berkshires, épuisés mais satisfaits d'avoir franchi une étape cruciale de leur plan. Ils n'avaient rencontré aucun obstacle à leurs desseins.

– Est-ce que tu es là, Marc ? Marc, sauve-toi ! hurla Prandus, le visage rouge.

– Il ne peut pas vous entendre. Il est déjà mort, annonça Max d'une voix sombre.

– Non, non, vous aviez dit que vous l'amèneriez ici !

– On l'a tué à Salem, et l'on a filmé sa mort pour que vous puissiez la voir. Regardez.

Danielle mit en marche le magnétoscope, et y glissa la cassette. Un Marc joyeux gambadait sur le chemin de l'école. Alors qu'il s'approchait du croisement, Marcelus remarqua une voiture qui attendait. Il y eut un zoom sur le conducteur. C'était le vieil homme. Alors que Marc traversait la chaussée, la voiture accéléra en direction de l'enfant.

– Non, non ! Attention, Marc !

Prandus poussa un cri déchirant tandis que la voiture heurtait violemment le corps du jeune garçon, le projetant dix mètres en l'air.

Il baissa les yeux et se mit à pleurer.

– Je crains que Marc ne soit pas arrivé à l'école ce matin. Est-ce que vous voulez le revoir, au ralenti, pour être certain qu'il est bien mort ?

– Non, non, mon Dieu, non, sanglota Marcelus. Vous êtes si cruel. Comment avez-vous pu commettre un tel acte ?

– Ce n'est que le commencement, monsieur Prandus. Ensuite, il y aura votre petite-fille, puis vos fils. Les enfants doivent mourir les premiers. Ils sont les plus importants. Et vous devrez regarder, au fur et à mesure que j'arracherai de ce monde les racines de votre famille, exactement comme vous avez arraché celles des Menuchen ! expliqua Max avec fermeté.

– Non. Non. Je vous en prie, ne faites pas ça. Vous avez tué mon petit-fils. N'est-ce pas suffisant ? supplia Marcelus.

– Aucun de vos descendants ne survivra, continua durement Max.

– Mais vous, vous avez survécu, gémit Prandus.

– Et vous aussi, vous survivrez jusqu'à ce que vous ayez été le témoin du meurtre de tous vos descendants. Puis vous mourrez, comme mon grand-père, sachant que vous n'avez laissé absolument aucune progéniture. C'est la justice biblique. Est-ce que vous vous rappelez ce que Moïse ordonna aux Juifs de faire aux enfants des Midianites ? Il leur commanda de tuer chaque enfant.

– Mais Jésus a dit : « Pardonnez-leur. »

– Vous auriez dû écouter Jésus dans le bois du Ponant. À présent, vous assistez à la justice de l'Ancien Testament.

– N'assassinez pas le reste de ma famille, je vous en

supplie, pleura Marcelus. Je vous en conjure, je vous implore, vous êtes un homme meilleur que moi.

– Non, je ne suis pas meilleur. Vous m'avez enseigné le mal. Laissez-moi vous lire un passage de William Shakespeare.

Max ouvrit son livre à la page du bouleversant monologue de Shylock :

– « Si un Juif fait tort à un chrétien, où est l'humanité de celui-ci ? Dans la vengeance. Si un chrétien fait tort à un Juif, où est la patience de ce dernier selon l'exemple chrétien ? Eh bien, dans la vengeance. La vilenie que vous m'enseignez, je la pratiquerai et ce sera dur, mais je peux surpasser mes maîtres [1]. » Maintenant, je surpasse le maître que vous êtes.

– Non, non, je ne peux pas supporter ça ! gémit Prandus.

Quand Max leva les yeux, il vit que le corps du vieil homme était agité de tremblements. Il s'était uriné dessus. Max le remarqua et sourit.

Le lendemain soir, Danielle décida de rester à Cambridge pendant que Marcelus visionnait les meurtres de sa petite-fille de six ans et du père de celle-ci, Peter, son fils cadet. L'un après l'autre, ils furent abattus par une jeune femme armée d'un pistolet muni d'un silencieux.

– Il fallait qu'ils soient tués le même jour, avant qu'ils puissent se cacher, expliqua Max. Sinon, j'aurais fait durer ça plus longtemps, pour augmenter vos souffrances. Il n'y a que votre fils aîné, Paul, que je n'ai pas encore trouvé.

Max observa Marcelus se tordre de chagrin. Il n'avait

1. William Shakespeare, *Le Marchand de Venise*, III, 1, traduction de Jean Grosjean.

jamais constaté une telle douleur chez aucun autre homme depuis le bois du Ponant. Au début, il imaginait que la mort d'un Prandus ressusciterait un Menuchen. Mais cela ne fit que le plonger dans le désespoir quand il comprit que rien ne ramènerait jamais sa famille.

Le visage de Marcelus aurait pu servir de modèle pour une représentation de la souffrance. Il avait atteint le dernier cercle de *L'Enfer* de Dante, et il s'enfonçait encore plus profond. Sa détresse était inconcevable pour quiconque, hormis pour celui qui, comme Max, avait fait l'expérience d'une pareille torture. L'expression de Prandus lui rappelait celle de grand-père Mordechai au moment où il avait réalisé que toute sa famille allait périr. Durant un instant, Max s'autorisa à éprouver de la compassion pour Marcelus. Puis un fait le heurta de plein fouet : cet homme avait eu une vie entière de bonheur. Son affliction, aussi intense fût-elle, ne durerait que quelques jours. Elle serait bientôt terminée.

Max ne pourrait jamais effacer ces dizaines d'années de bonheur qu'aucune culpabilité n'était venue assombrir. En revanche, il pouvait montrer à Prandus que tout ce pour quoi il avait vécu était finalement vain. Il allait mourir avec, sur les lèvres, la phrase désespérée de l'Ecclésiaste : « Tout est vanité. » Max comprenait à présent la signification de l'avertissement du philosophe grec : « Qu'aucun homme ne se dise heureux tant qu'il n'est pas mort. » Si Marcelus avait eu la chance de mourir deux jours plus tôt, il aurait quitté ce monde heureux. Mais maintenant, au moment de disparaître, il souhaiterait sincèrement, comme Job, n'être jamais né. Et ce serait un début de compensation pour les années heureuses de Prandus. La vengeance de Max serait courte, mais satisfaisante.

Le châtiment était trop rare, pensa Max. Depuis les nazis jusqu'aux Turcs, en passant par les Argentins, les

Khmers rouges ou les Bosniaques, la plupart des responsables de génocides avaient eu des existences agréables.

Pour les Juifs, réfléchit-il, il eût été salutaire de tuer les milliers d'assassins nazis qui n'avaient pas été jugés à Nuremberg. Les Juifs ne l'avaient pas fait, en dépit du *Nekama* réclamé par les victimes. Même si l'Ancien Testament ordonnait la vengeance, l'histoire avait prouvé que la plupart des Juifs avaient du mal à la mettre en pratique. Les survivants de l'Holocauste avaient failli à leurs parents et à leurs enfants assassinés. Ils étaient trop occupés à reconstruire leurs vies brisées, à fonder Israël, à se battre pour les droits de leurs frères.

Maintenant que presque tous les coupables étaient décédés, le monde entier présentait des excuses : les Français, les Suisses, l'Église, les banques, la Croix-Rouge. Mais ces excuses, qui n'étaient pas accompagnées de punitions, semblaient creuses à Max Menuchen. Aujourd'hui, il accomplissait sa vengeance, pour lui, pour sa famille, et peut-être même pour les Juifs qui n'avaient pas obtenu justice.

Max se rendit compte qu'il soignait ses plaies avec un remède puissant et dangereux. Il savait qu'il risquait d'éprouver la même déconvenue que le comte de Monte-Cristo, qui n'avait vécu que pour sa revanche et avait finalement découvert à quel point elle était amère et insatisfaisante.

Malgré ce risque, Max n'avait pas le choix. Il avait été poussé au désespoir en découvrant que le monde était indifférent au fait que les crimes de Marcelus Prandus puissent rester tant d'années impunis. Le massacre dans le bois du Ponant était l'acte de fous, durant une guerre, Max le comprenait bien. Mais ce qui était arrivé à Marcelus Prandus – ou, plus exactement, ce qui *n'était pas* arrivé à Marcelus Prandus –, tout le monde civilisé en était responsable. Ce monde qui permettait à un tueur d'échapper à la justice, et qui même l'aidait. Le message exprimé par une telle inertie était clair : personne n'attache d'importance à ce qui s'est passé dans le bois du Ponant. C'était *cela* qui minait Max. C'était ce qui l'avait conduit à accomplir la vengeance dans laquelle il était à présent lancé.

Max se souvint des mots de Danielle, quand elle l'avait quitté un peu plus tôt ce jour-là : « Il ne s'agit pas de vengeance, il s'agit de justice – si elle est rendue correctement. »

Max espérait qu'ils la rendaient correctement.

27

L'exécution finale

Marcelus Prandus avait vu exécuter ses petits-enfants et son fils cadet. Seul Paul, son fils aîné, était encore vivant. Ce n'était qu'une question d'heures avant que Max et Danielle ne le voient entrer, ravagé par le chagrin, dans le poste de police de Salem. Ils étaient en situation d'achever en professionnels, sans aucune difficulté, les représailles qu'ils avaient planifiées. Le lendemain, Max revint à la cabane avec la dernière bande vidéo. Danielle choisit de rester dehors pour qu'il puisse exercer sa vengeance sans être distrait.

– L'acte final a été accompli, annonça Max en tendant la cassette. Tous ceux qui, en dehors de vous, portaient un gène de Prandus, sont morts. Ce sera bientôt votre tour, mais pas avant que vous n'ayez regardé ça.

Il mit la cassette dans le magnétoscope. On voyait un Paul Prandus manifestement bouleversé quitter le poste de police de Salem. Tandis que Marcelus Prandus, désespéré, fixait l'écran de la télévision, Max expliqua :

– La police n'a aucune idée sur l'identité de l'assassin de votre famille, car ils ignorent votre passé en Lituanie. Ils sont dans une impasse. Votre silence vis-à-vis de vos propres enfants a empêché la police de les protéger.

Marcelus émit un grognement lorsque la vidéo montra Paul qui montait dans sa voiture, garée à une rue du poste de police. Il voulut détourner les yeux quand il vit son fils mettre le contact. Mais il n'y avait aucun moyen d'ignorer le son de l'explosion qui ramena ses yeux vers l'écran : une boule de feu embrasait l'automobile.

Prandus hurla de rage en essayant de rompre les liens qui l'entravaient. Ses cris devinrent des gémissements lorsqu'il réalisa la terrible réalité. Il parut soudain beaucoup plus vieux. Ses orbites se creusèrent, sa peau devint verdâtre, comme si la vie était en train de l'abandonner.

– Ma vengeance est complète. Maintenant, vous pouvez mourir.

– Je vous en prie, faites que je meure tout de suite. Tuez-moi. Je ne supporterai pas de rester vivant après ce qui s'est passé. Je vous en supplie, faites que je meure. Mettez fin à mes souffrances. Tout de suite.

– C'est à vous de décider, répondit Max. Vous pouvez prendre ces pilules de cyanure, si vous le souhaitez.

Il posa sur la table un verre d'eau et trois cachets blancs.

– Mais vous devez agir de votre propre volonté. Vous seul pouvez choisir de mettre fin à vos jours. Car selon la religion, le suicide interdit le salut et le paradis. Je ne prendrai pas cette décision à votre place. Êtes-vous prêt à porter votre croix sur cette terre, pour conserver une chance de salut ? Ou préférez-vous mettre un terme à votre souffrance et encourir la damnation ?

– Je vous en conjure. Ne me poussez pas au suicide, tuez-moi. Vous pouvez même me torturer. Mais ne me faites pas choisir entre le suicide et le malheur. Accordez-moi au moins mon dernier souhait : exécutez-moi.

– Non, dit Max durement, en rembobinant la cassette. Vous vous ôterez vous-même la vie, ou vous survivrez ici avec tout ce qui reste de vos descendants – cette cassette –

jusqu'à ce que la maladie vous achève. Avoir le choix, c'est votre ultime punition, et mon ultime revanche.

Prandus poussa un gémissement. Son regard était celui d'un homme torturé. Puis, d'une voix brisée par la défaite, il annonça sa décision :

– Donnez-moi les pilules. Je n'en supporterai pas davantage. Je veux que tout ça finisse. Ça doit finir. Tout de suite.

Max poussa les cachets de cyanure vers la main droite de Marcelus. Il desserra les liens de son bras droit et lui tendit un stylo.

– D'abord, écrivez.

– Quoi ?

Max dicta :

– « Moi, Marcelus Prandus, en pleine possession de mes moyens, je mets fin à mes jours. Je sais qu'en me suicidant j'abandonne tout espoir de salut. Je meurs de ma propre main et de ma propre volonté. Je renonce à la vie pour fuir ma souffrance actuelle, conséquence directe des actes atroces que j'ai commis dans le bois du Ponant, en 1942. »

Prandus écrivit en grosses lettres capitales et signa. Il se tourna vers l'écran aveugle du poste de télévision, comme pour dire adieu à ses enfants et à ses petits-enfants assassinés. Puis il se signa, demanda pardon à Dieu, et tendit la main vers les trois pilules. Il les porta rapidement à sa bouche et les avala avec une gorgée d'eau. Max regardait d'un air sombre.

Immédiatement, le visage de Marcelus commença à s'empourprer. Un violent soubresaut raidit tout son corps. Son visage se tordit, et sa langue sortit de sa bouche. Il essaya de parler, mais n'émit que des sons gutturaux. Puis son visage pâlit, et il ne bougea plus. Le silence et l'odeur de la mort emplirent la pièce.

Max sortit lentement de la cabane, et annonça à Danielle :

– C'est fini.

Sans un mot, Danielle entra et détacha Prandus dont le corps s'affaissa sur le sol.

Elle ramassa la corde, essuya les empreintes digitales et récupéra la lettre confessant le suicide.

Max et Danielle abandonnèrent le cadavre derrière eux, sans se retourner, et montèrent en voiture. La tâche de Max était achevée. Sa vengeance était accomplie.

Il ne lui restait plus qu'à apprendre à Abe Ringel ce qu'il avait fait, et à lui demander conseil.

Cinquième partie

L'ENQUÊTE

28

La découverte du corps

Trois heures exactement après la mort de Marcelus Prandus, son fils Paul et Freddy Burns enfoncèrent la porte de la cabane de chasse. Un coup de téléphone anonyme avait indiqué à Paul où se trouvait son père. Lui et Freddy s'étaient mis en route sur-le-champ.

Ils trouvèrent Marcelus allongé sur le sol, les yeux grands ouverts, le visage gris cendre, la bouche tordue, la langue en sang.

Paul se précipita vers son père, prit sa tête dans ses mains et la secoua.

– Réveille-toi, papa, réveille-toi !

Mais il était évident que Marcelus était mort. Paul commença à pleurer, puis il frappa le sol.

Freddy examinait la pièce, à la recherche d'indices. Au début, il ne vit rien. Puis il remarqua que la télévision était allumée, l'écran bleu suggérant qu'il y avait une cassette vidéo dans l'appareil. Freddy appuya sur le bouton « play ». Quelques secondes plus tard, le petit Marc, gambadant sur le chemin de l'école, apparut sur l'écran.

– Paul, regarde la télévision, dit Freddy.

Quand il tourna la tête vers l'écran, Paul reconnut son fils, heurté par une voiture et projeté en l'air.

– Oh, non ! Oh, mon Dieu, non ! suffoqua Paul en se précipitant vers le poste.

Il vit son fils heurter le sol et rebondir, puis s'immobiliser tandis que l'agent de la circulation courait vers son corps déchiqueté. Paul devint hystérique.

Freddy sortit son téléphone portable et composa le numéro du domicile de Paul. L'épouse de celui-ci décrocha.

– Où est Marc ?

– Freddy ? C'est toi ? Pourquoi me demandes-tu ça ?

– Où est Marc ? Il faut que je le sache.

– Il est à l'école.

– Comment y est-il allé ?

– Tout va bien ? Tu m'effraies. Il s'y est rendu à pied, comme d'habitude.

– Comment était-il habillé ?

– Il porte son uniforme d'écolier.

– Quel est le numéro de téléphone de l'école ?

– 555-8824. Il s'est passé quelque chose ? Il n'est rien arrivé à Marc au moins ?

– Je te rappelle.

Freddy fit le numéro, mais Paul lui arracha le portable des mains. Une religieuse répondit :

– École Sainte-Marie.

La voix de Paul tremblait.

– Paul Prandus à l'appareil. Est-ce que mon fils est bien arrivé à l'école, ce matin ?

– Je vais vérifier, monsieur Prandus. Veuillez patienter.

Tandis que Paul et Freddy attendaient, ce dernier considéra à nouveau l'écran. Il vit le frère de Paul, Peter, ainsi que sa fille se faire descendre. Puis il reconnut Paul – le même Paul qui était à cinquante centimètres de lui – immolé dans sa voiture en flammes.

– Paul, regarde ! cria Freddy. C'est du bidon. Tout ce film est truqué !

Paul tentait de discerner les paroles de la religieuse, à l'autre bout du fil, que couvraient les hurlements de Freddy. Elle lui assura que Marc était en train de jouer dans la cour de récréation, et qu'il était en pleine forme.

Paul insista pour que la sœur aille chercher son fils, il voulait absolument lui parler. Pendant qu'il attendait, Freddy rembobina la cassette et lui montra la scène de sa propre mort. Paul fut envahi de stupeur quand il se vit sortir du poste de police. Il y était effectivement allé pour signaler la disparition de son père. Mais cette explosion n'avait jamais eu lieu. La vidéo était trafiquée !

– Salut, papa. Qu'est-ce qu'il se passe ? Tu ne m'appelles jamais à l'école.

C'était la voix de Marc.

– Dieu merci, Marc, tu vas bien. Je t'expliquerai plus tard. S'il te plaît, appelle maman et dis-lui de ne pas s'inquiéter. Je t'embrasse.

Paul et Freddy visionnèrent la cassette en entier. Paul appela son frère pour avoir la confirmation que tout le monde était sain et sauf.

La perversité de ce que l'on avait infligé à son père commençait à lui apparaître. Paul n'avait besoin d'aucun effort d'imagination pour savoir ce que son père avait dû éprouver : lui-même venait juste d'en faire l'expérience, ne fût-ce que quelques instants. Rien ne pouvait être plus cruel que d'assister, impuissant, à l'assassinat de ses fils et de ses petits-enfants. C'était la pire des tortures, bien pire que n'importe quelle douleur physique.

Paul, lui, avait presque aussitôt ressenti un immense soulagement, en découvrant que son fils était en réalité toujours vivant. Aucun sentiment ne pouvait être plus agréable. Pour Paul, cela avait été comme une résurrection. En quelques minutes, il avait visité l'enfer et le paradis. À présent, il était de retour sur terre, le cadavre de son père à ses pieds.

Marcelus Prandus avait assisté à la mort de ceux qu'il aimait. Il n'avait jamais su qu'en réalité ils étaient encore en vie. Pour lui, il n'y avait eu aucune renaissance. Il était allé en enfer, sans espoir de retour.

– Ton père est mort empoisonné. Sans doute du cyanure, diagnostiqua Freddy après avoir examiné le corps.

Paul écoutait à peine. Les veines de son cou se gonflaient. Son visage était rouge de colère. Tout son corps se raidissait dans son costume. Il jurait – une explosion incontrôlée de jurons confus. Puis il menaça :

– Je tuerai le fils de pute qui a fait ça !

– Paul, approche, continua Freddy sans prêter attention aux menaces de Paul et en soulevant la main droite de Marcelus.

Paul s'agenouilla à côté de Freddy, observa le pouce rigide de la main de son père tandis que Freddy y appuyait son propre index, pour y prélever un peu de poudre.

– C'est bien du cyanure, confirma Freddy. Sens ça, cette odeur d'amande amère.

– Que veux-tu me faire comprendre ? interrogea Paul.

– Il a pris le cachet de cyanure entre ses doigts. Il se l'est administré lui-même. C'est un suicide, Paul. Tout au moins dans la forme. Ton père a lui-même porté la pilule à ses lèvres.

– Impossible. Le suicide allait à l'encontre des convictions de papa. Il nous avait même ordonné, si jamais il se retrouvait dans le coma, de ne jamais le débrancher. Seul Dieu pouvait décider de l'heure de sa mort. Ceux qui se suicident vont en enfer, il en était persuadé. Mon père n'aurait jamais mis fin à ses jours, insista Paul, dont la voix se faisait plus forte.

– C'est pour cette raison que j'ai parlé d'un suicide « au moins dans la forme ». On l'a sans doute contraint à prendre le cyanure.

– Personne n'aurait pu le forcer. Comment s'y seraient-ils pris ? En lui collant un pistolet sur la tempe ? Il aurait lutté, résisté.

– Il ne s'agissait peut-être pas de contrainte physique, précisa Freddy. Mais plutôt d'une pression psychologique.

– Explique-toi.

– Nous sommes en présence d'un plan machiavélique. Celui qui l'a conçu est un manipulateur. Il a convaincu ton père que toute sa famille avait été exterminée. Puis il a fait en sorte que ton père ne puisse supporter sa souffrance. La seule façon d'y mettre fin, c'était...

– C'est donc pour ça que papa a pris le poison, interrompit Paul. Il ne pouvait supporter de rester en vie en sachant que nous avions tous été exécutés. Ça, je peux le comprendre.

Paul mit sa tête entre ses mains.

– Je tuerai celui qui a perpétré un crime aussi abject. Je lui casserai son putain de cou.

– Si nous sommes dans le vrai, alors cette personne a assassiné ton père en lui faisant croire qu'elle avait supprimé sa famille. Tu n'auras pas à la tuer. L'État la punira – si on arrive à la trouver.

– S'ils ne le font pas, je m'en occuperai moi-même. On ne peut pas laisser ce salaud s'en sortir après ce qu'il a commis.

29

Le retour de Max

– Max, tu es revenu ! Dieu soit loué. Rendi et moi, nous étions malades d'inquiétude, hurla Abe. Tu as l'air échevelé. Tes souliers sont couverts de boue. Où étais-tu ? J'espère que tu n'as commis aucune bêtise.

– J'ai fait quelque chose de terrible, tout au moins selon la loi, répondit Max en époussetant ses souliers avant d'entrer.

Max était seul, il avait déposé Danielle chez elle.

– De quoi s'agit-il ? Tu m'effraies.

– Est-ce que je peux te parler comme à mon avocat ?

– Évidemment. Assieds-toi.

– J'ai tué Marcelus Prandus.

– Oh, merde. C'est pas vrai, s'écria Abe en blêmissant. Pourquoi as-tu fait une chose pareille ? Il n'en valait pas la peine. Maintenant tu vas aller en prison.

– Je n'avais pas le choix, rétorqua Max, inflexible. C'était lui ou moi. S'il s'en était tiré après avoir massacré ma famille, je crois que je me serais supprimé.

– Ce serait donc une nouvelle forme d'autodéfense. Mais je crains que ça ne marche pas devant un tribunal, remarqua Abe en prenant son ton d'avocat. Raconte-moi ce qui s'est passé.

– En fait, pour être exact, Prandus s'est tué lui-même.
– Ça, c'est bien. Continue.
– Mais je l'ai trompé pour le pousser au suicide.
– Comment est-ce possible ? Arrête de tourner autour du pot. Va droit au but, si tu veux que je t'aide.
– Très bien, commençons par le commencement, mais avant, il faut que tu me promettes une chose.
– Tout ce que tu veux.
– Quelqu'un m'a aidé. Je veux être certain que tu ne répéteras rien de ce que je te confierai à propos de cette personne aux autorités.
– Le secret professionnel m'autorise à ne rien révéler aux autorités – que cela concerne mon client ou quelqu'un d'autre – à condition que mon silence ne facilite pas un crime à venir. C'est la loi.
– Là, il s'agit du passé.
– Bien. Alors tu as ma parole. Continue.
– Quand j'ai appris ce qui était arrivé à Sarah Chava, j'ai voulu tuer toute la famille de Marcelus Prandus.
– Et merde, Max. Tu n'as tué personne d'autre, hein ?
– Non, mais je le voulais.
– Vouloir n'est pas un crime. J'ai bien souhaité la disparition d'une douzaine de procureurs et de juges, sans compter Joe Campbell.
– J'ai révélé mes intentions à Danielle Grant.
– Qui est Danielle Grant ?
– Une collègue à moi, à l'université.
– Un autre professeur ! Mauvais pour la réputation d'Harvard !
– Elle n'a rien fait de mal. Je suis le seul responsable. C'était ma décision. C'est même elle qui m'a convaincu d'épargner la famille de Prandus.
– De toute façon, tu aurais été incapable de t'en prendre à des innocents. Tu ne pourras jamais me convaincre du contraire. Il y avait des enfants ?

– J'ai presque tué le petit-fils de Prandus, âgé de huit ans.

– Que veux-tu dire par « presque tué » ? Tu as fait plus qu'y penser ?

– J'ai roulé jusqu'à l'endroit où il traversait la rue, et je me suis dirigé sur lui.

– J'espère que tu ne l'as pas touché, implora Abe.

– C'était un matin, le lendemain du jour où tu m'as révélé la fin de Sarah Chava. J'ai roulé jusqu'à Salem, et je me suis garé près de l'endroit où j'avais déjà repéré Marc Prandus. J'agissais de manière presque automatique, comme si j'étais programmé par un ordinateur. À l'heure exacte où je l'avais vu apparaître la première fois, l'enfant s'est matérialisé dans la brume matinale. Il était seul, avec ses gants de base-ball et sa balle. Au moment où il traversait le carrefour, j'ai appuyé sur l'accélérateur et j'ai foncé vers lui.

– Oh, mon Dieu, Max.

– Tout s'est passé très rapidement, comme dans un rêve. Mais à présent, pour moi, c'est clair comme du cristal.

– Quoi ? Qu'est-ce qui est clair ?

– Tandis que la voiture faisait une embardée vers le petit-fils de Marcelus Prandus, mon esprit est retourné au bois du Ponant. Les deux scènes se sont mélangées. Le bois du Ponant et le croisement à Salem n'ont plus fait qu'un. Dans mon imagination, je m'apprêtais à tuer Marcelus Prandus avant qu'il n'abatte ma famille. Puis l'image brouillée est devenue plus nette. Soudain, Marcelus Prandus, c'était moi ! Le petit Marc Prandus était mon fils, Éphraïm. J'ai tenté de chasser ces images de mon cerveau, en vain.

– Est-ce que le gosse a remarqué la voiture qui fonçait sur lui ?

– Oui. J'ai vu une expression de panique monter du fond de ses yeux. Il ne pouvait rien faire. Je ne pouvais plus contrôler ma jambe. J'étais pied au plancher. Les images refusaient de s'en aller. J'étais sur le point de devenir Marcelus Prandus, assassin d'un jeune garçon innocent. Prandus tuait des enfants à cause de leurs ancêtres. Et je m'apprêtais à agir comme lui.

Max s'arrêta, se prit la tête dans les mains et commença à sangloter. Puis il se redressa et continua son récit.

– Abe, j'étais sur le point de m'engager dans ce que les nazis appelaient *Sippenhaft*, la « punition des descendants ». À l'intérieur de moi, une voix a hurlé « Non ! ». À cette seconde, j'ai compris combien – d'après mes propres codes de justice – il était mal de me venger de Marcelus Prandus en tuant son petit-fils. Ça ne pouvait pas se terminer comme ça.

– Qu'as-tu fait alors ?

– La seule chose possible. J'ai tourné rapidement le volant sur la droite, écrasant ma Volvo contre une barrière. L'airbag m'a explosé au visage. Je suis parti avant que quelqu'un ait pu relever mon numéro et, je ne sais comment, j'ai réussi à rentrer chez moi, où je suis tombé dans un état de stupeur semi-consciente.

– D'accord. Donc tu n'as pas écrasé l'enfant. Ça ne me surprend pas. Mais comment as-tu poussé Marcelus Prandus au suicide ? Je dois connaître tous les détails.

– Le lendemain matin, Danielle Grant est venue chez moi, et je lui ai fait part de mon intention d'éliminer toute la famille Prandus. Elle m'a annoncé qu'elle avait une meilleure idée. Elle a commencé par m'expliquer que le but était de punir Marcelus Prandus pour l'assassinat de ma famille, sans avoir à tuer des innocents. Puis elle m'a dit quelque chose que je n'oublierai jamais.

Max se tut un instant, puis reprit.

– Elle a dit : « Les enfants doivent être tués, mais ils ne doivent pas mourir. »

– Qu'est-ce que cela peut bien signifier ? C'est du charabia.

– C'est ce que j'ai d'abord pensé. J'ai rétorqué que c'était impossible, mais elle a insisté, elle voulait me prouver que c'était réalisable. Le lendemain, elle m'a emmené à l'exposition d'un artiste, Bill Viola, au musée d'Art contemporain. Une de ses vidéos montrait un homme consumé par les flammes. C'était un trucage, mais cela paraissait réel. Viola avait utilisé des procédés sophistiqués par ordinateur, sur le principe de l'anamorphose. Je dois reconnaître que je n'y comprends rien, mais c'était parfaitement crédible. Ensuite, Danielle m'a conduit dans son studio – elle touche elle aussi à l'art vidéo – et elle m'a projeté un film qu'elle avait réalisé elle-même.

– Pour quelle raison cette femme est-elle si impliquée dans ton projet ?

– C'est compliqué, Abe. Elle aussi est une victime. Elle comprenait mon besoin de vengeance.

– D'accord. Pour l'instant, ça n'a pas d'importance. Ce qui compte, c'est ce que vous avez fait tous les deux. Quel genre de vidéo t'a-t-elle montrée ?

– C'était comme un dessin animé, aux lignes un peu grossières. Elle avait passé la nuit à mettre au point ce « story-board », comme elle l'appelait. Elle avait représenté un vieil homme regardant par une fenêtre alors qu'un gamin traverse une rue et se fait heurter par une voiture.

– Comment diable était-elle au courant pour ton accident ?

– Elle m'a dit que ce n'était pas très difficile à deviner en voyant mon automobile cabossée.

– Il y avait quoi d'autre, sur la vidéo ?

– Des personnes victimes d'un tireur embusqué, une autre qui disparaissait dans une voiture piégée, toujours sous les yeux du vieillard. Son sourire se transformait en masque de douleur quand il réalisait que toute sa famille venait de se faire massacrer devant lui Le story-board se terminait sur le vieil homme qui s'arrachait les cheveux et sanglotait, en proie au désespoir.

– Oui, mais il n'y a qu'un personnage de dessin animé pour se laisser abuser par un dessin animé...

– Danielle m'a expliqué qu'avec suffisamment de matériel vidéo sur la famille Prandus, elle pouvait réaliser un film qui fasse illusion aussi parfaitement que celui de Bill Viola.

– Et Prandus ne se rendrait pas compte que la vidéo était truquée ?

– Sa génération – qui est aussi la mienne – ne connaît rien à ces machins nouveaux. Danielle m'a assuré qu'il s'y laisserait prendre – si l'on pouvait mener à bien l'étape suivante.

– Quelle étape ? Je ne crois pas qu'elle va me plaire, murmura Abe en faisant les cent pas dans la pièce.

– Il fallait enlever Prandus et le maintenir à l'écart du téléphone, des journaux, de toute source d'information, répondit Max avec l'enthousiasme d'un inventeur.

– Ne pouviez-vous pas le retenir seulement un moment, lui montrer la vidéo, puis le relâcher ?

– Non, Abe. Cela aurait été pire que de ne rien faire. Lorsqu'il aurait appris que les siens étaient toujours vivants, Prandus aurait apprécié encore plus le peu de vie qu'il lui restait, et il serait mort heureux. Il m'aurait vaincu, une nouvelle fois. Je ne pouvais accepter ça.

– Et si Prandus se rendait compte qu'un homme comme toi était incapable de tuer des innocents ?

– Non, c'est là que résidait la beauté du plan. Il devait

naturellement croire que tous les hommes étaient capables d'agir comme lui. C'est ainsi qu'il arriverait à apaiser sa conscience. À aucun moment, il n'a douté que j'avais exécuté sa famille, comme il avait exécuté la mienne. Un homme juste aurait deviné que je ne pouvais commettre de tels crimes – même si, au fond de moi, je le souhaitais. Mais Prandus n'était pas un homme juste et ne raisonnait pas comme tel.

Abe tournait en rond, perdu dans ses réflexions. Puis il s'arrêta et fixa Max.

– Je ne sais pas quoi dire, Max. L'ami en moi éprouve une crainte respectueuse devant ce que tu as réussi à accomplir. Selon l'adage, la justice doit être *vue* pour être rendue. Eh bien, Marcelus Prandus a vu la justice, même s'il ne s'agissait que de justice virtuelle.

– Dans l'esprit de Prandus, elle n'avait rien de virtuel. C'était terriblement réel, insista Max.

Abe secoua la tête.

– L'avocat que je suis a une trouille bleue que cette femme, Danielle, et toi ne passiez un bon moment en prison. Comment a-t-elle échafaudé un plan aussi incroyable ?

– Elle en a trouvé l'idée chez Maïmonide, un philosophe juif du XIIe siècle. Elle a appelé ça la « solution maïmonidienne ».

– Maïmonide connaissait la vidéo ?

– Non, mais il comprenait la Bible mieux qu'aucune personne de sa génération. Il en a écrit des commentaires brillants, notamment du Livre de Job. Tu te souviens de l'histoire de Job ?

– Je me rappelle que Dieu autorise Satan à éprouver Job en tuant tous ses enfants.

– C'est ça. Dans son commentaire, Maïmonide soutient qu'il est impossible que Dieu ait permis à Satan de tuer les enfants innocents de Job juste pour l'éprouver. Cela aurait été injuste.

– C'est pourtant ce qui est écrit, remarqua Abe.

– Oui, mais Maïmonide interprète l'histoire de façon intéressante. Selon lui, Dieu a seulement permis à Satan de faire disparaître les enfants – Satan les a enfermés dans une grotte – de façon que Job *croie* qu'il les avait tués. Dieu voulait connaître la réaction de Job à l'annonce de leur mort. Une fois que Job eut passé l'épreuve, ses enfants sont réapparus.

– Incroyable.

– C'est étonnant tout ce que l'on peut trouver dans ces vieux livres.

– Maintenant, raconte-moi comment est mort Prandus.

Tandis que Max décrivait en détail le suicide de Marcelus, Abe s'inquiétait de la réaction qu'aurait un jury en se figurant son agonie.

– Voilà vingt ans que j'exerce ce métier, et je n'ai jamais rien entendu de comparable. Il faut que je te pose une question avant que nous allions plus loin. Où est le corps de Prandus ?

– Je ne sais pas.

– Comment ça, tu ne sais pas ? Où l'as-tu laissé ?

– Dans la cabane, mais j'ai donné un coup de téléphone anonyme à Paul Prandus pour lui indiquer l'endroit où se trouvait le cadavre. J'imagine qu'ils l'ont découvert et qu'il est à présent dans un salon funéraire quelconque.

Max fixa sur Abe un regard anxieux.

– Que fait-on à présent ?

– Rien, répondit Abe de façon automatique. Il se peut que la police ne remonte jamais jusqu'à vous. Il se peut que toi, moi et Danielle restions les trois seules personnes à connaître votre plan brillant et diabolique. Je ne révélerai pas ce que tu m'as confié, et si Danielle et toi savez vous taire, il est possible que l'affaire ne soit jamais élucidée.

– Pour moi, ce serait parfait. Seul Marcelus Prandus devait savoir que justice était faite, et c'est la dernière vision qu'il a eue en ce monde. En ce qui me concerne, justice est rendue.

– Je doute que la famille de Prandus soit d'accord avec toi, conclut Abe avec une expression soucieuse.

30

Funérailles

« Que Dieu reçoive l'âme de cet époux, de ce père, de ce grand-père, de cet ami parfait. Les années qu'il a passées aux États-Unis sont la parfaite illustration du rêve américain. »

Tandis qu'il écoutait ce vibrant éloge, Paul essayait désespérément de contrôler sa rage contre l'inconnu qui avait tué son père. Il était assis, les poings serrés, dans la première rangée de la petite église lituanienne. Il fouillait ses souvenirs dans l'espoir d'y découvrir un indice – n'importe lequel – qui aurait pu l'alerter sur les conséquences du sombre passé de son père. Il se demanda s'il était le seul à avoir remarqué que le père Grilus n'avait pas mentionné la jeunesse de Marcelus Prandus en Lituanie.

L'oraison funèbre confirma la conviction de plus en plus forte de Paul : la mort de Marcelus ne pouvait s'expliquer que par ses agissements durant la guerre. Les vidéos en étaient la confirmation. Son père avait sans doute exécuté la famille de quelqu'un, et celui-ci s'était vengé en faisant croire au vieillard qu'il avait assassiné tous les siens.

Paul nota également que le père Grilus n'avait pas

précisé la cause du décès de Marcelus – le suicide est un puissant tabou chez les catholiques lituaniens. L'autopsie effectuée par le docteur Michelle Burden avait conclu à la mort par « empoisonnement volontaire au cyanure ». On avait trouvé des traces du poison sur le pouce et sur l'index droits du défunt. Le docteur Burden était certaine de ses conclusions, comme elle l'avait déclaré à Paul après ses premières analyses. Paul n'oublierait jamais le corps étendu sur la table d'acier froid de la morgue, nu, la bouche et les yeux ouverts, la peau bleue. Sur le plancher de la cabane, c'était encore un être humain. À la morgue, ce n'était plus qu'un cadavre étrangement anonyme, tels ceux que l'on dissèque en cours d'anatomie à l'école de médecine. Paul ne pouvait chasser de son esprit cette dernière image. Elle resterait toujours gravée en lui, à moins qu'il ne parvienne à traîner le tueur devant les tribunaux.

– J'ai manqué à mes engagements. J'aurais dû être capable d'imaginer leurs motifs avant qu'ils ne le tuent, regretta Freddy avec un regard douloureux tandis que Paul et lui quittaient l'église et se dirigeaient à pied vers le cabinet d'avocat de Paul.

– C'est ma faute, rétorqua celui-ci. Je cachais quelque chose.

– Quoi ! s'écria Freddy. Ce n'est pas une partie de poker ! Qu'est-ce que tu me dissimulais ?

– Ce que je soupçonnais depuis le début, que papa avait mal agi pendant la guerre. Je ne pouvais pas envisager ça en face. J'avais honte de t'en parler. J'ai tout foutu en l'air.

– Que veux-tu dire par « je soupçonnais » ? Que t'avait-il avoué ?

– Rien. Mais ses silences étaient éloquents. Il y avait toujours des trous dans ses histoires. Je n'ai jamais cherché à creuser. Je préférais ne pas savoir. Nous, les avocats, on appelle ça de l'aveuglement volontaire.

Freddy se rendit compte de la détresse de son ami. Abandonnant le ton de l'enquêteur, il se fit plus cordial.

– C'est tout naturel. C'était ton père.

– Et l'on se ressemblait tellement. Quand je me suis inscrit au cours d'histoire européenne, à Holy Cross, le professeur a traité de la Lituanie pendant la guerre. Déjà, j'avais refusé d'en entendre davantage, et j'ai laissé tomber le cours. J'en avais cependant appris suffisamment pour comprendre que papa me taisait la vérité. Mais je n'ai jamais insisté. J'ai juste changé d'attitude. Je ne voulais plus être comme lui ! Je m'y suis même appliqué de façon exagérée. Je ne tenais pas à être forcé de réfléchir à son passé.

– C'est compréhensible. Aurais-tu oublié de me dire autre chose ? Allons, réfléchis bien.

– C'est le noir complet.

– Pense local. Pense récent. Commençons par l'appel anonyme. Est-ce que tu te souviens de la voix ?

– Elle paraissait nerveuse.

– Ta voix ne le serait-elle pas, si tu avais tué quelqu'un ?

– Il y avait autre chose.

– Quoi ?

– Un très léger accent. Pas aussi marqué que celui de papa, mais indubitable. Tu sais, le genre de type qui parle anglais un peu trop bien – qui essaie trop d'avoir l'air naturel.

– Oui, continue.

Paul réfléchit une minute. Puis, soudain, la mémoire lui revint. Ce ne fut d'abord qu'un vague fragment de souvenir, puis ça devint clair.

– Le vieux type à la marche contre le sida ! L'ami de papa. C'était lui.

– Paul, qu'est-ce que tu racontes ? Quel vieux type ? Quelle marche contre le sida ?

Paul rapporta à Freddy comment il avait été abordé, quelques semaines plus tôt, sur Memorial Drive.

– Tu as communiqué à un inconnu le numéro de téléphone de ton père, sans la moindre méfiance ?

– Il avait l'air d'un vieil homme inoffensif. Il m'a donné son nom.

– Tu t'en souviens ?

– Je l'ai écrit, répondit Paul en feuilletant son agenda de poche. Oui, voilà. Lukus Liatus.

– Cela sonne plus lituanien que juif. C'est sans doute un nom bidon.

– C'est impossible qu'il ait prémédité tout ça. Sa rencontre avec moi était un pur hasard.

– Comment t'a-t-il repéré ?

– J'ai vu des photos de papa quand il avait mon âge. On se ressemblait beaucoup.

– Alors il est là, à regarder le défilé, quand tu surgis devant lui, et d'un seul coup, il voit ton père.

– Oui. C'est sans doute ce qui s'est passé. Est-ce une bonne piste ?

– Mettons les choses bout à bout, proposa Freddy en reprenant son ton d'enquêteur. On a un vieil homme juif de Vilnius, qui vit probablement dans les environs de Cambridge, qui en veut à mort à ton père, et qui connaissait sans doute quelqu'un du nom de Liatus.

– Ça ne fait pas lourd.

– Tu rigoles ? C'est une mine d'or. Et l'on a davantage.

Paul s'arrêta et dévisagea Freddy avec étonnement.

– Ce vieux type n'a pas pu agir seul. Il devait avoir un complice. Quelqu'un de plus jeune, de plus fort, de plus solide. Peut-être un fils – quelqu'un de ton âge, Paul. Voilà quelque chose de plus.

Aussitôt dans le cabinet de Paul, Freddy lui demanda d'aller chercher la copie qu'ils avaient faite de la vidéo avant de la remettre à la police. Paul mit la cassette dans le magnétoscope de son bureau et appuya sur « play ».

– Arrête-toi là, ordonna Freddy. Maintenant reviens en arrière quelques secondes... Arrête. Juste là, sur le conducteur de la voiture. Est-ce que c'est le vieux type que tu as rencontré à Cambridge ?

– Possible. Je ne peux pas en être certain. C'est trop flou. Mais c'est possible.

– C'est quand même une piste, annonça Freddy. On peut sans doute aussi distinguer la marque de la voiture.

– Tu es étonnant.

– Juste quand j'ai des éléments. Je ne peux pas travailler à partir de rien. À présent, avance jusqu'aux coups de feu... Là. Regarde, le tireur. Ce n'est pas la même personne. Plus jeune. Ça pourrait être une femme. On ne peut pas être sûr. Le visage n'est pas visible, mais, pour moi, on dirait une femme. Autre bonne piste. Maintenant, il faut mettre un nom précis sur ces hypothèses en contactant les autorités auxquelles le tueur a pu avoir recours pour tenter de coincer ton père.

– Quelles autorités ?

– Le Bureau des investigations spéciales, à Washington. Les chasseurs de nazis. Après t'avoir rencontré, l'assassin a peut-être d'abord essayé de leur signaler Marcelus, afin de le faire expulser. Si c'est le cas, on l'a sans doute averti que cela prendrait des années.

– Et il n'a pas supporté l'idée que mon père mourrait avant d'être traduit en justice.

– Exact. Il aurait donc décidé de se faire lui-même justice.

– Trouve-moi le nom de ce dénonciateur, articula Paul d'une voix impatiente.

– Il faut que tu téléphones toi-même. Ils ne parleront pas à un détective. Mais à un avocat, oui, surtout si c'est le fils de la victime.

31

Indices

– Martin Mandel, Bureau des investigations spéciales. Que puis-je faire pour vous ? répondit-on à l'autre bout du fil.

– Je m'appelle Paul Prandus. Je suis le fils de Marcelus Prandus et je suis avocat.

– Vous êtes *son* avocat ?

– Mon père est mort. Une de vos victimes l'a assassiné.

Il y eut un silence, puis Mandel reprit froidement :

– Excusez-moi, monsieur Prandus, mais les victimes étaient celles de votre père, pas les miennes.

– Vous savez très bien ce que je veux dire, rétorqua Paul sèchement. Je veux savoir quelle personne a pu récemment porter plainte contre mon père.

– C'est votre droit. Nous avons ouvert un dossier sur votre père il y a quelques semaines, après avoir reçu un appel d'un avocat dont le client, âgé, venait d'apprendre que Marcelus Prandus vivait à Salem. Apparemment, il avait croisé dans la rue quelqu'un de sa famille.

– C'est moi qu'il a croisé, monsieur Mandel. Et ma rencontre de hasard avec cet homme a peut-être conduit à l'assassinat de mon père.

– Est-ce que votre père n'était pas en train de mourir d'un cancer ? Comment est-il mort ?

– Techniquement, il s'est suicidé.

– C'est inhabituel. Ceux que nous poursuivons ne sont en général pas du genre à se suicider. Ce sont plutôt leurs victimes qui mettent fin à leurs jours, remarqua Mandel d'un ton coupant.

– Le suicide de mon père est le résultat d'une machination diabolique, sans doute inventée par l'homme qui vous a contacté. C'est une longue histoire.

– J'ai du temps. Racontez-moi tout.

Paul relata avec colère l'histoire de l'enlèvement et de la cassette vidéo – telle que Freddy et lui l'avaient reconstituée – à un Martin Mandel interloqué.

– Je dois vous avouer, monsieur Prandus, qu'une partie de moi – le fils d'un survivant de Sobibor – frémit de joie à l'idée que le professeur Menuchen a réussi à accomplir en quelques semaines ce que le ministère de la Justice et moi-même avons été incapables d'obtenir depuis des années que nous pourchassons les nazis : une justice proportionnée au crime commis. Mais une autre partie de moi – l'avocat du ministère de la Justice – a juré de faire respecter la loi. Bien que feu votre père et son passé me répugnent, si ce que vous avancez est vrai, je serai de votre côté.

– Si vous le pensez vraiment, alors coincez ce fils de pute ! C'est votre boulot.

– Ne me donnez pas de leçons, monsieur Prandus. Envoyez-moi juste une copie de la cassette vidéo et je ferai mon devoir.

32

L'arrestation de Max

– Ce matin, nous allons étudier le magnifique poème de l'Ecclésiaste sur les saisons de la vie. Ces vers ont été mis en musique des centaines de fois. Ils ont été gravés sur des monuments. Ce sont peut-être les pages les plus célèbres de ce livre. « Pour chaque chose, il y a une saison. Le temps d'aimer. Le temps de mourir... »

Tandis que Max Menuchen récitait ces vers devant sa classe, trois hommes de haute taille, les cheveux coiffés en brosse, firent irruption dans la salle lambrissée de l'École de la Divinité d'Harvard. S'approchant du professeur, le plus âgé des trois agents déclara :

– Max Menuchen, vous êtes en état d'arrestation pour meurtre. Que tout le monde reste assis jusqu'à notre départ.

Il y eut un mouvement de surprise chez les étudiants lorsqu'on mit les menottes au vieil homme et qu'on lui lut ses droits. Quand l'agent du FBI indiqua qu'il pouvait prendre un avocat, Max se tourna vers un étudiant du premier rang :

– S'il vous plaît, appelez mon avocat, Abraham Ringel.

Max savait que ce moment devait arriver. Il ignorait

quand, mais il était certain qu'il serait traduit en justice pour ce qu'il avait fait.

– À la différence des nazis, les gens comme nous se font prendre, avait-il prédit à Danielle.

– Si l'on se fait prendre, ça sera votre faute, avait-elle rétorqué. Si vous n'appelez pas son fils, ils ne retrouveront pas le corps de Marcelus avant le printemps.

– Ce ne serait pas juste vis-à-vis de sa famille. Ils ont le droit de lui donner des funérailles chrétiennes, de savoir qu'il est mort, de regarder l'avenir. Ce ne sont pas eux les coupables.

Et Max avait passé le coup de téléphone dont il savait, au fond de lui, qu'il permettrait sans doute son arrestation. Il avait également insisté pour laisser la cassette dans l'appareil, afin que Paul Prandus comprenne pourquoi son père s'était tué, même si les risques que Max soit suspecté s'en trouvaient augmentés.

Tandis qu'on l'emmenait, le professeur se tourna vers ses étudiants et leur déclara dans une grimace :

– « Et il y a le temps de la justice. Ce temps est venu. Je souhaite la bienvenue à cette nouvelle ère. »

Sixième partie

L'INSTRUCTION

33

Ringel à la défense, août 1999

– J'ai l'impression d'être Steven Spielberg au premier jour d'un tournage, murmura Abe Ringel à Rendi tandis qu'ils fendaient, main dans la main, la meute des reporters qui se pressaient autour du célèbre avocat.

Les préparatifs d'un procès de haut niveau excitaient toujours Abe. Il en aimait chaque seconde. Il était dans son élément, mais avait de lourdes responsabilités. Il devait dès à présent décider quels témoins convoquer, quels jurés récuser, quelles cartes jouer. Malgré sa longue expérience comme avocat de la défense, Abe n'était pas blasé.

Cette affaire était particulièrement exaltante pour lui. Pour la première fois de sa vie, il allait plaider pour une personne chère à son cœur. Gagner devenait dès lors une nécessité aussi bien personnelle que professionnelle.

Abe s'était toujours moqué de son vieux camarade et parfois rival, feu William Kunstler, qui se vantait de ne défendre que des personnes qu'il aimait. Maintenant qu'il était l'avocat de Max Menuchen, Abe réalisait à quel point il est plus satisfaisant de défendre un ami, plutôt qu'un principe abstrait auquel on croit. Abe comprenait également combien l'enjeu augmentait, car une erreur de sa part ne signifiait plus simplement l'incarcération d'un client, mais la perte de la liberté pour un de ses proches.

Abe et Rendi gravissaient les marches du tribunal de Dedham, un bâtiment blanc imposant dans lequel Sacco et Vanzetti avaient été jugés, reconnus coupables et condamnés à mort. Quoique le crime dont Max était accusé ait été commis dans l'ouest du Massachusetts, le procès avait été fixé dans un lieu mieux adapté à tous les participants, ainsi qu'à l'équipe de télévision qui le retransmettrait en direct.

L'enquête avait été menée par les avocats du ministère de la Justice, sur la base d'une accusation portée par le Bureau des investigations spéciales, établi à Washington. Menuchen était poursuivi par l'État du Massachusetts – qui, étrangement, conservait le titre de « République ». Il s'agissait, tout au moins techniquement, d'un crime ordinaire, relevant de l'État : enlèvement suivi de meurtre.

Danielle Grant devait être jugée comme complice ultérieurement, car le procureur souhaitait la citer comme témoin lors du procès de Max. En effet, en cas d'une mise en accusation commune, elle aurait pu se prévaloir de son droit à ne pas s'incriminer elle-même. La police avait appris que Mademoiselle Grant était experte en vidéo. Ils avaient également découvert qu'elle possédait une maison de campagne près de l'endroit où le corps de Prandus avait été retrouvé, et qu'elle s'était absentée d'Harvard durant la période où Prandus avait disparu. Comme ni Max ni Danielle n'avaient accepté de parler à la police, les charges contre eux n'étaient cependant basées que sur des présomptions.

Les chances de Max de s'en sortir étaient bien plus minces que celle de sa jeune amie, car ses motivations étaient claires. Et surtout, l'image vidéo du vieil homme, bien que floue, était reconnaissable, alors que celle du

« tireur » ne permettait pas d'identifier Danielle. L'accusation supposait donc qu'Abe Ringel convaincrait Max d'expliquer son geste ainsi que le rôle précis tenu par Mademoiselle Grant.

Abe s'arrêta sur la huitième marche, se retourna et s'adressa aux caméras qui filmaient.

– Le procès qui va s'ouvrir ne sera pas seulement celui de Max Menuchen, survivant de l'Holocauste, dont toute la famille a été assassinée par la prétendue victime de ce prétendu crime. Il ne sera pas seulement celui des protagonistes de l'Holocauste, ce qu'était cette prétendue victime. Mais celui de tout le monde civilisé, qui a échoué à amener devant la justice des tueurs tels que ce Marcelus Prandus. Les prochaines audiences constitueront peut-être l'expérience pédagogique la plus importante depuis la fin de la guerre. Les Allemands ont eu le procès de Nuremberg, les Israéliens ont jugé Eichmann, les Français, Barbie, et les Italiens, Priebke. Les États-Unis n'avaient jamais été le théâtre d'un procès concernant l'Holocauste : il commence aujourd'hui !

– Maître Ringel ! Maître Ringel !

Les questions fusaient. Abe pointa le doigt sur Mary Cooper, la correspondante à Boston du *New York Times*.

– Maître Ringel, il semblerait que vous vous apprêtiez à faire le procès de la victime, Marcelus Prandus. Est-ce bien juste, si l'on considère qu'il n'est pas là pour se défendre ?

– La seule personne mise en accusation dans ce tribunal, c'est Max Menuchen. Lui seul risque de finir ses jours en prison s'il est reconnu coupable. Vous entendrez des preuves de ce qu'a commis Marcelus Prandus, et le procureur se fera son avocat – s'il l'ose. Et maintenant, si vous voulez bien m'excuser, je dois aller voir mon client, Max Menuchen, à qui l'on a, à mon avis à tort, refusé la liberté sous caution.

– Maître Ringel ! Maître Ringel !

Les cris continuèrent tandis qu'Abe et Rendi pénétraient dans le tribunal et descendaient l'escalier conduisant aux cellules des accusés en instance de jugement. Ils attendirent quelques minutes que Max arrive, en fourgon cellulaire, de la prison de Charles Street, dans le centre de Boston.

Enfin, la porte de derrière du tribunal s'ouvrit, et un garde armé conduisit Max Menuchen dans sa cellule. Abe et Rendi furent autorisés à y entrer. Ils serrèrent Max silencieusement dans leurs bras.

– C'est absolument remarquable, déclara Rendi pour essayer de détendre l'atmosphère, que tu parviennes à rester digne même dans cette tenue de prisonnier orange vif. Je crois que c'est la première fois que je te vois sans veste ni cravate.

Max ne broncha pas.

Abe posa une main sur son épaule.

– Écoute, je sais que les flics t'ont dit que tu avais le droit de garder le silence. Mais cela ne signifie pas que tu doives te taire avec ton avocat et vieil ami. Parle-nous, Max. Tu me rends nerveux.

Max s'assit, les yeux baissés. Toujours pas de réponse.

Rendi essaya à nouveau.

– Tu sais qu'ils te font porter cette tenue pour t'ôter le peu de dignité qu'il te reste après qu'ils t'ont arrêté, menotté, fouillé, qu'ils ont pris tes empreintes et t'ont jeté en prison avec de vrais criminels.

– Moi aussi, je suis un criminel, répondit Max sans lever la tête.

– Non, tu n'en es pas un, nom de Dieu ! s'écria Abe. Tu es un homme honnête, respectueux de la loi, qui a été provoqué au-delà de ce qu'il pouvait supporter.

– J'ai tué Prandus, Abe, et je vais plaider coupable en expliquant pourquoi j'ai agi ainsi. C'est la seule solution décente. Si je n'avais pas été pris, cela aurait été différent. Mais ils m'ont retrouvé, et je ne peux pas mentir.

– Max, je t'en prie, mets-toi dans la tête que tu n'es pas coupable.

– J'ai tué Prandus, répéta Max. J'ai commis ce dont on m'accuse. J'ai enlevé cet homme et j'ai causé sa mort. Cela fait de moi un criminel.

– Combien de fois devrai-je t'expliquer que ton acte n'est pas un crime ? Pour qu'il le soit, il devrait avoir été accompli avec des pensées coupables, et sans justification ni excuses légales.

– Je n'ai pas d'excuses.

– Tu n'aurais jamais agi ainsi si tu n'avais pas été victime de l'Holocauste. Comme je te l'ai répété des dizaines de fois, ton prétendu crime – et j'insiste sur « prétendu » – est la conséquence directe du « syndrome de survie à l'Holocauste », une pathologie médicalement reconnue qui élimine ta responsabilité criminelle.

– Et comme je te l'ai répété des dizaines de fois, je suis indubitablement le responsable de ce qui est arrivé. Si ce n'est moi, qui est-ce ?

– Personne d'autre ! Tu refuses d'entendre mon point de vue. Légalement, tu ne peux pas être tenu pour responsable si l'on parvient à prouver que ton crime était la conséquence d'un trouble mental reconnu par les experts. Cela donne une base légale au jury pour t'accorder un acquittement de sympathie. C'est la meilleure stratégie.

– Ça ne marchera jamais.

– Ça a fonctionné avec Lorena Bobbitt. Tu te souviens ? La femme qui a coupé le pénis de son mari.

– Elle a affirmé que son mari la violait.

– Même si c'était le cas, cela n'aurait pas suffi à l'absoudre si son acte avait été une pure vengeance. Elle a gagné son procès parce que son avocat a soutenu qu'elle souffrait d'un syndrome de stress post-traumatique quand elle a agi, et le jury l'a déclarée non coupable en raison de troubles mentaux.

– Est-ce qu'ils l'ont envoyée dans un hôpital psychiatrique ?

– Juste le temps de l'observation. Quelques semaines plus tard, les médecins ont établi que rien ne clochait chez elle. À mon avis, son opération l'a guérie.

– Elle a subi une opération ?

– Elle a *effectué* une opération. Sur son mari.

– Alors, tu veux que je déclare que j'étais fou quand j'ai enlevé Prandus et que sa mort m'a guéri ?

– Max, c'est la vérité. Tu n'as pas connu une seule bonne nuit de sommeil tant qu'il était vivant. Quand tu as découvert qu'il allait mourir paisiblement, ton déséquilibre a empiré. Et quand tu as appris ce qu'il avait fait à Sarah Chava, quelque chose en toi s'est brisé.

– Je ne peux pas brandir l'argument de ce prétendu syndrome. Ce serait injuste vis-à-vis des autres survivants de l'Holocauste.

– Pour quelle raison ?

– Cela donnerait l'impression que les survivants de l'Holocauste manquent de maîtrise.

– Il existe toute une littérature médicale sur ce sujet ! continua Abe. Des survivants de l'Holocauste ont commis des crimes dans les années suivant leur libération. Les psychiatres qui les ont examinés ont conclu que le traumatisme subi avait instillé en eux une profonde méfiance envers le gouvernement.

– En dépit de leur compréhensible méfiance envers les autorités, la grande majorité des survivants sont des citoyens respectueux des lois.

– Max, c'est à toi que je m'intéresse. Tu as essayé d'obéir à la loi. Tu as tenté de faire confiance au gouvernement, à son système de justice. Ils t'ont fait défaut, et tu es passé à l'acte.

– Invoquer le syndrome des survivants, ce serait se servir de l'Holocauste pour excuser un crime. Je ne peux pas accepter ça.

– Je ne suis pas d'accord avec toi, mais c'est ton procès, et c'est toi qui décides.

– Alors, c'est réglé. Je refuse de plaider la folie ou d'invoquer quelque syndrome que ce soit. Je savais parfaitement ce que je faisais. J'ai tout planifié soigneusement. Je suis coupable.

– Arrête, nom de Dieu. Tu n'es pas coupable. Ne crois-tu pas que punir Prandus était justifié ?

– Moralement, oui. Légalement, non. Mon acte était juste, mais il n'était pas légal. J'ai lu un jour que le juge Oliver Wendell Holmes s'était emporté contre un clerc qui avait estimé une décision de justice injuste. Il lui a dit : « On n'est pas là pour rendre la justice, jeune homme, mais pour appliquer la loi. »

– Max, écoute-toi ! Tu es en train de jouer à l'homme de loi. Tu cites même Holmes. J'ignorais que tu avais étudié le droit.

– Chacun sait que s'emparer d'une personne et la retenir contre son gré s'appelle un enlèvement, et que, si cette personne meurt, il s'agit d'un meurtre.

– Prandus s'est empoisonné lui-même. C'était un acte volontaire. On a sa lettre.

– Je voulais qu'il s'empoisonne.

– Il aurait pu refuser de prendre le poison. C'est suffisant pour réfuter l'accusation de meurtre.

– Dis-moi plutôt comment tirer Danielle d'affaire. Est-ce que je peux plaider coupable en échange de sa liberté ?

– Je crois que j'ai une meilleure idée. Elle implique que tu ne plaides pas coupable, et que l'on mette en place une défense solide.

– Je n'ai pas de défense.

– Si, tu en as une. Cela s'appelle la justification. On essaiera de convaincre le jury que tu avais le droit, à la fois moralement et légalement, d'agir comme tu l'as fait.

– Tu peux soutenir ça ?

– Je l'espère. Le juge décidera.

– Si j'essaie de me justifier, est-ce que ma condamnation sera plus légère ?

– La condamnation la plus légère – même si tu plaides coupable –, c'est dix ans. Pour un homme de ton âge, cela signifie la prison à vie.

– Alors, si ça ne fait pas de différence, pourquoi se fatiguer à réfuter l'accusation ?

– Parce que tu pourrais aussi bien n'encourir aucune condamnation ! Il est peu probable que nous obtenions un acquittement complet sur toutes les charges, mais c'est possible. Souviens-toi d'Elie Nessler, la femme qui a abattu celui qui avait molesté son fils. Elle l'a tué de sang-froid, avec préméditation, alors qu'il était menotté, dans la salle du tribunal. C'était un cas évident de meurtre, mais le jury a qualifié son geste d'homicide involontaire. Ton histoire est beaucoup plus convaincante. Alors, en plaidant « non coupable », tu pourrais forcer le procureur à accorder l'immunité à Danielle afin qu'elle puisse témoigner contre toi.

– Elle ne témoignera jamais contre moi. Elle préférera aller en prison.

– Pas si elle sait, ce que l'accusation ignore, que son témoignage ne te fera aucun mal.

– Alors là, je suis complètement perdu.

– Parfait. Espérons que le procureur sera aussi perdu que toi.

– Je n'aime pas que tu considères mon procès comme un jeu.

– Je n'aime pas ça non plus, mais c'est ce que les procès sont devenus. Alors, on va suivre les règles, et l'on va essayer de gagner. Je t'ai apporté ton costume de respectable professeur, afin que le jury imagine – à tort – que l'on t'a accordé la liberté sous caution.

Pendant que Max posait la pile de vêtements sur le lit, il continuait à se plaindre.

– Je déteste ce petit jeu. Ne peut-on dire tout simplement la vérité ?

– Quelle vérité, Max ? Notre vérité, ou leur vérité ?

Abe lui tapota le bras.

– On se reverra au procès. Tu devras prendre un air préoccupé mais confiant.

– Je déteste toutes ces simagrées.

34

Tactiques d'avocat

– C'est une mauvaise tactique, papa, estima Emma tandis que les Ringel discutaient autour d'un plat de pâtes au pesto – leur version familiale du fast-food. Cela pourrait nous aliéner quelques femmes du jury et se retourner contre Max. Dis-lui que j'ai raison, Rendi.

– Cette fois, je ne suis pas certaine que tu aies raison, répliqua Rendi, en s'étranglant avec la sauce au basilic. En quoi le plan de défense d'Abe est-il si différent de celui du « syndrome de la femme battue » ?

– Allez. C'est tellement évident. Une femme battue, quand elle tue son agresseur, le fait dans un accès de terreur. Max a agi pour se venger. Et, personnellement, je suis heureuse qu'il l'ait fait. Mais regarde les choses en face, papa, sa victime ne représentait aucun danger pour lui.

– Si, elle représentait un danger, intervint Abe. Si Max n'avait rien tenté contre Prandus, il n'aurait plus supporté de vivre. C'est lui-même qui me l'a confié. Cas classique d'autodéfense.

– Je ne peux pas croire que Max aurait pu attenter à ses jours. Il a survécu aux nazis. Il est solide. Et, de toute façon, on ne peut pas plaider l'autodéfense quand la victime n'a pas agressé la personne qui l'a tuée.

– Un-zéro pour l'étudiante en droit, proclama Rendi en tapotant le dos de sa belle-fille. Je crois que là, elle te tient, Abe.

– Pas mal. Qui t'a enseigné la loi ? interrogea Abe en souriant.

– Tu ne peux pas arrêter de plaisanter, papa ? C'est sérieux. La vie de Max est en jeu. Notre professeur nous a enseigné que le principe de justification ne s'applique qu'aux meurtres relevant de l'autodéfense.

– C'est parce qu'elle ne vous fait pas étudier le procès du marin qui mange le mousse. Tu peux dire à ton professeur que la justification peut être utilisée dans tous les cas. Si je convaincs le juge et le jury que le meurtre était une forme d'autodéfense, le facteur de sympathie peut jouer. Après, ça dépend de chacun.

– Tu n'obtiendras jamais ça du juge puisque, dans le cas présent, la personne tuée ne représentait pas une menace concrète.

– Peut-être. Mais il y a cette autre affaire dans le New Jersey : une femme fréquemment maltraitée par son premier mari. Son second mari l'a menacée, et elle l'a tué. Le juge a expliqué aux jurés qu'ils pouvaient prendre en compte les mauvais traitements infligés par le premier époux pour se représenter l'état d'esprit de l'accusée quand elle a tué le second. Tu dois reconnaître que là, il y a une analogie, ma chérie.

– On n'a pas étudié ce cas-là non plus. Où tu l'as trouvé ?

– Sur *Geraldo*.

Le débat entre Abe et Emma à propos de la tactique de défense à utiliser continua pendant une heure, sans aboutir. Emma pensait qu'il fallait plaider le « bénéfice du doute », c'est-à-dire souligner l'absence de preuves matérielles quant à l'implication de Max dans l'enlèvement et la mort de Prandus.

– Attendons et voyons, conclut Abe. Quand l'accusation aura remis son dossier, on saura s'il est profitable ou non de mettre Max en avant. Il ferait un témoin remarquable. Un des rares qui diraient la vérité. Le problème c'est que, dans l'esprit de certains jurés, la vérité pourrait lui être fatale. En attendant, Emma, j'ai un travail pour toi. J'ai vraiment besoin que tu le fasses.

– C'est la première fois que tu as *besoin* de moi. Cela doit être important.

– Ça l'est, ma chérie. Je veux que tu parles avec Max. Il ne sait rien te refuser et j'ai besoin de plus d'informations. De connaître ses sentiments intimes. Il s'ouvrira peut-être à toi. Vas-y, s'il te plaît.

– Je vais essayer, papa, mais je ne te promets pas de réussir. C'est un vieil homme buté.

– Personne ne peut résister à ton charme, tu le sais bien.

35

L'histoire de Dori

– Oncle Max, papa est persuadé que si tu n'avais pas provoqué la mort de Marcelus Prandus, tu te serais tué. C'est vrai ?

– Bonjour, Emma. Voilà une drôle de manière de saluer un ami que tu n'as pas vu depuis plusieurs semaines. Pas de « Bonjour ». Pas de « Comment es-tu traité en prison ? » Pas de mensonges charitables sur ma belle allure en uniforme de prisonnier.

– Je suis désolée. Je n'ai jamais été très douée pour le blabla. Je vois qu'il me reste beaucoup à apprendre sur le comportement adapté à de telles circonstances. Comment vas-tu ? demanda Emma en détaillant le décor lugubre de la cellule.

– Je vais bien, nonobstant les « circonstances ». Et j'imagine que ta première question est importante pour la tactique d'Abe. Alors dispensons-nous du, comment tu appelles ça ? le blabla ?, et allons droit au but. Il m'est impossible de savoir ce que j'aurais fait si Marcelus Prandus était mort dans son lit, entouré de ses enfants et de ses petits-enfants qu'il adorait. J'aurais été démoli, mais aurais-je mis fin à mes jours ? Je ne puis en être sûr.

– Je ne peux croire que tu te serais suicidé. Tu es fort.

Tu as survécu aux nazis. Tu as combattu les Arabes. Tu es un survivant, et tes semblables ne se tuent pas, insista Emma, comme si elle voulait encourager Max.

Alors qu'elle prononçait ces mots, elle remarqua que son vieil ami regardait dans le vague, comme s'il pensait à autre chose. Des larmes emplirent soudain ses yeux.

– Je songe à Dori, murmura Max.

– L'ami que tu as évoqué le soir du seder ?

Emma se rapprocha de Max.

– Ne garde pas tes peines pour toi seul. Parle-moi de lui, cela te fera du bien.

– C'est une histoire triste et compliquée.

– Je veux l'entendre.

– J'ai retrouvé Dori dans le camp de personnes déplacées où j'avais été envoyé, dans la banlieue de Munich.

– Que veux-tu dire par « retrouvé » ?

– Nous étions voisins, à Vilna. Je le fréquentais peu alors, car sa famille n'était pas religieuse. Je l'ai reconnu dans le camp et nous sommes rapidement devenus inséparables. Il était un substitut à ma famille disparue.

– À quoi ressemblait-il ?

– Il t'aurait plu. Il était beau et fort. Une vraie réclame pour le sionisme. Une peau bronzée, des cheveux noirs et bouclés, un corps musclé – même après ce qu'il avait traversé. Et dur ! Je n'ai jamais connu quelqu'un d'aussi déterminé que Dori. Il était aussi très entier. Tu aurais été conquise, Emma. Sa famille était sioniste. Elle avait disparu dans les premières rafles. Dori avait rejoint les partisans très tôt, avant même que les nazis aient tué les siens.

– Connaissait-il ta sœur ?

– Seulement de vue. Je lui ai montré sa photo. Il l'a regardée et il a dit : « Je me souviens d'elle. Elle était très belle... »

– Dori faisait-il partie de ceux qui voulaient se venger ?

– Pas au début. Il affirmait que la vengeance détournerait les Juifs de leur véritable tâche : fonder un nouvel État. « Oublie les nazis, me conseillait-il. Ils appartiennent au passé. Canalise plutôt ta colère contre les Anglais et les Arabes. » Il était persuadé que ceux qui avaient persécuté nos familles étaient des êtres stupides, médiocres qui menaient à présent des existences obscures, misérables, dominées par la culpabilité. Ils ne valaient pas la peine que nous risquions nos vies. Dori insistait pour que je ne laisse pas la vengeance se mettre en travers de nos projets, car elle pouvait nous détruire comme elle avait anéanti Michael Kohlhaas.

– Michael qui ?

– Kohlhaas. C'est un vieux conte prussien qui illustre la spirale sans fin de la violence. Au début de l'histoire, un homme maltraite un couple de chevaux qui appartiennent à Kohlhaas ; à la fin, celui-ci incendie des villes et tuent leurs habitants. Cette triste allégorie sur les effets destructeurs de la vengeance était devenue pour nous deux un symbole important. Dori devinait que je courais le danger de devenir un Michael Kohlhaas, car seul le malheur de mes ennemis apaisait ma souffrance.

– Ça ne te ressemble pas du tout, interrompit Emma.

– Je me souviens d'un jour où Dori est arrivé alors que je travaillais au journal du camp. Il a remarqué que je souriais et m'en a demandé la raison. Je lui ai expliqué que je rédigeais un article sur le suicide de Joseph Goebbels et de sa famille, le dernier jour de la guerre.

– Cela te rendait heureux ? Pour quelle raison ?

– Parce que ce monstre a dû tuer ses propres enfants – il en avait six – avant de se donner la mort avec sa femme.

– Pourquoi ses enfants ?

– Il était persuadé que les Juifs se vengeraient sur eux et les tortureraient s'il les laissait en vie.

– Les Juifs n'auraient jamais fait ça.

– L'important, c'est qu'il était persuadé que nous nous vengerions, et que cela l'a poussé à tuer ses six enfants.

– Et de tels événements te rendaient heureux ? insista Emma, incrédule.

– Oui, Emma. Car c'était un châtiment approprié, nombre de parents juifs ayant jugé nécessaire de tuer leurs enfants pour leur épargner les tortures des nazis. Joseph Goebbels avait dû ressentir la même souffrance que ces parents-là.

– Est-ce que tu as été satisfait du procès de Nuremberg ?

– Ni le fait de voir pendre quelques nazis, ni celui de savoir que Hitler et Göring s'étaient suicidés ne m'ont satisfait. Ces gens-là n'étaient pas humains. Ils étaient des silhouettes abstraites dans quelque drame qui se jouait au loin. Ils avaient presque accompli leur mission, détruire la juiverie d'Europe, mais ils avaient échoué à nazifier le monde. À cause de cet échec, il fallait qu'ils meurent, soit de leur propre main, soit de la main de ceux qui les avaient vaincus. Ça n'avait rien à voir avec la justice. C'était une forme perverse du destin. Alors que moi, je voulais voir souffrir Marcelus Prandus.

– Mon père raconte une histoire drôle à propos des personnes tellement obsédées par la vengeance qu'elles renonceraient au bonheur pour voir souffrir leurs ennemis. Mais je crains qu'elle ne te vexe.

– Depuis que je suis en prison, il est difficile de me vexer.

– D'accord. Alors ce sont deux voisins juifs, à Riga, qu'oppose une vieille querelle. Moishe trouve une lampe ancienne de laquelle sort un génie qui lui accorde trois vœux, mais à la condition que tout ce qu'il offrira à Moishe, il le donnera en double à son ennemi, Yakov.

– Je crois deviner où tu veux en venir.

– Moishe demande cent roubles. Ils se matérialisent, mais Yakov arrive bientôt avec deux cents roubles. Alors Moishe demande une belle femme. Elle apparaît. Le lendemain matin, Yakov se vante d'avoir trouvé deux belles femmes dans sa chambre. Pour finir, exaspéré, Moishe interroge le génie : « Est-ce que cela me ferait très mal si vous m'ôtiez un de mes testicules ? »

– Ce n'est pas très amusant.

– Pour toi sans doute, car tu aurais volontiers renoncé à l'un de tes testicules à la condition que Prandus perde les deux siens.

– Tu te trompes. J'aurais renoncé à mes *deux* testicules à la condition que Prandus en perde un. C'est te dire à quel point j'étais frustré de ne pas avoir été capable de venger ma famille. Cependant, Dori m'a persuadé que mon père aurait préféré me voir aller en Palestine plutôt que de poursuivre ses assassins.

– Alors, tu es parti en Palestine ?

– Oui, sur un vieux bateau rouillé qui a eu du mal à terminer le voyage. Il a fallu que l'on déjoue le blocus des Anglais.

– Ça devait être épouvantable.

– Ça l'était, mais la traversée a été merveilleuse. Le bâtiment était bondé de survivants qui caressaient l'espoir d'aborder une nouvelle terre où commencer une nouvelle vie.

– Et Dori ?

– Nous avons servi dans la même unité militaire. Dori en est devenu le commandant, et il s'est distingué par son acharnement à risquer sa vie dans les assauts les plus dangereux. Son cri de guerre était « *Acharai !* », le mot hébreu pour « Derrière moi ».

« Après la guerre, Dori a complètement changé. Son énergie semblait épuisée. Sa détermination l'avait abandonné. Ayant réalisé son rêve, il découvrait que cela ne le satisfaisait pas. Son teint était devenu d'une pâleur maladive. Je m'inquiétais pour lui, bien sûr, mais ma carrière m'occupait beaucoup et j'avais peu de temps à lui consacrer. Puis il y a eu ce voyage en Allemagne, en 1956. À cette époque, j'étais un professeur reconnu de l'Université hébraïque.

– Tu avais suivi les traces de ton père, commenta Emma.

– Oui. J'étais invité à Cologne pour donner une conférence sur les interprétations chrétienne et juive de l'Ecclésiaste. Dori avait souhaité m'accompagner pour montrer aux Allemands qu'ils avaient échoué.

« Quand nous sommes arrivés à Cologne, Dori fut étonné de voir autant de monde partout où nous allions. Le plan Marshall avait transformé cette ville qui était devenue prospère et moderne – de même que la majeure partie de l'Allemagne de l'Ouest. À notre hôtel, Dori laissa éclater sa colère : "Ce sont eux qui ont gagné cette putain de guerre !" hurla-t-il.

« J'ai essayé de le calmer, mais il continuait à crier comme un fou. "Tu as vu à quoi ressemble Cologne ? C'est un paradis habité par les auteurs du génocide. Je ne peux pas y croire. Quelle injustice ! Que des tueurs soient ainsi récompensés, cela me dégoûte !"

« Dans les rues, nous avons croisé des centaines d'hommes de trente, quarante, cinquante ans. La plupart d'entre eux avaient dû servir pendant la guerre, certains mêmes dans les SS ou la Gestapo. Quand on les dévisageait, ils nous souriaient.

« Dori ne pouvait pas supporter l'idée que d'anciens nazis se promènent librement, avec leurs parents, leurs femmes et leurs enfants. Il était inconsolable. Je l'ai vu pleurer pour la première fois depuis la guerre. On marchait en se tenant par le bras, jusqu'au moment où Dori s'est soudain écarté et, avec un regard sauvage, s'est écrié :

"Il faut que l'on trouve un nazi, un assassin, juste un, et qu'on le tue."

« Il insistait : "Notre geste délivrerait un puissant message : il signifierait que ces assassins nazis devraient toute leur vie regarder derrière eux, dans la crainte que l'ange de la vengeance ne vienne les frapper dans le dos." Puis il a cité Ivan Karamazov : "Je dois avoir mon châtiment, ou je me détruirai moi-même."

– Que s'est-il passé ? Est-ce que Dori a attaqué quelqu'un ?

– Il a essayé de provoquer une bagarre avec plusieurs Allemands, mais ils étaient invariablement polis et amicaux. Chaque fois que Dori leur déclarait qu'il était israélien, la réponse était toujours la même : "J'ai le plus grand respect pour les habitants d'Israël."

« Je voyais la frustration de Dori tourner à la déprime. Loin d'Israël, il perdait ses repères. Il partait à la dérive. La vengeance est souvent une manifestation d'impuissance et de désespoir, et Dori, à marcher au milieu des nouveaux Allemands, se sentait impuissant.

« Et puis, il y avait son sentiment de culpabilité. Comme tant d'autres jeunes gens qui avaient survécu, Dori avait abandonné ses parents, son jeune frère, sa jeune sœur et ses grands-parents. Il était en train de se convaincre que, s'il était demeuré dans le ghetto, il aurait peut-être pu aider sa famille à s'enfuir. J'ai essayé de le persuader qu'il lui aurait été impossible de sauver les très jeunes et les très vieux, mais Dori ne réfléchissait pas de manière rationnelle. La frustration, la culpabilité, la dépression, la solitude et l'absence de but forment une combinaison dangereuse, en particulier quand on est dans un lieu étranger, loin de chez soi.

Max poussa un profond soupir et continua.

– Pendant que je donnais ma conférence, Dori a gravi

les centaines de marches qui mènent au sommet de la cathédrale. Là, il s'est assis et m'a écrit une lettre.

– Oh, non, murmura Emma.

– C'était une lettre courte, et je me rappelle chacun de ses mots amers, reprit Max avec des larmes dans les yeux.

« *Cher Max,*

« *Hitler avait promis aux Allemands que s'ils tuaient les Juifs, leur pays serait plus fort. Ils ont tué les Juifs, et l'Allemagne est devenue prospère. Je ne veux pas vivre dans un monde où le génocide est récompensé. Et je ne veux pas davantage agir comme Michael Kohlhaas. Je suis juif. Je ne peux pas tuer des innocents, même si la moindre fibre de mon être réclame vengeance. Si je devais vivre plus longtemps, et si ma frustration augmentait, je pourrais devenir un Kohlhaas. Il ne faut pas que cela arrive, pour l'honneur du nom que je porte, pour le bien du peuple juif et pour le bien de mon âme. Je ne connais qu'un moyen pour empêcher que cela n'arrive.*

« *Je t'aime et je sais que tu trouveras une solution meilleure.*

« *Shalom,*

« *Dori.* »

– Tu as perdu Dori, aussi, dit Emma en sanglotant.

– Oui. Et, d'une certaine façon, sa perte a été la pire que j'aie subie. Le suicide de Dori était la dernière chose à laquelle je m'attendais. Si l'on était venu m'annoncer que Dori avait été arrêté pour le meurtre d'un Allemand, je n'aurais pas été surpris. Mais ça ! Pourquoi ? Pourquoi est-ce la victime qui souffre, alors que les assassins jouissent de l'existence ?

« Les jours suivants ont été parmi les plus horribles de ma vie. Je ne pouvais quitter l'Allemagne sans le corps de Dori, et les autorités allemandes avaient insisté pour pratiquer une autopsie. Je ne suis pas retourné au centre de conférences. Je ne voulais voir personne, ni être consolé par qui que ce soit, surtout pas par des Allemands. J'ai cherché la synagogue, et j'ai trouvé un jeune rabbin venu des États-Unis. Il s'est occupé des rituels de la préparation du corps. "Il est tombé", a insisté le rabbin, car la religion condamne le suicide.

– Il n'était pas tombé. Il avait sauté, n'est-ce pas ?

– Évidemment qu'il avait sauté. Mais pourquoi aurais-je compliqué le travail du rabbin ? Donc Dori, l'homme qui avait survécu aux Allemands et aux Arabes, est mort à la suite d'une chute accidentelle. C'est ce que stipulait le certificat d'inhumation. Cela épargnait également aux Allemands d'admettre leur responsabilité dans la mort d'un Juif, une de plus.

– Tu as trouvé un peu de réconfort auprès des survivants juifs de Cologne ?

– Non, pour eux, le suicide était une chose trop courante.

– C'est tellement triste.

– Je me suis alors fait une promesse solennelle. Je ne permettrais jamais plus à Hitler de déterminer le moindre choix dans mon existence. Hitler était mort. J'étais vivant. Par le passé, c'est lui qui avait dicté tous les événements importants pour moi et ma famille – les décisions de vie et de mort. Et c'est lui qui avait poussé Dori dans le vide. Lors de mes visites à la synagogue de Cologne, plusieurs membres de la congrégation m'ont expliqué qu'ils restaient en Allemagne « pour montrer à Hitler que son plan pour débarrasser l'Allemagne de tous les Juifs avait échoué ». D'autres m'ont confié qu'ils projetaient de quitter l'Allemagne, « parce que Hitler ne méritait pas que des Juifs contribuent à la construction de l'Allemagne nouvelle ». Depuis sa tombe, c'était encore lui qui prenait les décisions pour ces survivants. Pas pour moi, plus jamais !

– Où a été enterré Dori ?

– Le corps de Dori a été inhumé avec tous les honneurs militaires, à Jérusalem, dans le cimetière des vétérans de la guerre d'indépendance. En Israël, le rabbin a admis que la cause de la mort était le suicide, mais il a déclaré que Dori était une victime de l'Holocauste. Les Juifs qui s'étaient ôté la vie pendant l'Holocauste n'étaient pas considérés comme des suicidés, mais comme des victimes des nazis. Parfois, il fallait juste un peu plus de temps.

– Est-ce que le suicide de Dori a augmenté ton désir de vengeance ?

– Non. Il m'a convaincu que, si je voulais échapper au désespoir qui avait conduit Dori à la mort, il fallait que je continue à construire mon existence. Je croyais que le temps refroidit les passions et que, si je pouvais réfréner suffisamment longtemps mon besoin de revanche, il finirait peut-être par s'éteindre.

– Et alors ?

– Ça a marché. Jusqu'au seder, jusqu'au jour où j'ai retrouvé Prandus. Alors j'ai ressenti la même chose que Dori. Il fallait que j'agisse. Si je ne faisais rien, en sachant que Prandus était si proche, je deviendrais comme Dori.

– J'avais tort, oncle Max. Pardon, dit doucement Emma. Merci de m'avoir parlé de ton ami.

Max posa une main sur le bras d'Emma.

– Tu n'as pas à t'excuser. Je te remercie au contraire de m'avoir écouté. Cela m'a fait beaucoup de bien.

36

Cox à l'accusation

Erskine Cox passa en fauteuil roulant devant la réceptionniste. Avant même d'arriver devant le grand bureau de chêne portant une plaque gravée au nom de « Georgina Droney, Procureur de la République », il s'époumonait déjà :

– Je crois savoir pourquoi vous m'avez choisi pour cette affaire, madame Droney. Et si je ne me trompe pas, ça sent mauvais. Je ne veux pas être mêlé à ça.

– Calmez-vous, Erskine. Énoncez-moi plutôt les raisons pour lesquelles vous croyez que je vous ai choisi.

– Parce que je suis handicapé, et qu'il faut un handicapé pour en attaquer un autre. Je suis un infirme physique, et Menuchen va prétendre qu'il est un infirme émotionnel.

– Je vous en prie, ôtez ce soupçon de votre tête, Erskine, et regardez la réalité en face.

– Quelle réalité ? Qu'il me faut un fauteuil roulant ?

– Non, que vous êtes mon meilleur avocat général. À quand remonte votre dernier échec ?

– Je n'occupe ce poste que depuis deux ans.

– Et jusqu'à présent, vous n'avez jamais perdu.

– Parce que vous ne m'avez confié que des affaires faciles.

– Elles n'étaient faciles que dans la mesure où vous en étiez l'avocat général. Vous êtes brillant, et cette affaire montrera à quel point. Vous allez poursuivre une victime, et c'est toujours délicat.

– Je ne pense pas que les victimes aient la permission d'enfreindre la loi et de tuer.

– J'ai lu votre article dans la *Revue de loi d'Harvard.*

Cox avait écrit une diatribe éloquente contre l'usage récent du statut de victime comme moyen de défense, en revenant notamment sur les procès des frères Menendez, de Lorena Bobbitt, et sur le syndrome des femmes battues.

– C'est pour cette raison que vous m'avez choisi ?

– C'était un plus.

– Et ça, c'est aussi un plus ? demanda Cox en montrant son fauteuil roulant.

– Écoutez, Erskine, vous êtes un grand avocat général. Et vous devez admettre qu'un bon procureur ne néglige aucun des atouts en sa possession pour écraser des avocats de la défense qui n'hésitent pas à exploiter le moindre truc qu'ils trouvent dans le code.

– Alors, il faudrait que l'on soit comme eux ?

– Il y a une différence.

– Oui, je sais. La vérité est de notre côté. Nous sommes convaincus de la culpabilité de ceux que nous poursuivons. Eux, ils défendent tous ceux qui peuvent payer.

– C'est ça, et nous suivons des règles différentes.

– C'est un problème personnel, madame Droney. Je ne me sens pas à l'aise si je dois me servir de mon fauteuil roulant comme d'un accessoire de théâtre.

– J'aimerais que vous le mettiez au service de la justice, Erskine, dit doucement Madame Droney.

Cox avait été une vedette sportive à Harvard, où il pratiquait l'aviron, le squash et le plongeon. Lors d'un entraînement pour les jeux Olympiques, il s'était blessé à la colonne vertébrale. Il n'avait jamais remarché depuis.

– Je ne supporte pas que l'on ait pitié de moi, madame Droney, et je ne vais pas chercher à susciter la compassion.

– Je le sais. Je vous ai vu à l'œuvre dans un tribunal.

– Alors, pourquoi imaginez-vous que mon fauteuil roulant serait un atout dans cette affaire ?

– Précisément pour la raison que vous venez d'exposer.

– Je vous demande pardon ?

– Vous refusez d'utiliser ce qui vous est arrivé pour susciter la compassion.

– Et alors ?

– C'est le message que je veux faire passer. Il sera en parfaite opposition avec le discours que Ringel choisira sans doute de tenir : en quelques mots, que le jury devrait montrer de la compassion à l'égard de cet assassin à cause de ce qu'il a vécu.

– Dans ce cas, c'est d'accord, opina Cox en faisant rouler son fauteuil en direction de la sortie.

37

Le juge Tree et le jury, août 1999

– Il n'y aura pas d'interruptions ni de manifestations dans ma salle, mugit le juge Jackson Tree de sa voix de baryton. C'est une des affaires les plus sérieuses et les plus difficiles que j'aie eu à juger, et elle sera instruite par le juge et le jury – pas par la foule, ni par les médias, ni par aucun avocat en vue. Suis-je bien clair ?

– Oui, Votre Honneur, répondirent en chœur, comme des écoliers, Abe Ringel et Erskine Cox.

– Vous, dans le fond, avertit le juge Tree en s'adressant à un groupe d'hommes qui portaient des brassards à croix gammée sur des chemises brunes arborant l'écusson des « Ariens, fils de la justice ».

Trois d'entre eux manifestaient sur les marches du palais, tandis que six autres avaient pris place dans la salle.

– Vous avez le droit d'être là, mais vous laisserez vos insignes à la porte de mon tribunal.

– Merci, monsieur le juge. Ils me faisaient peur, dit une vieille femme vêtue d'un uniforme de camp de concentration.

Le juge Tree la toisa en fronçant les sourcils :

– Chère madame, dans cette salle, vous ne valez pas

mieux qu'eux. Ici, tout le monde est traité de la même façon, quelles que soient ses opinions. Je ne veux pas vous entendre, c'est compris ?

Puis, se tournant vers Abe Ringel, il continua :

– Je ne tolérerai ni outillage, ni accessoires, ni démonstrations chorégraphiques, ni aucun truc de ce genre. Que cela soit clair avant que nous choisissions le jury. Ce procès ne tournera pas à la caricature. Et je veux que chacun, dans cet auditoire, sache qui est le chef ici.

Le juge Jackson Tree était une personne qui assumait ses responsabilités, un ancien procureur, expérimenté, réputé pour sa rigueur. Il mesurait un mètre quatre-vingt-quinze, ce qui lui avait inévitablement valu le surnom de « Chêne[1] ». Il avait joué dans l'équipe de basket d'Harvard dans les années soixante-dix, et avait été diplômé *magna cum laude* de cette faculté de droit. Il avait deux ans de moins qu'Abe Ringel, qu'il avait appris à connaître durant ses années d'exercice comme procureur. Sur le plan professionnel, ils se respectaient mutuellement.

L'avocat général, Erskine Cox, était de la promotion de Jackson Tree. Ils avaient appartenu à la même promotion d'étudiants à Harvard, mais ils n'étaient pas des amis proches.

– Bon, choisissons un jury équitable, un jury dont aucune des parties ne soit parfaitement satisfaite, annonça le juge Tree alors que l'huissier lui tendait la première liste de jurés potentiels.

« Très bien, mesdames et messieurs. Est-ce que quelqu'un pense qu'il ne lui est pas possible d'accomplir son devoir de juré, sachant que le procès durera à peu près une semaine ?

---

1. Jeu de mots : *tree* signifie « arbre », et le chêne est réputé pour sa solidité.

Le juge Tree appréciait visiblement ce moment. Le Massachusetts venait d'adopter un système suivant lequel personne n'était automatiquement dispensé en raison de son état civil ou de ses obligations professionnelles. Le juge Tree avait eu de l'influence dans la mise en place de ces règles, et il en était fier.

Un homme d'une quarantaine d'années se leva.

– Je dirige une petite entreprise, de dix employés. Ma présence est indispensable pour que ça tourne.

Le juge Tree fixa l'homme d'affaires droit dans les yeux :

– Les cimetières sont remplis de gens indispensables. Si vous étiez malade pendant une semaine, est-ce que votre entreprise coulerait ?

L'homme d'affaires hésita, et avant qu'il ait eu le temps de répondre, le juge Tree continuait :

– Rappelez-vous que vous êtes sous serment, et que vous faites une déclaration publique. Si vous répondez par l'affirmative, j'ai l'intention de communiquer votre réponse à votre banque. On verra comment ils prendront cette information et quel effet cela aura sur votre découvert autorisé.

– Après réflexion, je pense que mon affaire pourrait survivre si j'étais absent une semaine, admit humblement l'homme d'affaires en se rasseyant.

– Et je parie qu'elle fera plus de bénéfice en votre absence, ironisa le juge, incapable de ne pas avoir le dernier mot. Bon, il y a d'autres personnes dispensables, dans ce jury ?

Une femme téméraire, d'une trentaine d'années, se leva.

– Votre Honneur, je suis avocate, et je plaide dans un procès civil qui doit débuter vendredi.

– J'ai une nouvelle pour vous, mademoiselle. On ne vous enseigne sans doute pas ça à la faculté de droit, mais, dans notre système de justice, les jurés sont plus importants que les avocats, ou même que les juges. Comprenez bien vos priorités. Je parlerai au juge et je ferai reculer votre procès, ou bien c'est un autre avocat qui s'en occupera.

– Mais, Votre Honneur, je me suis préparée pour cette affaire...

Le juge la coupa.

– Est-ce que le nom du juge Breyer vous dit quelque chose ?

– Oui, monsieur, il est à la Cour suprême des États-Unis.

– Un boulot plutôt important, non ?

– C'est exact.

– D'une envergure autre que le vôtre ?

– Évidemment.

– Eh bien, devinez ce qui est arrivé quand le juge Breyer a été appelé pour participer à un de mes jurys ?

– Il y a pris part ?

– Un peu qu'il y a participé. Il n'a pas essayé de se défiler, contrairement à vous.

– Oui, Votre Honneur.

– Et vous savez ce que j'aurais dit s'il avait essayé de se dérober ?

– Je crois que je peux le deviner, et je retire ma demande d'être excusée.

– Voilà une attitude que j'aime. Il y a d'autres personnes qui veulent être dispensées ? demanda le juge Tree pour la forme.

Sans même marquer une pause, il continua :

– OK, voyons si l'un des jurés potentiels est prévenu contre l'une ou l'autre partie.

Abe Ringel aimait choisir un jury.

– Il suffit d'un seul, souffla-t-il à Henry Pullman, son expert en jurys. Lequel aimons-nous ? Lequel haïssons-nous ?

Pullman avait sorti sa liste habituelle des caractéristiques souhaitables ou indésirables. En tête des caractéristiques indésirables, il avait noté « foi dans l'infaillibilité du système ».

– Il ne faut ni banquier, ni aucun autre individu qui soit au sommet de la pyramide.

Pullman montra à Abe le bristol qui ne le quittait jamais. On y voyait trois poissons. Le plus gros dévorait celui de taille moyenne et affirmait : « La vie est toujours juste. » Le poisson de taille moyenne dévorait le petit et déclarait : « La vie est parfois juste. » Le petit poisson ne dévorait rien et regrettait : « La vie est toujours injuste. »

– Il nous faut un jury de douze petits poissons qui croient que la vie est toujours injuste, résuma Pullman.

Le premier juré potentiel interrogé était un homme d'une cinquantaine d'années. Jim Hamilton avait travaillé pendant vingt ans pour l'équipe des Celtiques de Boston, jusqu'à ce que Rick Pitino en devienne le manager et fasse le ménage.

– Lorsque vous encadriez les Celtiques, comment réagissiez-vous quand les joueurs se cherchaient des excuses pour avoir mal joué ?

– Red n'admettait aucune excuse, répondit l'homme, en faisant allusion au légendaire Red Auerbach.

– Et vous ?

– J'étais d'accord avec lui.

Les questions d'Abe avaient pour but de donner à l'avocat général suffisamment confiance en Hamilton pour qu'il n'utilise pas une de ses six possibilités de récusation à l'encontre de ce juré à qui Pullman avait mis une note de neuf sur dix.

– Je n'ai pas d'objection contre ce juré, déclara Abe.

– Moi non plus, approuva un Erskine Cox satisfait.

Le juré potentiel suivant s'appelait Larry Kane : ancien soldat au Vietnam, il vendait des polices d'assurance.

– Je le situe à mi-échelle, quatre ou cinq sur dix, murmura Pullman.

– Avez-vous déjà éprouvé le désir de vous venger de quelqu'un ? demanda Abe à Kane.

– Évidemment. N'est-ce pas le cas de tout le monde ?

– Êtes-vous déjà passé à l'acte ?

– Je pense. De façon anodine.

– Par exemple ?

– Laissez-moi réfléchir... J'ai baisé des concurrents sur des commissions, après qu'ils m'avaient fait le même coup.

– Rien de pire ?

– Rien qui me vienne à l'esprit.

– Sur la base de votre expérience comme policier dans l'armée, croyez-vous que la plupart des accusés traduits en justice soient coupables de ce qu'on leur reproche ?

– Je ne le crois pas, j'en suis sûr.

– Si, à la fin des audiences, après avoir entendu tous les témoignages, vous avez le sentiment que l'accusé est *sans doute* coupable, comment voterez-vous ?

– Coupable.

– Votre Honneur, je demande que ce juré soit écarté.

– Sous quel prétexte ? aboya le juge Tree.

– Il a déclaré qu'il voterait pour la culpabilité s'il concluait que l'accusé était *sans doute* coupable.

– C'était une question piège, maître Ringel. Il votera comme il faut, une fois que j'aurai expliqué les principes à suivre pour rendre un verdict. Refusé.

– Dans ce cas, j'use de mon premier droit de récusation sur Monsieur Kane.

Abe Ringel avait pour règle d'user de son droit de récusation contre un juré qu'il n'avait pas réussi à écarter. Aucune raison de conserver quelqu'un qui essaierait de faire match nul avec l'avocat parce que ce dernier avait tenté de se débarrasser de lui.

Le juré potentiel suivant était une femme de vingt-huit ans, Marsha Goldberg. Elle travaillait dans la publicité pour une station locale de télévision. Pullman lui avait mis six. Abe posa quelques questions de routine, et l'accepta.

Erskine Cox commença à l'interroger.

– Avez-vous étudié l'Holocauste à l'école ?

– Juste effleuré.

– Avez-vous des parents qui en ont été victimes ?

– Pas à ma connaissance.

– D'où vient votre famille ?

– De Pittsburgh.

– Non. Je veux dire avant son arrivée aux États-Unis.

– Je ne sais pas. De quelque part en Europe de l'Est. Pologne. Russie.

– Je récuse.

Et Mademoiselle Goldberg fut écartée.

Après que deux jurés de plus, deux jeunes femmes, furent acceptés, Cox usa d'un autre droit de récusation contre Carl Cohen, un homme entre deux âges.

À l'instant où Cox prononça le mot « récusé », le juge Tree se dressa de toute sa hauteur et donna un coup de marteau :

– Dans mon bureau, tout de suite !

Dès que les avocats furent entrés dans son bureau, le juge Tree s'en prit à Cox.

– Ne me forcez pas à vous placer dans une position gênante devant les jurés, maître Cox. Je vois ce que vous essayez de faire. Avez-vous relu le code, ces derniers temps ?

– Oui, Votre Honneur. Il stipule que les récusations ne doivent pas s'appuyer sur des motifs raciaux.

– Eh bien, vous semblez utiliser vos droits de contestation en fonction de critères religieux, et je ne l'admettrai pas.

– Votre Honneur, les victimes de l'Holocauste étaient des Juifs, et les Juifs ont des raisons personnelles pour haïr la victime de cette affaire, Marcelus Prandus.

– Et les Noirs haïssent le racisme, et les femmes haïssent le sexisme, mais ils peuvent tous faire des jurés équitables. Les Juifs également. Je vous accorde cette récusation. Mais si vous vous servez encore une fois du même argument contre un juré, j'y verrai un mauvais procédé. Vous me comprenez ?

Abe resta silencieux. Il aurait pu essayer de sauver le juré Cohen, mais Pullman lui mettait la note trois. Abe avait lui-même une opinion ambivalente à propos des jurés juifs ; certains pouvaient voter dans le sens inverse pour montrer qu'ils ne cédaient pas au désir de vengeance.

Tout le monde apprécia le juré suivant, une femme du nom de Sandy Kelley. Elle paraissait impartiale, sympathique et soucieuse de plaire.

Plusieurs autres jurés passèrent eux aussi rapidement l'examen. À la fin de la journée, onze avaient été nommés. Chaque partie avait utilisé cinq de ses six droits de récusation.

Le juré potentiel suivant – peut-être le dernier –, Patricia McGinnity, était âgé de soixante-six ans ; longtemps femme au foyer, elle avait perdu son mari plusieurs années auparavant et depuis elle passait ses journées à faire du bénévolat pour sa paroisse. Pullman lui avait mis trois sur dix. « Trop religieuse, trop conservatrice, trop ancrée dans ses habitudes. » Cox semblait l'apprécier.

– Sers-toi de ta dernière récusation, Abe. C'est la Vierge Marie. On n'a pas besoin d'elle, conseilla Pullman.

– Qui sait sur qui l'on tombera si on l'écarte ? On pourrait avoir Adolf Hitler comme juré suivant. Et il ne nous resterait plus de droit de récusation.

– Hitler, tu pourrais demander qu'il soit écarté. Même Tree te l'accorderait, murmura Pullman.

– Je la sens bien, cette vieille dame, rétorqua Abe. Je vais lui poser quelques questions.

– Tu déconnes, répondit Pullman.

– Madame McGinnity, vous n'approuvez pas le suicide, n'est-ce pas ?

– Non, je ne l'approuve pas. Les hommes ne doivent pas se substituer à Dieu.

– Pensez-vous qu'il puisse être légitime de se faire justice soi-même ?

– Objection, Votre Honneur, s'écria Cox. Ce qu'elle « pense » n'a pas sa place ici. La justice n'est pas une affaire de convictions mais de lois, et si cette femme participe au jury, elle devra suivre la loi.

– Joli discours, maître Cox, releva le juge Tree en souriant. Je suis certain que Madame McGinnity a compris le message. Objection rejetée. Vous pouvez répondre.

– Si les autorités nous refusent des droits fondamentaux, comme celui de pratiquer notre religion, on a naturellement le droit de résister. On peut avoir à en payer le prix, tout au moins sur terre.

– Écarte-la, mais écarte-la donc, murmurait furieusement Pullman.

Abe regarda le juge Tree, et déclara :

– Pas de problème avec Madame McGinnity.

Cox était du même avis. Le jury était nommé. Le procès pouvait commencer.

La chaîne de télévision du tribunal avait demandé à filmer les débats, et les deux parties avaient accepté. Max souhaitait que le procès serve d'enseignement sur l'Holocauste. L'accusation voulait qu'il serve de leçon aux personnes qui croient pouvoir se substituer au système judiciaire. Quant au juge Tree, qui appartenait à la Commission judiciaire de l'État du Massachusetts pour l'évaluation de l'impact des procès télévisés, il voyait dans cette affaire un sujet d'expérience idéal. Il prouverait qu'un procès majeur et sans doute chargé d'émotions pouvait être médiatisé sans pour autant se transformer en cirque. Tout le pays regarderait *L'État du Massachusetts contre Max Menuchen*.

Septième partie

LE PROCÈS

38

L'accusation

– Maître Cox, nous vous écoutons, déclara le juge Tree.

– Mesdames et messieurs du jury, commença Cox, en approchant son fauteuil roulant du banc des jurés, nous sommes devant un exemple classique de meurtre. Nous prouverons que l'accusé, Max Menuchen, avec l'aide d'une complice, a mis au point un plan pour enlever un vieil homme et le torturer psychologiquement. En conséquence de quoi, la victime s'est ôté la vie, alors qu'elle était dans un état de détresse provoqué à dessein par l'accusé.

Cox déplaça son fauteuil roulant à travers la salle, comme s'il faisait les cent pas. Puis il s'arrêta en face de Patricia McGinnity, la femme âgée qui avait été le dernier juré sélectionné. Cox la regarda droit dans les yeux, faisant naître un sourire chaleureux sur ses lèvres pâles. Il s'adressa directement à elle.

– Cette affaire est analogue à une autre, jugée il y a soixante-quinze ans. Dans celle-ci, l'accusé avait fait irruption dans la chambre d'une adolescente de seize ans, avec l'intention de la violer. La jeune fille avait sauté par la fenêtre, du deuxième étage, et s'était tuée en tombant. Le juge avait expliqué au jury que si l'adolescente s'était jetée dans le vide pour échapper à la tentative de viol, l'accusé était coupable de meurtre, même s'il n'avait pas voulu la mort de sa victime.

– Objection, Votre Honneur.

Abe se leva pour argumenter.

– Il s'agissait d'une fille mineure. Il s'agissait d'un homme adulte. C'était il y a trois quarts de siècle, et les mœurs sexuelles étaient bien différentes de ce qu'elles sont aujourd'hui. La victime d'un viol était alors considérée comme irrémédiablement salie, « endommagée »...

– Objection rejetée. Le jury peut de lui-même évaluer ces nuances. Continuez, maître Cox.

– Dans l'affaire qui nous occupe, nous prouverons que l'accusé voulait que sa victime périsse. En fait, tout son plan aurait échoué si celle-ci n'avait pas succombé avant d'apprendre la vérité. C'était un plan cruel et sophistiqué, et, de façon tragique, il a fonctionné exactement comme prévu.

Madame McGinnity hocha la tête, indiquant qu'elle était d'accord avec l'analogie de maître Cox – à moins qu'il ne s'agît d'une réaction de politesse.

– On aurait dû utiliser notre dernier droit de récusation, chuchota Pullman.

Abe se fit rassurant :

– Je parie qu'elle me sourira à moi aussi.

Cox déplaça son fauteuil roulant devant Muriel Baker, impassible.

– Aucun crime n'est jamais commis sans motif. L'accusé évoquera peut-être un bon mobile pour tenter de se justifier. Mais le juge vous précisera qu'un bon motif – et nous ne concédons en aucun cas que celui de Max Menuchen le soit – n'excuse pas un crime. Votre travail ne consiste pas à vous demander *pour quelles raisons* Max Menuchen a agi, mais juste à décider *s'il a commis* ce dont il est accusé. Nous nous chargeons d'en apporter la preuve.

Puis nous vous demanderons de conclure que l'accusé est coupable d'enlèvement et de meurtre.

– Maître Ringel, avez-vous quelque chose à déclarer ? demanda le juge Tree.

– Je veux juste rappeler au jury qu'il doit garder l'esprit ouvert jusqu'à la fin des témoignages et des débats – et je sais que vous insisterez également dans ce sens. Je réserve mon intervention pour le moment où l'accusation aura présenté ses arguments.

– Bien. Je rappelle aux membres du jury qu'ils doivent donc garder l'esprit ouvert, se souvenir de la présomption d'innocence, et écouter toutes les dépositions avant d'arrêter leur décision, quelle qu'elle soit. Maintenant, nous allons entendre le premier témoin.

– L'accusation appelle Danielle Grant.

Du fond de la salle, Justin Aldrich, qui représentait Danielle Grant, cria :

– Objection, objection !

– Dans mon bureau, dit le juge Tree en assénant un coup de marteau.

Ils étaient à peine réunis dans le bureau du juge, que déjà Ringel, Aldrich et Cox discutaient à bâtons rompus.

– Adressez-vous à moi, et pas les uns aux autres, ni les uns contre les autres, exigea le juge Tree. Sur quoi se fonde votre objection, maître Aldrich ?

– Ma cliente est co-accusée, Votre Honneur, insista Aldrich. Le procureur ne peut la citer à comparaître. Elle a le droit de ne pas s'incriminer elle-même, et elle a bien l'intention de l'exercer.

Au mot « droit », Cox sortit un document de sa poche, et le plaça devant le juge Tree.

– Faites jouer l'immunité, Votre Honneur. Cela prend le pas sur le droit. Cette femme doit absolument témoigner contre Menuchen, en échange de quoi, ses réponses ne pourront être utilisées lors de son propre procès.

– Je m'y oppose, Votre Honneur, implora Aldrich. Car comment être certain qu'ils n'exploiteront pas sa déposition ?

– Le procureur de son futur procès ignorera ce qu'elle a répondu dans celui-ci, promit Cox.

– Vous allez l'enfermer derrière la muraille de Chine ? demanda le juge Tree, en utilisant une métaphore d'avocats.

– Exactement.

– Mais vous ne pouvez pas construire une muraille de Chine autour d'un procès médiatisé comme celui-ci. Tout le monde, aux États-Unis, va le regarder à la télévision et lire les journaux, insista Aldrich.

– Précisément, rétorqua Cox d'un air suffisant.

– Ôtez ce sourire de votre visage, et dites-nous pour quelle raison vous êtes si content de vous. Il me semble qu'Aldrich a raison.

– Nous admettons, Votre Honneur, que tout le monde aux États-Unis connaîtra le témoignage de Mademoiselle Grant. C'est pourquoi nous avons envoyé son procureur en Chine : il enquête sur une affaire de trafic de drogue dans le nord de l'Empire du Milieu. Il se trouve donc, au sens littéral du terme, *derrière* la muraille de Chine.

– Vous pouvez être fier de vous, Cox. À votre tour, Aldrich. Quel est le problème si le prochain procureur est à des milliers de kilomètres d'ici ?

– Le jury choisi pour l'affaire Grant connaîtra son témoignage, bredouilla Aldrich.

Le juge Tree secoua la tête, il n'était pas d'accord.

– Il suffira de récuser de tels jurés, maître Aldrich. Vous savez aussi bien que moi que l'on peut toujours trouver douze jurés qui ne lisent que les pages sportives.

– Mais on ne peut pas être sûr qu'une partie du témoignage de ma cliente ne filtrera pas à travers la muraille, se plaignit Aldrich.

– La responsabilité d'éventuelles fuites pèserait sur l'accusation, et c'est une lourde responsabilité, reconnut le juge Tree en fixant Cox droit dans les yeux.

– Nous en avons tout à fait conscience, répondit Cox. Et nous nous rendons compte que nous encourons le risque d'être « nortés ».

Cox faisait allusion au procès d'Oliver Nort. Sa condamnation avait été cassée par la cour d'appel au motif qu'une partie de son témoignage devant le Congrès, protégé par la clause d'immunité, avait peut-être filtré à travers la muraille de Chine érigée dans cette affaire. Le colonel Nort n'avait pu être rejugé à cause de cette éventualité, et il était ressorti libre du tribunal.

– Dans la mesure où vous connaissez les risques, et où vous êtes prêts à les assumer, je décide que Danielle Grant peut être appelée à témoigner contre l'accusé, Max Menuchen, conclut le juge. Retournons dans la salle, et appelons Mademoiselle Grant à la barre.

Danielle Grant s'avança lentement vers la barre des témoins. La main gauche posée sur la Bible, elle leva la main droite et jura de dire la vérité.

– Mademoiselle Grant, qu'avez-vous fait, tôt dans la soirée, le 29 mai dernier ?

Danielle regarda Cox droit dans les yeux :

– J'ai aidé le professeur Max Menuchen à enlever Marcelus Prandus. Nous avons agi ensemble, selon un plan que j'avais échafaudé.

Dès qu'il entendit cette réponse, Cox sut qu'il était tombé dans un piège.

– Je demande que Mademoiselle Grant soit récusée comme témoin, Votre Honneur, s'écria Cox.

– Pour quelle raison, maître Cox ? s'irrita le juge Tree.

– Elle prend un bain d'immunité.

Son avocat lui avait conseillé de répondre aux questions

de Cox de façon à s'incriminer elle-même au maximum, et ainsi élargir le champ de son immunité.

– C'est sans doute vrai, mais c'est *vous* qui avez cité Danielle Grant dans cette affaire, maître Cox. « Comme on fait son lit, on se couche. » Objection rejetée.

Cox reprit son interrogatoire, en essayant de cibler habilement ses questions.

– Mademoiselle Grant, où avez-vous emmené Marcelus Prandus ?

– Nous l'avons conduit dans une cabane de chasse abandonnée, dans les Berkshires.

– Qu'avez-vous fait à Prandus quand il a été dans la cabane ?

– Nous l'avons attaché à un fauteuil et lui avons montré des vidéos.

– Que présentaient ces vidéos ?

– Le meurtre de chacun de ses enfants et petits-enfants.

Plusieurs jurés sursautèrent.

– Pour autant que vous puissiez en juger, pensez-vous que Marcelus Prandus a cru que tous ses enfants et petits-enfants avaient réellement été assassinés ?

En posant cette question, Cox épia la réaction d'Abe Ringel. Allait-il élever une objection ? Mais Ringel garda le silence, ce que Cox considéra comme un indice sur la stratégie probable de la défense : assurément, elle ne consisterait pas à nier purement et simplement les faits.

Danielle répondit du tac au tac.

– J'étais présente lorsque Max a passé la première séquence vidéo. Vu la réaction de Marcelus Prandus, il semblait évident qu'il était convaincu de l'assassinat de son petit-fils, Marc. Il ne se contrôlait plus, il pleurait, il hurlait. Personne ne peut feindre de tels sentiments.

– Où étiez-vous quand les autres séquences ont été projetées ?

– J'avais décidé de ne pas rester dans la cabane, pour laisser Max seul face à Prandus.

– Le plan de Max Menuchen consistait-il à persuader Marcelus Prandus que ses enfants et ses petits-enfants avaient été assassinés ?

– Oui, c'était notre plan.

– Était-ce aussi votre plan qu'il continue à y croire jusqu'au moment de sa mort ?

– Oui. Si, avant de mourir, il avait, ne serait-ce qu'un instant, suspecté que ses descendants n'étaient pas morts, nous aurions échoué.

– À votre connaissance, a-t-il jamais soupçonné que ses enfants et ses petits-enfants n'avaient pas été réellement tués ?

– Non, il ne s'en est pas douté.

– Est-ce que la mort de Marcelus Prandus faisait également partie de votre plan ?

– Oui, ça en faisait partie.

– Aviez-vous prévu de le tuer ?

– Personnellement, j'étais prête à l'exécuter s'il ne mourait pas de son cancer, ou s'il ne se suicidait pas. Je ne pense pas que Max Menuchen l'aurait tué.

Cox n'était pas préparé à cette réponse.

– Objection, Votre Honneur, lança Cox, dont la voix monta sous le coup de la frustration.

– Objection rejetée, répondit le juge.

Cox devait maintenant improviser, mais il n'était pas inquiet outre mesure car, au regard de la loi, que Max ait eu ou non l'intention d'exécuter Prandus n'avait pas grande importance. Prandus était mort des suites de son enlèvement, et c'était ce crime-là que l'on jugeait.

– Avez-vous eu à le tuer ? continua Cox.

– Non.

– Pourquoi ?

– Parce qu'il s'est donné lui-même la mort.

– Connaissez-vous la raison pour laquelle il s'est suicidé ?

Cox, une nouvelle fois, attendit une objection de Ringel et, une nouvelle fois, Ringel resta silencieux.

– Prandus s'est suicidé parce qu'il était persuadé que nous avions assassiné tous ses descendants, et que nous l'avions fait pour nous venger du massacre de la famille de Max, cinquante ans plus tôt. C'est écrit dans l'assignation à comparaître que j'ai reçue.

– Vous et Max Menuchen avez fait en sorte que Marcelus Prandus croie que vous aviez anéanti ses enfants et petits-enfants, c'est bien cela ?

Toujours aucune objection.

– Oui, c'était notre plan.

– Et il a fonctionné ?

– Oui.

– Donc Prandus s'est suicidé parce qu'il était persuadé que tous ses descendants avaient été assassinés, et qu'il était en quelque sorte responsable de leur mort ?

– Oui.

– Maintenant, et afin d'éviter que vous nous donniez un témoignage imprécis, j'aimerais que vous essayiez de répondre par oui ou par non, sans détails inutiles, s'il vous plaît.

– D'accord.

– Quand vous avez déclaré, il y a quelques instants, que Monsieur Prandus croyait que ses enfants et petits-enfants avaient été assassinés à cause de ce que lui-même avait fait à la famille de Monsieur Menuchen cinquante ans plus tôt, faisiez-vous allusion à l'appartenance de Monsieur Prandus à la Police auxiliaire de Lituanie sous l'occupation nazie ?

– Oui, je faisais allusion à ça.

– Une dernière question, mademoiselle Grant. Vous a-t-on assuré l'immunité si vous témoigniez sincèrement ?

– Oui, on me l'a promise.

– Avez-vous témoigné sincèrement ?

– Oui, j'ai fait de mon mieux.

– Je n'ai pas d'autre question à poser. Maître Ringel peut procéder au contre-interrogatoire.

Les jurés se redressèrent quand Abe Ringel se leva de sa chaise. L'avocat de la défense se rendit compte qu'ils s'attendaient à un contre-interrogatoire dramatique – en particulier parce que le témoin était un complice à qui l'on avait promis l'immunité. Abe remarqua que Jim Hamilton, l'ancien employé des Celtiques, était penché en avant, dans l'attente d'un feu d'artifice. Il s'avança lentement vers Danielle Grant :

– Je sais que vous avez l'intention de nous dire toute la vérité, mademoiselle Grant. Y aurait-il un élément important qui n'ait pas été mis en lumière par les questions du procureur ?

– Objection, Votre Honneur, intervint rapidement Cox. Ne voyez-vous pas ce qu'il tente de faire ? Il l'aide à échapper aux poursuites en lui offrant une douche d'immunité, en plus de son bain. C'est sournois. Et ce n'est pas correct.

– Écoutez, maître Cox, ce n'est pas moi qui vais dire à maître Ringel comment mener son interrogatoire, pas plus que je ne vous ai dicté le vôtre. La question qu'il pose à Mademoiselle Grant est admissible, même si elle est inhabituelle dans un contre-interrogatoire. Je me fiche de savoir s'il lui offre une douche d'immunité, ou même un jacuzzi. C'est votre problème – et celui de votre copain, là-bas, en Chine. Objection rejetée. Mademoiselle Grant, vous pouvez répondre à la question de maître Ringel.

Danielle profita de cette opportunité pour décrire en détail le rôle qu'elle avait joué dans l'élaboration du plan puis dans l'enlèvement, ainsi que la façon dont elle avait enregistré et monté la vidéo. Quand elle eut fini de répondre, ce qui prit dix bonnes minutes, Abe annonça :

– Je n'ai pas d'autre question à poser au témoin.

Cox cita ensuite le docteur Albert Stone. Il posa au psychiatre les questions d'usage sur sa crédibilité en tant qu'expert en matière de suicide. Il lui demanda s'il avait écouté le témoignage de Danielle Grant et s'il avait pris connaissance des rapports de l'autopsie et du médecin légiste, puis il poursuivit.

– Sur la base de ce que vous avez entendu et lu à propos de la cause de la mort de Marcelus Prandus, avez-vous une opinion concernant celle-ci ?

– Oui, j'en ai une, maître Cox.

– Et quelle est-elle ?

– Je suis absolument certain que Monsieur Prandus s'est suicidé.

– Sur quoi est fondée cette opinion ?

– Sur des évidences de deux sortes, la première relevant de la médecine légale, l'autre de la psychiatrie.

– Expliquez-nous ça, s'il vous plaît.

– L'autopsie a montré que la cause de la mort était l'empoisonnement par le cyanure, et il y avait des traces de ce poison sur ses doigts. Sa lettre confirme qu'il s'agissait d'un suicide. Cette conclusion est corroborée par l'évidence psychiatrique : le chagrin est un motif pour mettre fin à ses jours. En l'occurrence, nous sommes bien devant un cas de suicide causé par le chagrin.

– Pouvez-vous développer cet aspect ?

– Monsieur Prandus était persuadé que tous ses descendants avaient été assassinés et que ses propres actes, bien des années plus tôt, étaient à l'origine de leur mort. Il ne pouvait supporter de vivre avec cette responsabilité.

– Êtes-vous arrivé à cette opinion d'expert avec un degré élevé de certitude médicale ?

– Oui.

– Je n'ai plus de questions.

Abe se leva et s'adressa au juge :

– Je voudrais faire le contre-interrogatoire de ce témoin.

– Allez-y, maître Ringel.

– Docteur Stone, avez-vous rencontré d'autres cas dans lesquels des gens se sont suicidés parce qu'ils se sentaient responsables de la mort de leurs proches ?

– Oui, un grand nombre.

– Voudriez-vous avoir l'obligeance de nous en décrire quelques-uns ?

– L'année passée, un avocat du Connecticut s'est suicidé après que son enfant de trois ans, qu'il était censé surveiller, se fut noyé dans une piscine. Dans un autre cas, un pasteur s'est brûlé la cervelle après avoir causé un accident automobile ayant entraîné la mort de ses deux enfants. Il était ivre au moment de l'accident. Dans un troisième, une jeune mère s'est tuée après avoir brutalisé son bébé, au point de le faire tomber dans le coma, le cerveau détruit.

– Peut-on affirmer que, dans chacun des exemples que vous venez de donner, la personne qui s'est suicidée était réellement responsable de la mort ou de l'infirmité d'un proche ?

– Dans ces exemples, oui, mais ce n'est pas toujours le cas.

– Pouvez-vous préciser ?

– Parfois, il arrive qu'une personne mentalement troublée s'accuse d'une faute dont elle n'est pas responsable.

– Mais ce type d'auto-accusation fantaisiste n'est pas caractéristique des personnes sans antécédents psychiatriques qui se suicident, n'est-ce pas ?

– En général, non.

– Connaissez-vous des cas où une personne, auparavant

saine d'esprit, fantasme sur sa responsabilité dans un drame, et se tue à cause de cela ?

– Non, je n'en connais pas.

– Avez-vous connaissance d'un ou plusieurs éléments qui puissent suggérer que Marcelus Prandus souffrait de troubles psychologiques ou mentaux ?

– Non, rien dans son passé médical ne laisse soupçonner de tels troubles.

– Est-il exact de conclure, par conséquent, que si Marcelus Prandus jugeait ce qu'il avait fait à la famille Menuchen cinquante ans plus tôt suffisamment horrible pour provoquer l'assassinat de ses descendants, il ne fantasmait pas ?

– Question extravagante, Votre Honneur ! hurla Cox en se levant presque de son fauteuil.

– Ce témoin n'a aucune idée de ce que Monsieur Prandus peut avoir ou n'avoir pas pensé. Je demande une interruption.

– Votre Honneur, maître Cox a demandé au docteur Stone la raison du suicide de Prandus. On doit m'autoriser à vérifier sa réponse.

Le juge Tree fixa Abe d'un regard sévère.

– Très malin, maître Ringel. Je vois où vous voulez en venir, mais je ne vous laisserai pas faire, et certainement pas avec ce témoin. Il n'en sait pas assez sur ce qui s'est passé il y a cinquante ans pour vous aider sur ce point. Objection retenue. Il ne doit pas être tenu compte de la dernière question. Poursuivez.

– Je n'ai pas d'autre question, Votre Honneur, termina Abe, satisfait d'avoir semé le trouble dans l'esprit des jurés aussi bien que dans celui du juge.

– Qui d'autre vont-ils citer à comparaître ? murmura Max à Abe.

– Eh bien, ils ne peuvent pas te citer toi, et il n'y a

pas d'autres témoins. Peut-être Paul Prandus – pour susciter un peu de sympathie envers Marcelus.

– Ils ont le droit de faire ça ? Ça ne me semble pas juste. Il ignore le passé de son père.

– Ils peuvent l'appeler à la barre, et ils le feront certainement.

– J'appelle Paul Prandus comme témoin suivant, annonça Cox.

– Objection, Votre Honneur, lança Abe, tout en sachant qu'elle serait rejetée.

– Quel est le problème, maître Ringel ? Avez-vous peur que la vérité se fasse jour ? répliqua le juge Tree d'un ton sec.

C'était sa manière habituelle pour décourager les objections inutiles. Abe comprit le message et se rassit rapidement.

Paul Prandus regarda Max droit dans les yeux en prêtant serment. Sa haine était palpable.

Tandis que Cox commençait son interrogatoire, Paul Prandus prit une profonde inspiration, luttant visiblement pour se contrôler. Sa mâchoire tremblait. Il était avocat, et il savait ce qu'il devait dire pour voir l'assassin de son père puni. Et Paul Prandus voulait que Max Menuchen soit condamné à passer le reste de sa vie en prison.

– Quand avez-vous vu votre père vivant pour la dernière fois ?

– À son repas d'anniversaire, avec ses enfants et ses petits-enfants. Il était très heureux.

– Quand l'avez-vous revu ensuite ?

– Je n'ai revu que son cadavre, sur le sol de la cabane où Freddy Burns et moi l'avons trouvé, puis sur la table de la morgue, déclara Paul en retenant ses larmes.

– Monsieur Prandus, la cause officielle de la mort de votre père est le suicide. Y croyez-vous ?

– Objection, Votre Honneur, intervint Abe. Monsieur Paul Prandus n'est pas un spécialiste de la question. Si l'accusation veut contester les conclusions du médecin légiste, qu'elle fasse comparaître un autre expert.

– J'admets son opinion parce que c'est celle d'un fils qui connaissait bien son père. Vous pouvez répondre.

– Mon père aimait la vie. Il ne se serait jamais donné la mort. Cet homme, rugit Paul en désignant Max, l'a tué en lui enlevant sa principale raison de vivre : sa famille.

Le juge Tree demanda une suspension d'audience tandis que Paul continuait à fixer Max.

39

Freddy Burns

– Tu as pris quelques kilos, Freddy, mon garçon. Tu commences à ressembler à mon comptable, plaisanta Abe en tapotant les bourrelets du détective privé, alors qu'ils quittaient la salle du tribunal.

– Ça te montre jusqu'où je suis prêt à aller pour mes clients. Avec ça, personne ne peut se douter que je suis un détective privé. C'est une super couverture, répondit Freddy en riant.

– Ça fait quoi, dix ans, que tu as pris cette balle ?

– Plutôt quinze. Le temps vole, quand il faut traverser la vie en clopinant.

– On dirait que cela ne t'a pas trop ralenti. Tu t'occupes toujours d'affaires intéressantes.

– N'importe quelle affaire semble intéressante, considérée de l'autre côté de la barrière, Abe. Hé, tu n'as qu'à m'engager, comme ça, on serait du même bord ! Ça changerait.

– Ma femme réalise les enquêtes pour moi. On travaille en famille. Et maintenant, ma fille est en fac de droit. Je vais bientôt pouvoir prendre ma retraite.

– Abe Ringel jouant au golf ? Tu rigoles ! Tu mourras dans une salle de tribunal. Et moi, dans une sombre ruelle, en épiant aux jumelles un homme marié qui saute sa secrétaire.

– Vous vous êtes bien débrouillés, toi et ton client, pour pister Max Menuchen – professionnellement parlant, j'entends.

– On a bénéficié de l'aide inattendue du Bureau des investigations spéciales. Je parie que c'est la première fois que ces mecs-là dénoncent une victime juive. Mais ils ont eu raison. Ton client n'avait pas le droit d'agir comme il l'a fait.

– C'est le jury qui en décidera, répliqua Abe. Est-ce que Paul Prandus avait une idée de l'ordure qu'était son père ?

– Non, aucune. Je connaissais le vieux. Il semblait complètement inoffensif. Paul a vraiment été démoli d'apprendre ce qu'avait fait son vieux et, ensuite, de le retrouver mort...

– Est-ce que ton client sait que c'est le mien qui l'a appelé pour lui indiquer où se trouvait le corps ?

– Pas besoin d'être Perry Mason pour deviner que c'était lui.

– Max Menuchen voulait uniquement se venger du vieil homme. Il ne souhaitait pas causer de souffrance inutile à son entourage, en les laissant dans une cruelle incertitude.

– Il désirait peut-être juste enfoncer le clou. Que Paul voie la bande vidéo, et croie que son propre fils avait été écrasé.

– Pas du tout. Il a laissé la cassette afin que Paul comprenne pourquoi son père s'était suicidé. Max savait qu'il prenait un risque en faisant cela. Peut-être que, inconsciemment, il souhaitait être pris et jugé. Et s'il n'avait pas téléphoné, ton client n'aurait pas trouvé le cadavre avant des mois.

– C'est sûr que cette maison était très isolée. Je

t'accorde ça. Je ne crois pas que vous vous en tiriez, sur ce coup, Abe. Pour la loi, c'est clair et net.

– J'ai juste besoin d'un seul juré de mon côté.

– Si tu gagnes, on recommencera en appel. Mon client est plutôt remonté, et Cox le soutient à fond.

– Oui, je sais. Mais toi, tu le soutiens à fond ? Je me souviens quand tu étais allongé sur le brancard, attendant que l'on t'extraie la balle, alors que les médecins s'occupaient de sauver la vie du tueur. Tu te rappelles ce que tu m'as dit ?

– J'avais mal et j'avais pris des médicaments.

– Tu l'as répété une semaine plus tard.

– Je souffrais encore.

– Tu ne crois pas que mon client souffrait quand il a décidé d'éliminer Marcelus Prandus ?

– Oui, mais moi je n'ai pas tué le type qui m'a tiré dessus. J'ai juste dit que j'avais envie de le faire. C'est là toute la différence, cher maître.

– Pourtant, je parie qu'il y a une parcelle de ton être qui comprend pourquoi mon client a agi ainsi.

– Hé, je ne suis pas membre du jury. Fais ton boulot d'avocat avec l'unique juré que tu penses pouvoir mettre dans ta manche. Et laisse-moi en dehors de ça. Je suis juste un gars têtu qui bosse pour gagner honnêtement quelques dollars.

À la fin de la suspension, quand Abe regagna la salle du tribunal, il se demandait quel « unique juré » serait le plus important pour son client. Il pensait le savoir.

Cox reprit l'interrogatoire de Paul Prandus.

– Comment a réagi votre fils à la disparition de son grand-père ?

– Marc a été bouleversé. Il était très proche de grand-père Chelli, et allait le voir presque chaque jour. Il ne comprenait pas comment quelqu'un pouvait vouloir lui faire du mal. Il ne comprend toujours pas.

La voix de Paul monta.

– Cet homme a détruit mon père, et il a essayé de tuer mon fils.

– Et le reste de votre famille ?

– Ils étaient tous très inquiets, poursuivit Paul d'une voix tremblante. Les adultes savaient que papa était en train de mourir, et les enfants, qu'il était très malade. Au début, on a cru qu'il avait peut-être été emmené à l'hôpital à la suite d'un malaise, mais on a vérifié. On était complètement perdus, et rongés d'inquiétude.

– Est-ce que vous avez fini par le retrouver ?

– Non, répondit Paul sèchement. Je ne l'ai jamais retrouvé. J'ai retrouvé son cadavre. Je suis content que mon fils n'ait pas été avec nous quand nous avons découvert le corps de papa.

– Je n'ai pas d'autre question.

Abe se leva lentement, en plongeant son regard dans les yeux bleus de Paul. Il hésitait encore sur la stratégie à adopter avec ce témoin. D'ordinaire, il ne faisait pas de contre-interrogatoire des enfants de la victime, de crainte de susciter encore plus de sympathie pour celle-ci. Abe avait perçu quelque chose chez Paul Prandus. Il n'avait pas eu la possibilité de vérifier son intuition en s'entretenant avec lui avant le procès. Paul était un témoin de l'accusation, et le procureur aurait pu accuser Abe de vouloir l'influencer. Mais sa brève conversation avec Freddy Burns avait donné à l'avocat de la défense un aperçu de la personnalité du jeune Prandus. Si Abe n'avait pas voulu mener une enquête approfondie sur Paul, il avait cependant demandé à Rendi de fouiner un petit peu dans son passé – ce qu'en disait la rumeur publique, ce genre de choses. Plus important, Abe avait observé chacune des réactions de Paul depuis le début des audiences.

Une image intéressante commençait à se faire jour, celle d'un homme corseté dans sa morale, qui pouvait soit rompre, soit plier lors d'un contre-interrogatoire. Abe avait une décision difficile à prendre. Il choisit de suivre son instinct, et d'ignorer les principes du contre-interrogatoire enseignés à la faculté de droit, des principes qui conseillaient de ne pas poser une question quand on n'est pas sûr de la réponse. Abe avait appris, à travers une expérience douloureuse, qu'il y a toujours une exception à la règle générale, et il sentait que c'était le moment d'y faire une entorse.

– Monsieur Prandus, s'il vous plaît, parlez-nous de votre famille.

C'était une question ouverte, une balle molle que Paul pouvait renvoyer en dehors du terrain.

– Avant la mort de mon père, nous avions une vie de famille merveilleuse. Nous vivions tous à moins d'un kilomètre les uns des autres. Mon frère, sa femme et leur fille, moi-même, mon épouse et notre fils. Tout a été brisé avec la mort de papa.

Imperturbable, Abe lui lança une autre balle molle.

– Est-ce que le mariage de votre père a été heureux ?

– Lui et maman étaient profondément unis.

– Est-ce qu'il traitait bien ses enfants ?

– Il lui arrivait d'être un peu vieux jeu et sévère, mais il nous adorait, et nous l'aimions.

Max, visiblement, s'inquiétait de plus en plus des questions que posait Abe, et des réponses de Paul. Il fit passer à Abe une demi-feuille de papier sur laquelle il avait écrit : « Tu suscites de la sympathie pour Marcelus Prandus. Pourquoi ? »

Abe jeta un coup d'œil sur le mot, demanda au juge l'autorisation de s'entretenir un instant avec son client et murmura à Max :

– Fais-moi confiance, je domine la situation. Tu comprendras quand j'exposerai notre point de vue. Rassure-toi, je sais ce que je fais.

– Je l'espère, parce que le jury est en train de s'enticher de la famille Prandus.

– Alors, c'est que mon plan fonctionne.

Abe reprit ses questions anodines à Paul Prandus :

– D'aussi loin que remontent vos souvenirs, est-ce que, globalement, la vie de votre père a été heureuse ?

– Mon père débordait de vie, de rires. Il était entouré par sa famille et ses amis. Il a connu des moments malheureux : quand maman est morte, quand il a appris qu'il avait un cancer. Mais, dans son ensemble, sa vie aux États-Unis a été très heureuse.

Abe marqua une pause, afin que ces informations soient bien enregistrées par le jury, puis il passa à un autre sujet.

– Quels ont été vos sentiments envers Max Menuchen quand vous avez appris que c'était lui qui avait enlevé votre père ?

– La rage, la colère, la fureur. Il avait tué mon père, de sang-froid. Ce sont encore mes sentiments, mais, à la différence de votre client, je suis capable de les contenir, déclara Paul en se raidissant sur sa chaise.

– Après avoir découvert le corps de votre père, qu'avez-vous fait ?

– Nous avons appelé la police.

– Elle est venue ?

– Oui, évidemment.

– Vous dites « Évidemment ». Pouvez-vous envisager que la police n'ait pas répondu à votre appel ?

– Non, bien sûr que non. Mon père avait été enlevé et assassiné. Cela regardait la police.

– Et si la police avait refusé de venir ?

– Ils ne pouvaient pas refuser.

– S'il vous plaît, imaginez juste la situation : vous appelez la police pour un enlèvement et un meurtre, et ils vous répondent qu'ils sont trop occupés.

– Objection, Votre Honneur, interrompit Cox. C'est

une spéculation, une pure hypothèse. Cet homme n'est pas un témoin comme un autre. Il est le fils de la victime. On n'a pas le droit de jouer avec sa douleur en posant des questions aussi ridicules.

– S'il vous plaît, Votre Honneur, laissez-moi un peu de latitude pour le contre-interrogatoire. L'accusation a interrogé ce témoin sur ce qu'il ressentait, et je dois pouvoir tester ses réponses avec des hypothèses.

– Bien, maître Ringel. Je vous donne un peu de champ, mais ne vous égarez pas. Allez droit au but.

– Merci, Votre Honneur. Maintenant, monsieur Prandus, décrivez-nous, s'il vous plaît, ce que vous auriez éprouvé si la police avait refusé de répondre à votre appel.

– Ma colère aurait augmenté.

– Et si l'homme que vous considérez comme l'assassin de votre père se promenait toujours en homme libre, poursuivant une existence tranquille ?

– Objection, Votre Honneur, il profite du contre-interrogatoire pour faire entendre sa défense finale. Ce n'est pas correct. Arrêtez-le.

– Vous commencez en effet à battre la campagne, maître Ringel. Reprenez les rênes. Revenez parmi nous, l'admonesta le juge. Mais vous pouvez répondre, monsieur Prandus.

– Je serais devenu enragé.

– Au point d'essayer de tenter quelque chose contre lui ?

– Oui, probablement.

– Même si c'est contraire à la loi ?

– Eh bien, j'aurais d'abord essayé les voies légales, mais vous m'avez demandé d'imaginer que la police refuse de se déranger.

– C'est exact. À présent, je voudrais que vous envisagiez une situation encore plus extrême.

Silence.

– Imaginez que la police vous dise : « On ne viendra pas, parce que votre famille est lituanienne. On ne s'occupe pas des crimes commis contre les Lituaniens. »

– Objection. Ça devient absurde. Il joue la carte ethnique. Il faut le contrôler, Votre Honneur. Tout ça n'a aucun sens.

– Non, maître Cox. Ça devient intéressant, et ça a un sens, répondit le juge. Je vois où maître Ringel veut en venir. Vous pouvez continuer, mais limitez vos questions.

– Merci, Votre Honneur. Monsieur Prandus, n'est-il pas exact de dire que votre rage aurait augmenté si la police avait refusé de vous aider parce que vous êtes lituanien ?

Paul comprenait où Abe voulait en venir, mais il était décidé à contenir sa fureur sous un calme apparent.

– Je ne peux pas croire en une telle possibilité, mais oui, si c'était arrivé, cela aurait augmenté ma rage.

– Vous déclarez ne pouvoir envisager une telle possibilité. Avez-vous étudié les événements en Lituanie pendant la Seconde Guerre mondiale ?

– Oui, je les ai étudiés.

– Est-ce que la police est venue en aide aux Juifs persécutés durant cette période ?

– Non.

– Est-ce que la police a aidé à tuer des Juifs ?

– Je l'ignore. Peut-être certains policiers l'ont-ils fait.

– Est-ce que votre père appartenait à la milice ?

– Oui, il y appartenait.

– A-t-il aidé les citoyens juifs de Lituanie ?

– Je ne sais pas.

– A-t-il participé à l'assassinat de citoyens juifs innocents en Lituanie ?

– Objection, Votre Honneur. Nous ne sommes pas là pour faire le procès de ce témoin ni celui de son défunt père.

– Objection rejetée. S'il connaît la réponse, il peut la donner.

– Je ne sais pas ! lâcha Paul Prandus, en colère.

– J'ai une dernière série de questions, continua Abe en désignant la cassette sur la table du procureur. Avez-vous regardé la vidéo qui a été montrée à votre père ?

– Oui.

– Pour vous, il a dû être particulièrement douloureux d'y découvrir des images montrant l'assassinat de votre fils.

– Ce fut une torture. Votre client est un homme cruel, un sadique.

– Pouvez-vous imaginer quelque chose de pire que de regarder ces vidéos ?

– Oui ! hurla Paul. De croire qu'il s'agissait de scènes réelles ! C'est ce dont votre client a persuadé mon père ! Et j'en étais, moi aussi, convaincu avant de réaliser qu'elles étaient truquées.

– Et si les vidéos avaient montré la réalité ? poursuivit Abe d'une voix douce.

– Pour mon père, elles étaient véridiques, insista Paul, dont la voix monta. Et, pendant quelques minutes de supplice, elles l'ont été pour moi. Mais elles ne l'étaient pas, Dieu merci, soupira Paul en se signant.

– Si elles avaient représenté la réalité, si mon client avait vraiment tué votre fils, auriez-vous été capable de lui ôter la vie ?

– Oui, j'en aurais été capable, répondit Paul Prandus en regardant Abe sans ciller.

Paul se retint d'ajouter : « Qu'est-ce qui vous fait penser que je n'en suis plus capable ? »

– Une dernière question. Si vous découvriez que votre père a participé activement au meurtre de Juifs innocents, et qu'il n'a jamais été traduit en justice pour son crime, comprendriez-vous la rage ressentie par un parent des victimes ?

– Objection.

– Objection retenue.

– Je pourrais la comprendre, mais je n'aurais jamais pu agir comme cet homme l'a fait, répondit Paul en ignorant le juge.

– Je n'ai plus de questions.

– Juste une question supplémentaire, Votre Honneur, sollicita Cox en approchant son fauteuil devant Paul Prandus. Pouvez-vous vous imaginer assassinant un vieil homme sans défense, attaché à une chaise ?

– Non, je ne crois pas.

– Encore une question pour le contre-interrogatoire.

– Allez-y, maître Ringel.

Abe s'approcha à moins de trente centimètres de la barre des témoins, et scruta les yeux bleus de Paul.

– Même si vous veniez d'apprendre que le vieil homme sans défense a tué votre fils ?

Paul resta silencieux pendant un instant, puis il répondit, en regardant Max, et non Abe.

– J'aurais peut-être pu le tuer.

– Même s'il avait été attaché à une chaise ?

– Même s'il avait été attaché à une chaise.

– Est-ce qu'une des parties voudra rappeler ce témoin ? demanda le juge Tree tandis que Paul Prandus commençait à se lever pour quitter la barre.

Normalement, pour un témoin de la partie adverse, Abe aurait laissé cette possibilité ouverte et répondu qu'il le rappellerait peut-être. Cela aurait eu trois conséquences : le témoin aurait été exclu du reste du procès, il n'aurait pas entendu les autres dépositions, mais il n'aurait pu ajuster son témoignage aux besoins de l'avocat général. Cependant Abe soupçonnait qu'il pouvait être plus profitable que Paul Prandus entende les autres dépositions.

À partir de cet instant, Abe décida de considérer Paul Prandus comme « l'unique juré » qu'il devait gagner à sa cause.

– Non, Votre Honneur. Nous n'avons pas d'objection à ce que le témoin reste dans la salle pendant la suite des débats.

Paul Prandus prit un siège dans la première rangée des spectateurs, près de Freddy Burns, et juste derrière Erskine Cox.

Cox finit son exposé par la projection de la cassette vidéo fabriquée par Danielle Grant. Plusieurs jurés hoquetèrent de dégoût en regardant l'assassinat de chacun des descendants de Marcelus Prandus. En visionnant ces scènes d'un réalisme qui donnait des frissons, on comprenait aisément comment Marcelus Prandus avait pu croire que sa famille avait été assassinée. C'était la conclusion dramatique de ce qui était, pour l'accusation, une affaire claire. Surtout que, à la lumière du contre-interrogatoire mené par Abe Ringel, la défense semblait admettre les actes criminels dont Max Menuchen était accusé.

Ce soir-là, dans les talk-shows de la télévision et de la radio, à travers tous les États-Unis d'Amérique, on reprochait à Abe Ringel sa défense languissante face à ce qui semblait une accusation solidement bâtie. Joseph Genevese, un ancien procureur, accusa Ringel de saboter délibérément l'affaire de Max afin d'éviter à Danielle d'être poursuivie. Lori Levenberg, le consultant juridique de CBS, prédit que ce déséquilibre empirerait le jour suivant, quand Abe ferait sa première plaidoirie.

40

La défense

Même s'il l'avait fait des milliers de fois, Abe était toujours nerveux avant de plaider. Il savait que, selon la loi, il n'avait pas à apporter de preuves, que cette tâche était celle de l'accusation. Mais très tôt dans sa carrière, il avait pu constater que si, en théorie, l'accusation devait seule supporter ce poids, la défense n'en avait pas moins, en pratique, à se coltiner un lourd fardeau. La plupart des jurés considéraient en effet, même s'ils ne se l'avouaient pas, que les accusés étaient forcément coupables. Sinon, pourquoi leur ferait-on un procès ? Et, selon toute vraisemblance, ils avaient souvent raison. Une vaste majorité des accusés étaient coupables. C'était la réalité, et Abe le savait. Dans ses cours, il déclarait : « Dieu merci, dans ce pays, la plupart des accusés sont coupables. Est-ce que l'on voudrait vivre dans un pays où la majorité d'entre eux seraient innocents ? C'est peut-être le cas en Irak, en Iran ou en Chine, mais pas aux États-Unis. Et pour qu'il en soit toujours ainsi, il faut des avocats de la défense zélés qui soient prêts à défendre le coupable aussi bien que l'innocent. »

Maintenant qu'Abe plaidait, autant que possible, seulement pour des innocents, il réalisait le poids supplémentaire qui reposait sur ses épaules. Perdre le procès d'un coupable, ce n'était pas si grave – c'est la faute de l'accusé. Mais perdre celui d'un innocent, c'est la faute de l'avocat. Et faillir à la défense d'un vieil ami serait insupportable. Abe savait que les chances de gagner la cause de Max étaient bien minces, surtout dans la mesure où il admettait que son ami avait commis les actes d'enlèvement et de meurtre.

– Mesdames et messieurs du jury, je n'ai pas contesté les preuves apportées par l'accusation parce qu'elles sont vraies – tout au moins jusque-là. Mais notre présentation des faits vous révélera toute la vérité. Je soulèverai aussi deux points intéressants qu'il faut élucider pour comprendre cette affaire. Le premier est : peut-on rendre l'accusé responsable de la mort de la victime quand c'est la victime elle-même, de sa propre volonté, qui a mis fin à ses jours ? La seconde question est tout aussi primordiale : qu'est-ce qui a pu pousser Max Menuchen, un érudit spécialisé dans l'étude de la Bible, âgé de soixante-quinze ans, respectueux de la loi – un homme de paix, pas de violence ; un homme d'esprit, pas d'épée –, à échafauder le plan diabolique dont il est accusé d'être l'auteur et l'exécuteur ?

« L'accusation a délibérément évité de poser cette question parce qu'elle en redoutait la réponse, parce qu'elle craignait que *toute* la vérité, pourtant censée ressortir d'un procès, se fasse jour. Nous présenterons toute la vérité – pas seulement *ce qui s'est passé*, mais aussi *la raison pour laquelle cela est arrivé*. Max Menuchen ne se dérobera pas, il reconnaîtra exactement ce qu'il a fait. Cependant, quand vous saurez pourquoi il a agi ainsi, quand vous entendrez ce qu'il avait d'abord conçu, mais qu'il n'a pu se résoudre à exécuter, vous devrez vous interroger : comment auriez-vous agi à sa place ? Quand vous entendrez l'exposé de la défense, je supplie chacun d'entre vous de se demander ce qu'il aurait fait s'il avait enduré ce que Max Menuchen a vécu.

« Le juge vous parlera de la loi que vous devez appliquer. Il vous expliquera qu'aucun acte n'est jamais un crime en soi. Qu'il doit s'accompagner d'une mauvaise intention et d'une absence de justification. Il vous incombera d'appliquer la loi, telle que le juge vous l'exposera, aux faits tels que vous les découvrirez, et alors de décider si les actes commis par Max Menuchen étaient criminels, ou bien s'ils étaient justifiés ou excusables.

Avant même qu'Abe ne se soit rassis, Cox élevait une objection.

– Votre Honneur, la loi n'autorise pas, dans un cas comme celui-ci, le recours à la « justification ». Si elle le tolérait, chacun pourrait tout simplement décider de se faire justice s'il n'était pas satisfait du jugement des tribunaux. Je ne connais aucune affaire entérinant le système de défense que se propose de suivre maître Ringel, et j'élève une objection.

Le juge Tree acquiesça, apparemment d'accord.

– Avez-vous des précédents, maître Ringel ? Si vous en avez, montrez-les-moi dans mon bureau.

– J'en ai, Votre Honneur, annonça Abe en froissant quelques feuilles de papier et en lançant un clin d'œil à sa fille, Emma, assise au premier rang du public.

C'est Emma qui s'était rappelé ce précédent, mentionné dans un cours d'histoire intitulé « Le radicalisme américain dans les années 1960, 1970 et 1980 », qu'elle avait suivi à la faculté. Elle avait apporté à Abe le résultat de ses recherches, qu'il utilisait maintenant en faveur de Max.

Dans le bureau du juge, Abe s'expliqua :

– Le précédent concerne la fille du président Carter, ici, dans le Massachusetts. Amy Carter, ainsi que d'autres contestataires, y compris le défunt Abbie Hoffman [1], avait été accusée d'avoir troublé l'ordre public en occupant un bâtiment de l'université du Massachusetts dans lequel un recruteur de la CIA interviewait des candidats. Les manifestants proclamaient qu'il était « nécessaire » qu'ils commettent cette infraction pour prévenir les plus grandes injustices perpétrées par la CIA. Le juge autorisa le jury à prendre en compte l'argument « d'infraction nécessaire », et le jury acquitta les accusés. J'ai ici les instructions du juge faites aux jurés.

Abe tendit au juge Tree et à Erskine Cox dix pages de photocopies.

– Le cas qui nous occupe est beaucoup plus évident que celui d'Amy Carter, où le jury avait acquitté les accusés, renchérit Abe.

– C'est ridicule, Votre Honneur, s'insurgea Cox en élevant la voix. Le juge s'appelait Browning, il venait de Tanglewood. C'était un hippie. L'époque était complètement folle. Ce précédent n'est plus recevable dans les années quatre-vingt-dix. Si vous laissez Ringel utiliser le système de défense d'Abbie Hoffman, vous allez transformer cette affaire en un autre procès des « sept de Chicago ».

– Non, maître Cox. Je maintiendrai l'ordre dans la salle, et je laisserai maître Ringel tenter sa chance. Le précédent existe. On ne peut pas avoir une loi pour la fille d'un président, et une autre pour le reste des citoyens. Vous pourrez argumenter devant le jury, maître Cox, mais je ne l'empêcherai pas d'entendre le point de vue de l'accusé, quel que puisse être mon sentiment personnel.

Quand ils retournèrent dans la salle, le juge annonça que la défense pouvait poursuivre.

1. Abbie Hoffman : activiste gauchiste américain.

– J'appelle mon premier témoin, Max Menuchen.

Max avança lentement vers la barre. Il paraissait plus vieux que son âge. Son doux sourire avait disparu. Son visage était encore plus pâle que d'ordinaire. Il n'était pas à son aise dans un tribunal, a fortiori s'il lui fallait témoigner. Comme professeur, il était habitué à poser des questions, pas à y répondre. De plus, il n'aimait pas le jeu auquel les deux parties semblaient se livrer, et il n'était pas certain de ce que l'on attendait de lui. Tout ce qu'il savait, c'était que sa liberté et – c'était aussi important – son honneur étaient en jeu. Abe lui avait conseillé de se détendre, et de dire la vérité – « notre vérité ». Max fit une déclaration formelle plutôt que de jurer sur la Bible. Il s'assit sur la chaise des témoins et but une gorgée d'eau. Abe lui demanda de décrire tout d'abord l'éducation qu'il avait reçue. Au bout de dix minutes, Max avait fini de répondre. Abe continua.

– Monsieur Menuchen, je vous prie, dites au jury où et quand vous êtes né.

– À Vilna, en Lituanie, en 1924.

– Voudriez-vous avoir l'obligeance de raconter au jury ce qui s'est passé le 2 avril 1942 ?

Abe attendit une éventuelle objection de Cox, mais Cox était heureux de permettre à Menuchen d'exposer les motifs de son acte criminel. Cela confirmerait la seule interprétation convenable : oui, il l'avait vraiment commis.

Max se tourna vers les jurés et fit le récit des événements de cette journée, en commençant par le seder de Pâque, et en terminant par l'assassinat de toute sa famille. Il parlait calmement, en essayant de contrôler ses émotions. Le jury écoutait attentivement ; quelques-uns reniflaient, d'autres semblaient sous le choc. Le juge Tree, lui aussi, paraissait envoûté.

Assis dans la première rangée, Paul Prandus – le seul

parent de la victime présent dans la salle – paraissait abasourdi par le témoignage de Max. Entendre la version expurgée d'un des vieux amis de son père était une chose. Entendre de la bouche d'une victime qui avait survécu un récit sans fard de ce que son père avait fait en était une autre. Paul se mit la tête dans les mains. Il sentait derrière lui les regards du public qui lui demandait en silence comment il pouvait supporter d'être le fils d'un pareil monstre. Une partie de lui aurait voulu dire à chacun que son père ne lui avait jamais raconté ces horreurs. Une autre partie voulait défendre son Marcelus. Sa haine s'accrut pour Max qui l'avait mis dans cette position intenable.

Tandis que Max achevait sa narration des meurtres dans le bois du Ponant, un homme se leva au fond de la salle et cria :

– Menteur ! Il n'y a pas eu d'Holocauste. À mort l'assassin juif et son avocat juif !

Tandis que les gardiens de la salle se saisissaient des néo-nazis, l'un d'eux ironisa :

– On veut que l'avocat juif défende notre liberté d'expression !

Puis il rit et fit un doigt à l'intention d'Abe.

Au dernier rang, les deux vieux amis de Marcelus Prandus, du Cercle américano-lituanien, Peter Vovus et l'homme au fauteuil roulant, souriaient.

Le juge Tree abattit son marteau et cria « Suspension ! » tandis que chacun dans la salle essayait de reprendre contenance. Paul resta assis, silencieux, pendant que l'assistance, autour de lui, se dispersait et quittait la salle.

Durant la suspension, Max prit Abe à part :

– Je dois te poser une question. Tu ne défendrais pas le droit de ces néo-nazis à proférer de telles ignominies, n'est-ce pas ?

– Dans un tribunal, non, mais dans la rue, oui, je les défendrais.

– C'est mal. Aussi mal que ce qu'ils déclarent. Ils n'ont pas le droit d'affirmer qu'il n'y a pas eu d'Holocauste.

– C'est le droit le plus important de tous, Max : le droit à l'erreur.

– Je ne suis pas d'accord avec toi, Abe, mais je t'aime.

Après la pause, Abe continua interroger Max sur les années de guerre, sur son séjour dans le camp de personnes déplacées, sur l'époque où il avait vécu en Israël, sur le suicide de Dori et, finalement, sur son existence aux États-Unis.

Puis il demanda :

– Monsieur Menuchen, décrivez-nous, s'il vous plaît, aussi bien que vous le pourrez, ce que vous ressentiez envers Marcelus Prandus durant toutes ces années.

– J'ai pensé à lui chaque jour de ma vie, depuis cette nuit dans le bois du Ponant et jusqu'au jour où il est mort. Puis j'ai cessé d'y songer.

– De quelle façon pensiez-vous à lui ?

– Je me répétais qu'il n'avait jamais été traduit en justice. Je constatais qu'ils étaient si peu nombreux, ceux qui avaient été traînés devant un tribunal.

– Objection ! hurla Cox. Ce qui est arrivé à d'autres personnes ne concerne pas ce procès. Faites en sorte qu'il s'en tienne à Marcelus Prandus.

– Objection retenue ! acquiesça le juge. Tenez-vous-en à la victime.

– D'accord, répondit Abe, concentrons-nous exclusivement sur Marcelus Prandus. Monsieur Menuchen, quand avez-vous commencé à envisager de vous venger ?

– Sans doute quand j'étais enfoui dans ma fosse – et je n'ai jamais cessé d'y penser. Pendant des années, je suis parvenu à contrôler mon obsession de vengeance, d'abord parce que je ne savais pas où Prandus se trouvait, et ensuite parce que j'espérais toujours qu'il serait traduit en justice.

– Quand avez-vous perdu cet espoir ?

– Je l'ai perdu progressivement. Je n'y ai plus cru du tout quand j'appris que ma sœur était morte, et que Marcelus Prandus ne serait jamais expulsé, qu'il mourrait entouré de sa famille.

– Qu'avez-vous alors décidé de faire ?

– J'ai décidé de tuer l'aîné de ses petits-enfants.

Plusieurs jurés eurent des haut-le-corps. Quoique le procureur eût été au courant de l'intention criminelle de Max, il avait décidé de ne pas la mentionner, puisque Max y avait renoncé de lui-même. Et maintenant, c'était l'accusé qui apprenait au jury ce qu'il avait failli perpétrer.

Abe demanda ensuite à Max d'expliquer comment il avait prévu d'écraser Marc sur le chemin de l'école, et comment il avait précipité sa voiture contre une barrière.

– S'agissait-il d'un accident ?

– Non. J'ai déclaré aux passants que c'en était un, mais c'était le seul moyen que j'avais d'éviter de heurter le garçon. Je ne pouvais pas commettre une telle chose.

– Qu'avez-vous alors décidé ?

– J'ai envisagé de tuer toute la famille Prandus. J'ai cru qu'il serait peut-être plus facile de jeter une bombe sur un groupe de personnes que d'écraser un jeune enfant. J'ignore si j'en aurais été capable. Puis nous avons trouvé un plan parfait pour une vengeance juste, dirigée exclusivement contre l'homme qui avait assassiné ma famille, et, d'une certaine façon, proportionnée à ce qu'il avait fait.

– Objection, lança Cox. Je demande que le mot « juste » soit effacé de la réponse de l'accusé.

– Objection retenue.

Abe poursuivit.

– Et quelle forme devait prendre ce châtiment ?

Max expliqua qu'il devait égaler l'agonie que sa famille

avait endurée avant de mourir, sans pour autant causer une souffrance imméritée aux descendants innocents de Prandus. Il raconta comment il avait demandé à Danielle Grant de l'aider à trouver quelque chose, et comment elle avait imaginé un plan en lisant le commentaire de Maïmonide sur le Livre de Job.

– Mais c'est moi qui ai pris la décision de passer de la théorie à l'action, précisa Max.

– Monsieur Menuchen, auriez-vous préféré que la justice fût rendue par les autorités ?

– Objection, Votre Honneur. Dans ce procès, on ne s'occupe pas de ce qu'il aurait préféré. On s'occupe de ce qu'il a commis.

– Je le laisserai replacer ses actions dans leur contexte. Objection rejetée. Vous pouvez répondre.

– Oui, absolument. C'est ce que j'avais toujours espéré.

– Quand avez-vous compris que vous deviez vous faire vous-même justice ?

Cox bondit presque de son fauteuil roulant.

– Objection, objection ! Il ne *devait* pas faire quoi que ce soit. Il a *décidé* de rechercher une vengeance personnelle.

– Non, Votre Honneur, répondit Abe. Notre position, c'est qu'il n'avait pas le choix, qu'il devait se venger. Laissez-le témoigner.

– Voulez-vous bien reformuler la question, maître Ringel, s'il vous plaît ?

– Très bien. Quand avez-vous renoncé aux voies légales, monsieur Menuchen ?

– J'y ai renoncé quand j'ai appris que Prandus était en train de mourir d'un cancer et qu'il ne serait pas expulsé. Le temps de la justice des tribunaux était passé. Quand, enfin, j'ai découvert ce que Prandus avait fait à ma sœur, les derniers doutes que je pouvais avoir se sont dissipés.

– Qu'avez-vous découvert sur le sort de votre sœur ?

– Que Marcelus Prandus avait enlevé ma sœur de seize

ans, qu'il l'avait violée et qu'il l'avait ensuite offerte à un général nazi. Lui aussi a abusé d'elle, puis quand il en a eu fini avec elle, il l'a envoyée à Auschwitz.

Max avait commencé à sangloter et, à la fin de sa réponse, il tremblait. Au premier rang, Paul se leva et hurla :

– Mon père n'était pas un violeur !

Le juge Tree abattit son marteau, demanda à Paul de se rasseoir et de se calmer. Abe décida que c'était le moment idéal pour livrer son client au contre-interrogatoire de l'avocat général. Il se rassit donc en murmurant :

– Pas d'autre question.

Le juge suspendit les audiences jusqu'au lendemain.

41

Marc et Emma

– Pourquoi est-ce que cet homme a tué grand-père Chelli ? Et pourquoi est-ce qu'il a voulu m'écraser ?

Le jeune Marc Prandus dévisageait Max Menuchen tandis que son père et lui s'installaient derrière l'avocat général.

Paul Prandus savait qu'en décidant d'amener son fils au tribunal il devait s'attendre à ce genre de questions. Au début, il avait cru pouvoir protéger son fils contre la vérité sordide qui entourait la mort de son grand-père, mais le procès faisait la une des journaux, et les reporters de la télévision présentaient feu Marcelus Prandus comme un « tueur nazi », un « assassin d'enfants » et un « violeur ». Les camarades de classe de Marc en parlaient, et le proviseur avait téléphoné pour alerter ses parents. Il était temps d'avoir une discussion avec Marc, de replacer les actes de son grand-père dans un contexte qu'il puisse comprendre.

L'enfant avait demandé à venir au tribunal dès le début des audiences. Paul n'avait pas voulu qu'il entende le témoignage macabre de Max Menuchen. Aujourd'hui, Cox allait mener son contre-interrogatoire. C'était le bon jour pour amener Marc. Ce qu'il entendrait fournirait une bonne entrée en matière pour une discussion sérieuse entre le père et le fils.

Paul décida d'arriver avec quelques minutes d'avance, afin d'expliquer au garçonnet comment se déroulait le procès et pourquoi Max Menuchen avait commis les actes terribles dont il était accusé. Il savait qu'il ne serait pas facile de trouver un bon équilibre : il ne pouvait pas défendre ce qu'avait fait Marcelus, mais il refusait de laisser son fils penser que son grand-père était un monstre.

– Grand-père Chelli était un brave homme. Il t'aimait. Il nous aimait tous. Mais il a mal agi dans le passé, il y a longtemps, bien avant ta naissance et même avant la mienne.

Paul avait passé un bras autour des épaules de Marc, et il lui murmurait ces mots au moment où la salle du tribunal commençait à se remplir de journalistes, d'hommes de loi et de spectateurs. Emma Ringel et Rendi s'assirent dans la rangée de devant, derrière la table de la défense, à l'opposé de Marc et de Paul Prandus.

– J'aimais tellement grand-père, papa. Je me fiche de ce qu'il a fait il y a un million d'années. Pourquoi ce vieux monsieur l'a-t-il tué ? interrogea Marc avec des larmes dans les yeux.

– Il a eu tort. C'est une histoire compliquée. Je ne suis pas certain de pouvoir te l'expliquer.

– Je comprends plus de choses que tu ne crois. Mes copains, à l'école, ils en parlent.

– Qu'est-ce qu'ils disent ?

– Dennis m'a raconté que le vieux monsieur était un Juif qui devait se venger de quelque chose que grand-père avait fait. Il paraît que l'on apprend aux Juifs à ne pas pardonner.

– Eh bien, ce n'est pas comme ça que je veux que tu envisages les choses. Laisse-moi te les exposer de manière un peu différente. Est-ce que tu connais le sens du mot « patriotisme » ?

– Bien sûr. Le drapeau, tout ça.

– Ton grand-père était un patriote lituanien.

– Je sais. Il me répétait que Vilnius était une très belle ville. Une fois, il m'a même emmené à son cercle en me demandant de n'en rien dire à personne.

– Imagine alors combien cela a dû être difficile pour lui quand Hitler a envahi la Lituanie.

– Est-ce que grand-père travaillait pour Hitler ?

– Tout le monde, en Lituanie, travaillait pour Hitler.

– Qu'est-ce que grand-père a fait pour Hitler ?

– Des choses graves, comme maltraiter les Juifs.

– Est-ce que grand-père voulait faire du mal aux Juifs ?

– C'est ça que tu risques de ne pas comprendre.

– Si, je comprendrai.

– Qu'est-ce que tes professeurs t'apprennent à propos des Juifs, Marc ?

– Ils nous disent que Jésus était un Juif, et que le judaïsme est le grand frère du christianisme.

– Les professeurs de grand-père lui avaient enseigné que les Juifs avaient tué Jésus.

– Ce n'est pas vrai. Ce sont les Romains qui ont tué Jésus. Les Juifs étaient ses disciples.

– Tu as raison. Pourtant ce n'est pas ce que les professeurs de grand-père, les prêtres, ni même ses parents, lui avaient inculqué. Ils lui avaient appris à ne pas aimer les Juifs. Et puis, il est arrivé à son père quelque chose qui a renforcé sa haine.

Paul raconta à Marc la mort de son arrière-grand-père dans la taverne, et comment tout le blâme en était retombé sur les Juifs.

– Grand-père croyait venger la mort de son père lorsqu'il faisait du mal aux Juifs. Beaucoup de gens pensaient comme lui à l'époque. Quand Hitler a demandé d'arrêter les Juifs, grand-père a été d'accord.

– Les autres enfants, à l'école, affirment que grand-père ne s'est pas contenté d'arrêter des Juifs, papa. Il a en tué aussi.

– Grand-père considérait que c'était légitime.

– Alors ce n'était pas juste que le vieux monsieur tue grand-père, hein ?

– Non, ce n'était pas juste.

– Et ce n'était sûrement pas juste qu'il essaie de m'écraser. Qu'est-ce qu'il avait contre moi ? Je n'étais même pas né à l'époque de Hitler !

– Il savait à quel point grand-père t'aimait, et quel immense chagrin il éprouverait si quelqu'un s'en prenait à toi.

– Il est méchant, ce vieux monsieur.

– Oui, et j'espère qu'il ira en prison.

– J'espère qu'il va mourir, répliqua Marc d'un ton méprisant. Est-ce que le tribunal va le condamner à mort pour avoir tué grand-père ?

– Non. On n'applique pas la peine de mort dans le Massachusetts. Il ira sans doute en prison, mais il est également possible qu'il reparte libre.

– On ne peut pas le libérer. Il a tué grand-père. Il a failli m'écraser. C'est pas possible, ça ne serait pas juste, s'indigna Marc en élevant la voix.

Emma et Rendi, tout en poursuivant leur conversation à propos du contre-interrogatoire de Cox, pouvaient entendre les propos de l'enfant.

– Cet homme est un avocat, comme moi, expliqua Paul en montrant Abe, qui venait de pénétrer dans la salle. Il essaie de convaincre le jury que le vieil homme n'est pas un criminel.

– C'est absurde. L'avocat sait bien que c'était mal que le vieux monsieur tue grand-père.

– Il fait seulement son travail.

– Tu veux dire, comme grand-père ?

– Je pense, répondit Paul, sans trop réfléchir à la portée de ses propos.

Emma ne put ignorer le dernier échange. Elle bondit de son siège et fit face à Paul Prandus.

– Comment osez-vous comparer ce que son grand-père a infligé à la famille de Max avec la tâche de mon père dans ce tribunal ?

– Je n'avais pas l'intention de faire un tel rapprochement, mademoiselle. Et l'entretien que j'ai avec mon fils ne concerne que nous. S'il vous plaît, laissez-nous tranquilles.

– Ça commence à me regarder quand vous mettez dans le même sac votre père et le mien.

– Je vous en prie, ne parlons pas de ça devant mon fils.

– Pourquoi, de quoi avez-vous peur ? Qu'il apprenne la vérité sur son grand-père ? Qu'il comprenne que c'était un assassin ? déclara Emma intentionnellement.

Tandis que Rendi tentait de l'éloigner, Emma se retourna vers Marc Prandus et ajouta à voix basse :

– Ton grand-père ne se contentait pas d'accomplir son boulot. Il a tué des gens innocents.

– Silence ! hurla Paul. Ce n'est qu'un enfant. J'essaie juste de lui décrire le cadre historique dans lequel son grand-père a agi. Ils s'adoraient tous les deux.

– Max, aussi, adorait son enfant. Avez-vous raconté à votre fils ce que son grand-père a fait au bébé de Max et à sa femme enceinte ? Lui avez-vous dit ? Je ne l'ai pas vu dans la salle, hier, pendant la déposition de Max.

– Taisez-vous ! hurla Paul, dont les veines du cou devenaient visibles.

– Du calme, s'interposa Rendi.

– Occupez-vous de vos affaires, aboya Prandus en direction de Rendi. Puis il murmura « Espèce de pute ! » entre ses dents.

– En voilà de jolis mots, dans la bouche du fils d'un assassin qui violait les jeunes filles, siffla Emma.

– Sortons d'ici, décida Paul en prenant dans ses bras son fils effrayé.

Tandis qu'ils sortaient, Marc se tourna vers son père et l'interrogea :

– Et s'ils gagnent ?

– On ne pourra rien faire.

– Si, on pourra faire quelque chose, papa.

Marc tourna vers son père un regard déterminé.

– On pourra le tuer.

42

La décision de Paul

Paul ne trouva pas le sommeil cette nuit-là. « Quel genre d'homme suis-je ? » se questionnait-il. Il était furieux contre Abe Ringel pour la manière dont il l'avait manipulé durant le contre-interrogatoire. Il éprouvait une violente rancœur contre Emma et Rendi qui l'avaient humilié devant son fils. Mais, par-dessus tout, Paul était en colère contre lui-même, se reprochant de rester passif face à l'attaque concertée qui visait sa famille.

Il écumait de rage. Il avait envie de crier, de frapper quelqu'un. Il regrettait les jours de sa jeunesse, quand il pouvait exprimer sa frustration. Il maudissait sa vie d'adulte, ses responsabilités, la nécessité qu'il éprouvait de se contrôler. S'il réfléchissait, il savait que de telles réactions d'adolescent n'étaient pas appropriées. Et pourtant il avait envie de blesser Max.

Paul songea à son père décédé. C'était un homme, un vrai. Il aurait su quoi faire. Il aurait agi comme le patriarche d'une famille menacée, et pas comme un avocat timoré.

Soudain, pour Paul, tout devint clair. Il savait comment riposter. Un plan commença à s'esquisser dans son esprit.

Un sourire satisfait s'arrondit sur ses lèvres, et il finit par sombrer dans le sommeil.

Le lendemain matin, à sept heures, Paul et Freddy étaient sur le ring du club de gym du quartier, pour disputer quelques rounds. Paul adorait boxer. Il était inhabituel qu'un avocat pratique ce genre de sport. Ses partenaires étaient des flics, des mécaniciens, des ouvriers d'usine – des hommes qui travaillaient avec leurs mains, à la sueur de leur front, comme son père. Freddy, avant sa blessure, avait été un bon boxeur. À présent, il se contentait de rester presque immobile, les pieds bien à plat, tandis que Paul dansait autour de lui, atteignant de temps à autre ses gants d'une allonge. C'était un bon exercice, et cela donnait aux deux amis une occasion de discuter d'homme à homme.

– Marc dit que je devrais le tuer s'il s'en sort, déclara Paul en lançant un crochet du gauche sur le gant de Freddy. Il faut que je fasse quelque chose. Mon fils me prend pour un trouillard.

– Ne parle pas comme ça. C'est ridicule. Ce sont vraiment les mots de Marc ?

– Oui. Il était choqué après ce qui s'est passé au tribunal, hier.

– Ce sont juste des paroles d'enfant, Paul. Oublie ça.

– Je ne peux pas. Mon fils a peut-être raison.

– Arrête. Tu as envie de passer le reste de ta vie en prison, juste pour prouver que tu es un dur ?

– Qu'est-ce qui te fait croire que je serais condamné ? S'il s'en tire après avoir assassiné *mon* père, au motif que mon père a tué *sa* famille, j'utiliserai la même défense que lui. S'il a le droit d'agir ainsi, pourquoi pas moi ?

– Parce que ce n'est pas comme ça que ça marche, Paul. Tu le sais très bien. Tu ne réfléchis pas en avocat, mais en fils. Sors-toi tout ça de la tête. Il ne sera pas acquitté, et s'il l'est, tu y survivras. Tu es jeune, tu as Marc, tu as ta femme, tu as un avenir – tout ce qui fait défaut à Max Menuchen.

– Il a provoqué la mort de mon père.

– Parce que Marcelus avait abattu toute sa famille. Il faut que ça s'arrête un jour. Vous ne pouvez pas vous tuer les uns les autres, comme les Montaigu et les Capulet.

– Je ne peux accepter l'idée qu'il soit acquitté, Freddy. Ça ne peut tout simplement pas se terminer comme ça. S'il s'en tire, il faudra que je réagisse. Qu'est-ce que tu ferais, toi ?

– Eh bien, j'essaierais de trouver quelque chose qui ne me crée pas d'ennuis. Je n'ai pas envie de passer mes week-ends à te rendre visite dans je ne sais quelle prison paumée.

Les deux hommes quittèrent le ring, et Paul remit son « costume d'avocat », comme il l'appelait. Mais quand Paul Prandus sortit du gymnase, Freddy savait qu'il ne pensait toujours pas en avocat.

43

Le contre-interrogatoire de Max

Erskine Cox plaça son fauteuil roulant entre le jury et le témoin. Il le fit pivoter pour faire face à Max Menuchen qu'il interrogea sèchement :

– Avez-vous réellement vu Marcelus Prandus tuer quelqu'un d'autre que votre femme et votre enfant ?

– Non, évidemment. Il m'a tiré dessus aussitôt après. J'étais inconscient.

– Alors comment savez-vous s'il a tué quelqu'un d'autre ?

– J'ai vu les fosses. J'ai retrouvé le corps de ma grand-mère.

– Vous ignorez donc si c'est lui ou un de ses hommes qui les a abattus ?

– Quelle différence cela fait-il, de savoir qui les a abattus ? C'était Prandus qui commandait.

– C'est au jury de décider si cela fait ou non une différence. Êtes-vous certain que c'est Prandus qui vous a tiré dessus ?

– Je n'oublierai jamais quand il a tué ma femme enceinte et mon bébé. Ensuite il a tiré sur moi.

– Vous avez déclaré que la balle vous avait atteint à la tête et vous avait fait perdre connaissance.

– C'est la vérité.

– Savez-vous ce qu'est l'amnésie rétroactive ?

– Oui. Certaines personnes ayant subi un traumatisme ne se souviennent plus de ce qui s'est passé juste avant.

– Pensez-vous que de tels phénomènes existent ?

– Je n'ai aucune raison de mettre en doute la parole de médecins expérimentés.

Cox s'agita dans son fauteuil, et poursuivit :

– Me croiriez-vous si je vous déclarais que je n'ai aucun souvenir de ce qui s'est passé pendant les heures qui ont précédé le plongeon qui m'a laissé inconscient et incapable de marcher ?

– Objection, Votre Honneur, intervint Abe. Le rôle de l'avocat général est de poser des questions, pas de nous faire part de ses expériences personnelles.

– Objection retenue. Tenez-vous-en à ce qui est arrivé au professeur Menuchen.

– Connaissez-vous le terme médical d'« affabulation » ?

– Vaguement.

– Connaissez-vous sa signification ?

– Je crois que cela s'applique à une personne qui a des trous de mémoire et qui remplit les blancs en inventant des événements.

– Exactement. N'est-il pas possible que vous soyez persuadé d'avoir vu Marcelus Prandus tirer sur votre femme et votre enfant, alors qu'en réalité ces événements ne seraient que des affabulations ?

– Non, c'est impossible. Je m'en souviens parfaitement, dit Max en haussant la voix.

– Peut-être que c'est de votre affabulation, que vous vous souvenez.

– Objection. Ce n'est pas une question.

– Objection retenue. Reformulez sous forme de question, maître Cox.

– Je crois que je me suis fait comprendre. Je vais passer

à quelque chose que le témoin peut se remémorer de façon claire. Vous vous rappelez bien avoir enlevé Marcelus Prandus, n'est-ce pas ?

Max se frotta les yeux et répondit d'une voix ferme :

– Je me rappelle.

Cox continua, staccato.

– Vous vous souvenez de l'avoir conduit dans une cabane isolée ?

– Je m'en souviens.

– Vous vous rappelez l'avoir attaché à une chaise ?

– Oui.

– Lui avoir projeté une vidéo montrant l'assassinat de tous ses descendants ?

– Oui.

– Votre intention était qu'il meure sans jamais apprendre que sa famille était toujours en vie, c'est bien cela ?

– Oui, c'était mon but.

– Il s'est donné la mort après avoir regardé la vidéo, et tandis qu'il était sous votre contrôle ?

– C'est exact.

– Pas d'autre question.

– Puis-je à nouveau interroger ce témoin, Votre Honneur ? sollicita Abe en se levant. Si un gouvernement quelconque avait puni Marcelus Prandus pour ces crimes passés, l'auriez-vous enlevé ?

– Objection. Ce n'est qu'une hypothèse.

– Je laisse le témoin répondre, décida le juge Tree.

– Non, je ne l'aurais pas enlevé. Je ne suis pas quelqu'un de violent.

– Encore une question, continua Abe en regardant Paul Prandus. Après vous être vengé, comment vous sentiez-vous ?

– Objection. Nous ne sommes pas dans le show

d'Oprah Winfrey [1]. Qui s'intéresse de savoir ce qu'il éprouvait ?

– Objection rejetée. Le remords nous concerne toujours. Vous pouvez répondre brièvement.

– Je ne ressentais pas de remords pour ce que j'avais fait à Prandus, mais pour ce que j'avais infligé à sa famille. Et je n'ai pas non plus éprouvé de plaisir en voyant Prandus souffrir. Cela m'a laissé un goût amer.

– Je n'ai plus de questions à poser à ce témoin, conclut Abe.

Max se leva.

– Bien. Pendant le reste de la journée, nous entendrons les arguments légaux. Et demain, à neuf heures pile, nous reprendrons les témoignages, annonça le juge Tree.

Ce soir-là, les grandes pointures de la télévision continuèrent à accabler Abe Ringel pour avoir reproduit la défense d'Abbie Hoffman. « Ça ne marchera jamais en 1999 », prédit un commentateur juridique, Joe Genevese.

---

1. Oprah Winfrey : animatrice d'un « talk-show » célèbre aux États-Unis.

44

Le voyage d'Emma

– Je t'avais prévenu que cette tactique se retournerait contre toi, déclara Emma tandis qu'ils regardaient le *Larry King Live* à la télévision.

– Le jury préfère sûrement la série *Friends*. Ils se fichent de ce que pense Genevese, rétorqua Abe, un peu sur la défensive.

– Peut-être qu'ils pensent comme lui. Et certains d'entre eux se demandent peut-être si Max n'a pas... quel est le mot ?

– Affabulé.

– Là, Cox a marqué un point. Il a semé le doute, ce salaud. Ce n'est pas correct, et surtout d'évoquer son propre accident.

– Le juge l'a arrêté, nota Abe.

– Mais pas avant qu'il ne se soit fait comprendre. Tu as observé les jurés ?

– Évidemment. Ils sont toujours sensibles aux drames humains, même celui d'un avocat incisif.

– Il faut que tu gagnes, papa. Je ne supporterai pas que Max meure en prison après toutes les épreuves qu'il a traversées.

– Je ne peux rien te promettre, ma chérie... Il manque

quelque chose à notre dossier. Il ne me paraît pas complet. Je suis inquiet.

– Est-ce que je peux t'aider ?

– Je ne vois pas comment. Tout repose sur le destin – et sur ma plaidoirie finale.

– Alors tu peux te passer de moi pendant un long week-end ? J'ai promis à Jacob de l'accompagner à Amsterdam pour faire la connaissance de sa famille. C'est le soixante-dixième anniversaire de son père. Jacob veut me présenter à tout le monde. Nous étions censés faire ce voyage il y a plusieurs mois, tu te souviens ? Mais il a été repoussé à cause des recherches sur Prandus, et c'est notre dernière occasion d'aller là-bas avant que la fac reprenne.

– Vas-y, ma chérie. Je me débrouillerai sans toi.

– Je ne pars que cinq jours. Je serai revenue avant les plaidoiries.

– Parfait. Je testerai la mienne sur toi. Tu veux que je te conduise à l'aéroport ?

– Jacob doit passer me prendre. Retourne à tes dossiers. Ton temps est précieux.

– Merci pour le vote de confiance.

45

Dans la cellule

– Alors, comment on s'en sort ? Est-ce que je passerai le reste de ma vie derrière les barreaux ? interrogea Max tout en mangeant un porridge insipide.

– Je dois être honnête avec toi, Max. Nous sommes en mauvaise posture. Je le vois dans les yeux des jurés. Il nous manque quelque chose.

– On a dit toute la vérité. On ne peut rien faire de plus.

– Le jury n'est peut-être pas convaincu qu'il s'agit de l'entière vérité. C'est certainement ce que l'avocat général va essayer de prouver. Ce matin, il m'a annoncé qu'il allait produire un nouveau témoin pour une réfutation rapide, un certain docteur Woolfram Gutheil.

– Je ne connais aucun médecin de ce nom.

– C'est un psy. Cox va sans doute l'interroger à propos de l'affabulation.

– Je n'ai pas inventé ce qui s'est passé dans le bois du Ponant. Comment Cox ose-t-il suggérer que je l'ai rêvé ! Il me rappelle ces gens ignobles qui soutiennent qu'il n'y a pas eu d'Holocauste.

– Tu veux parler de ces individus dont j'ai déclaré que j'accepterais de les défendre ?

– Dans quel monde vit-on ? Il devient un peu trop compliqué pour un cerveau fatigué comme le mien, soupira Max en secouant la tête.

– Revenons-en à l'affabulation, Max. Tu dois replacer ça dans son contexte. Cox ne nie pas l'Holocauste. C'est juste un homme de loi qui fait son boulot. L'affabulation existe. Je m'en suis servi, moi aussi, lors de contre-interrogatoires. La beauté du truc, du point de vue du juriste, c'est que, quelle que soit l'honnêteté du témoin, et aussi sûr soit-il de sa mémoire, il est toujours possible que son souvenir soit une affabulation inconsciente. Il y a toujours un doute.

– À moins qu'il n'y ait un témoin.

– Exactement. Ne me dis pas à présent que tu connais un témoin du massacre du bois du Ponant !

– J'aimerais qu'il y en ait un. Hormis moi, les seules personnes qui sont reparties de là vivantes étaient Sarah Chava et les assassins, ajouta tristement Max.

– Je suis désolé. Je n'aurais pas dû te parler de ça, déclara Abe en réajustant sa cravate pour se rendre dans la salle de tribunal. Voyons ce que le docteur Gutheil aura à nous proposer.

– Abe, je te fais confiance. C'est juste que je ne te comprends pas.

– Tu n'es pas le seul, remarqua l'avocat avec un bref sourire. Demande à Rendi et à Emma.

– Je te remercie, Abe, quelle que soit l'issue du procès. Merci d'être mon ami.

46

Affabulation

Le petit homme au crâne dégarni et au bouc blanc s'installa à la barre des témoins, et jura, avec un net accent viennois, de dire la vérité.

– Êtes-vous un spécialiste des pertes de mémoire ?

– Oui. J'étudie ce domaine depuis quarante ans.

– Je connais les expertises du docteur Gutheil, ayant moi-même eu recours à lui comme témoin en plusieurs occasions, intervint Abe. J'admettrai son expertise.

– Avez-vous réalisé des analyses sur des survivants de l'Holocauste ?

– Oui, j'en ai pratiqué. Je suis, moi aussi, un survivant. Terezin, précisa le docteur Gutheil, en remontant la manche de sa veste pour montrer un numéro tatoué au-dessus de son poignet.

– Vous êtes-vous livré à un examen particulier de la mémoire des survivants traumatisés par l'Holocauste ?

– Oui.

– Pouvez-vous faire part de vos conclusions au jury ?

– J'ai étudié plusieurs groupes. Le premier était constitué de survivants qui avaient commis des actes dont ils pouvaient avoir honte. Parmi eux se trouvaient d'anciens kapos, des hommes ou des femmes qui avaient servi les nazis d'une manière ou d'une autre. D'autres avaient volé la nourriture de compagnons plus faibles, ou avaient fui en abandonnant leur famille. Après la libération, certaines de ces personnes oubliaient, en toute honnêteté, ce qu'elles avaient fait et s'appropriaient les histoires de ceux qui avaient agi de façon honorable.

– Objection. On ne doit pas suggérer que Max Menuchen ait commis quoi que ce soit dont il puisse avoir honte. Ce témoignage est déplacé.

– J'en viens à l'accusé, Votre Honneur. Laissez-moi une minute, protesta Cox.

– Bien. Venez-en à l'accusé ou laissez tomber, s'impatienta le juge.

– Est-il vrai que la plupart des survivants, même s'ils n'avaient rien fait d'inavouable, avaient honte d'avoir survécu lorsque les autres membres de leur famille avaient péri ?

– Oui. Nombre d'entre eux étaient persuadés qu'ils auraient pu aider davantage leurs parents, qu'ils n'avaient survécu que grâce à leur égoïsme.

– Même si ce n'était pas le cas.

– Exact.

– Avez-vous également étudié des survivants sérieusement blessés, par un coup de feu, par exemple ?

– Oui. Il n'était pas rare qu'ils souffrent d'amnésie rétroactive, avec affabulation.

– Expliquez-nous.

– Ils avaient perdu la mémoire de ce qui s'était passé juste avant qu'ils soient blessés et avaient reconstitué les événements en fonction des circonstances.

– Que voulez-vous dire ?

– Ils avaient rempli les blancs en imaginant ce qui avait pu se produire.

– Laissez-moi vous poser une question qui relève de l'hypothèse : imaginez un garçon de dix-huit ans qui reçoit une balle dans la tête et qui perd connaissance. Lorsqu'il se réveille, il découvre que tous les membres de sa famille sont morts. Est-il possible qu'il soit victime d'amnésie rétroactive, qu'il oublie ce qui s'est passé immédiatement avant qu'il ne soit blessé ?

– C'est très possible.

– Est-il envisageable qu'il affabule alors sur les événements qui ont précédé sa blessure ?

– Oui.

– Se rendrait-il compte qu'il est en train d'affabuler ?

– Sans doute que non. C'est ce qu'il y a de trompeur dans l'affabulation. Même si le sujet croit sincèrement se rappeler ce qui est arrivé, ses souvenirs ne sont peut-être que le fruit de son affabulation. On ne peut jamais être sûr, en l'absence de preuve extérieure.

– Alors, dans mon hypothèse, même si le sujet « se rappelle » qu'un individu précis a exterminé sa famille, il est tout à fait possible que ce soit en réalité quelqu'un d'autre qui ait accompli ce massacre ?

– C'est envisageable. En l'absence d'un autre témoin – une personne indépendante qui ait vu le même événement et s'en rappelle de la même façon –, il est impossible d'avoir une certitude.

– Pas d'autre question.

– Un contre-interrogatoire ? demanda le juge Tree à Abe.

– Oui, Votre Honneur. Docteur Gutheil, si une personne est honnêtement persuadée d'avoir vu un individu précis tuer sa femme enceinte et son enfant, son désir de justice sera-t-il aussi fort, qu'il s'agisse d'un véritable souvenir ou d'une affabulation ?

– Je l'ignore. Je ne me suis jamais penché sur ce problème. C'est un point intéressant, mais je crains de ne pouvoir vous être d'aucun secours.

– Pourquoi ne pas essayer ? Considérons ça logiquement. Dans l'esprit de la victime, cet individu est le tueur. Est-ce qu'il ne s'ensuit pas que sa soif de justice serait la même ?

– Peut-être, si l'esprit n'était régi que par la logique. Mais la passion que vous me décrivez appartient à l'inconscient autant qu'à la conscience. Or, si l'inconscient « sait » que ce souvenir est une affabulation, il se peut que le désir de justice ne soit pas aussi intense.

– C'est une hypothèse, n'est-ce pas ?

– Oui, on peut également supposer le contraire.

– Pas d'autre question.

– L'accusation en a terminé, déclara Cox.

– La défense a-t-elle quelque chose à ajouter ? demanda le juge.

– Est-ce que je peux avoir jusqu'à mardi pour en décider, Votre Honneur ? Le docteur Gutheil était un témoin-surprise. Je veux évaluer l'impact de son audition avant de décider si j'en ai terminé, ou si j'appelle, moi aussi, un témoin-surprise.

– D'accord. Informez-moi de ça mardi à neuf heures. Bon Labor Day à tous.

Abe bluffait. Il n'avait aucun nouveau témoin en vue, et il voulait passer ce long week-end de septembre à réfléchir au moyen d'en trouver un.

47

Le témoin-surprise

Le fourgon cellulaire qui amenait les détenus était en retard, ce mardi matin. Un des prisonniers avait eu une attaque sur le chemin du tribunal, et le fourgon avait dû faire demi-tour pour le conduire à l'infirmerie de la prison. Les jurés, déjà assis à leurs places, et le reste de l'assistance attendaient l'arrivée de Max Menuchen.

Abe n'aurait pas le temps de s'entretenir avec son vieil ami. Il n'avait pas d'autre témoin à produire. L'affaire allait passer entre les mains du jury, alors qu'il gardait une impression d'incomplétude, et que l'accusation avait semé le doute avec l'hypothèse de l'affabulation. Son assistant, Henry Pullman, prédisait une condamnation pour ces deux raisons.

Dès que Max fut introduit dans la salle du tribunal, le juge Tree aboya :

– Appelez votre témoin suivant, maître Ringel, si vous en avez un. Le jury a assez attendu.

Abe, contrairement à son habitude, resta silencieux.

– Avez-vous un expert pour réfuter celui de l'accusation, maître Ringel, ou en avez-vous fini ?

Abe lança au juge Tree un regard dépité. Il avait décidé, après en avoir discuté avec divers neuropsychiatres et psychiatres, de ne pas convoquer un autre expert. Aucun spécialiste fiable n'aurait été en désaccord avec l'exposé du docteur Gutheil. Abe, évidemment, pouvait toujours argumenter : que Prandus ait ou non assassiné la famille de Max n'avait pas beaucoup d'importance dans la mesure où celui-ci était persuadé qu'il l'avait fait. Néanmoins, Abe craignait que certains jurés n'éprouvent un sentiment mitigé vis-à-vis du prévenu, s'ils n'avaient pas la certitude que Prandus avait réellement appuyé sur la détente.

Comment s'en sortir ? Tandis qu'Abe se posait cette question, Emma fit irruption dans la salle et courut vers lui. Elle réussit à reprendre son souffle pour glisser à l'oreille de son père :

– Une suspension, papa, demande une suspension.

– Pour quel motif ?

– Demandes-en une. C'est important. Il faut que je te parle. J'ai trouvé quelqu'un.

– Votre Honneur, ma fille, que voici, me conseille de solliciter une suspension. Et j'ai appris à ne jamais être en désaccord avec ma fille. Puis-je demander à la cour de patienter encore quelques minutes ?

– J'ai une fille, moi aussi, maître Ringel. Vous avez deux minutes pour conférer avec elle et décider si vous en avez terminé ou si vous appelez un témoin. Deux minutes.

Abe et Emma se hâtèrent vers le corridor attenant à la salle.

– J'espère que cela en vaut la peine, déclara Abe. Qu'est-ce que tu as ? Un témoin *de visu* ?

– Presque aussi bien, papa. On a découvert une lettre rédigée par Sarah Chava juste avant sa mort. Elle y décrit tout ce qu'elle a vu dans le bois du Ponant. Cela corrobore les souvenirs de Max. Il n'affabulait pas. Il a dit la vérité. La lettre le prouve.

– Comment as-tu mis la main sur cette lettre, ma chérie ? Et, c'est le plus important pour l'instant, comment la faire authentifier ? Le juge Tree ne va pas se contenter de notre parole.

– J'ai un témoin pour authentifier la lettre. Il est dehors, avec Jacob. Un de mes amis l'a trouvé hier soir et l'a collé dans un avion. J'ai essayé de te téléphoner ce matin, mais je n'ai pas réussi à te joindre. J'ai eu le bureau des clercs. Ils m'ont informée que le procès était sur le point de se conclure. Je me suis précipitée. Il faut que tu le cites comme témoin. Je lui ai posé quelques questions dans le taxi qui nous a amenés. Voici mes notes.

Tandis qu'Emma tendait à son père le bloc sur lequel elle avait tout consigné, le juge Tree abaissa son marteau.

– Votre temps est écoulé, maître Ringel. Citez votre témoin, ou concluez.

Abe revint à sa place et annonça : « J'ai un dernier témoin », puis il se retourna vers le fond de la salle pour voir un grand homme blond franchir la porte et s'avancer à grands pas dans l'allée centrale. Tout le monde fixait son visage – ses yeux bleus profonds, ses pommettes hautes, son teint pâle. Le témoin-surprise parvint au premier rang des spectateurs, et pivota à droite. Son regard s'immobilisa sur Paul Prandus, assis derrière le procureur. Les deux hommes, en état de choc, se dévisagèrent. L'assistance commença à murmurer, tandis qu'elle réalisait que les traits de ce dernier témoin ne lui étaient pas inconnus. Peter Vovus s'était lancé dans une conversation animée avec le vieux Lituanien en fauteuil roulant, qui faisait des gestes désordonnés tandis que le témoin prenait place à la barre.

Le cœur de Max Menuchen s'emballa : les traits de cet homme évoquaient ceux des tueurs lituaniens qui avaient peuplé ses cauchemars, mais pas seulement. Il y avait dans son expression quelque chose de familier. Qui était cet étranger qui suscitait en lui des émotions si confuses ?

D'une voix forte, Abe prit la parole :

– J'appelle mon dernier témoin, Max Menuchen.

Un frisson parcourut l'auditoire, interrompu seulement par la voix aiguë de l'avocat général, qui élevait une objection.

– Ce n'est pas Max Menuchen ! beugla Cox. L'avocat de la défense est en train de tourner ce procès en mascarade.

– Tout va s'éclairer dans un instant, promit Abe pour rassurer le juge. Avec la permission de la cour, j'aimerais interroger ce témoin sans délai. Ma fille m'a informé qu'il n'a pas besoin d'interprète.

– Allez-y, ordonna le juge Tree, aussi pressé de résoudre ce mystère que tous ceux qui étaient dans la salle.

– Quel est votre nom ? demanda Abe à l'inconnu.

– Mon nom est Max Menuchen, répondit l'homme avec un fort accent d'Europe de l'Est.

– Comment se fait-il que vous portiez le nom de Max Menuchen ?

– Ma mère me l'a donné à ma naissance.

– Qui était votre mère ?

– Ma mère s'appelait Sarah Chava Menuchen.

Avant même que le témoin ait achevé sa phrase, le vieux Max bondit de sa chaise et se précipita vers lui, talonné par un huissier.

– Vous êtes le fils de Sarah Chava ? Oh, *gottenyu*. Est-ce qu'elle est vivante ? Dites-le-moi, je vous en supplie.

Tandis que le juge Tree abattait son marteau et criait pour réclamer l'ordre, le témoin répondit d'une voix triste :

– Non, ma mère est morte depuis plus de cinquante ans. J'étais enfant quand elle a été tuée.

– Je crois que le moment est venu pour une suspension, annonça le juge Tree. Je vous donne un quart d'heure, lança-t-il en direction de Max et d'Abe. Nous reprendrons quand les esprits seront calmés.

48

Renaissance

Les deux Max Menuchen furent escortés dans la salle adjacente, réservée à l'équipe d'Abe et aux interviews des témoins de la défense.

– Vous êtes vraiment le fils de Sarah Chava, mon neveu ? interrogea le vieil homme avec difficulté, des sanglots dans la voix.

– Je suis le fils de Sarah Chava Menuchen. Elle a écrit dans une lettre que son frère, Max, avait été tué dans le bois du Ponant, en même temps que le reste de sa famille. Jusqu'à hier soir, j'avais toujours cru être le seul Menuchen vivant.

– Votre mère m'a vu tomber dans le bois du Ponant. Elle avait toutes les raisons de croire que j'étais mort comme les autres. Mais j'en ai miraculeusement réchappé. J'ignorais que Sarah Chava avait survécu assez longtemps pour avoir un enfant. Merci, mon Dieu. Merci, mon Dieu, s'écria le vieil homme en s'approchant de son neveu.

Ils se serrèrent silencieusement pendant un moment, ne pouvant réfréner plus longtemps leurs larmes.

Max demanda à son neveu :

– Est-ce que vous avez des enfants ?

– Non, je n'en ai pas.

Abe, Emma et Rendi restaient en arrière et observaient les deux hommes.

– Ma mère vous aimait plus que tout, reprit le plus jeune. Elle a écrit dans sa lettre qu'elle voulait sauvegarder votre souvenir, c'est pour cette raison qu'elle m'a prénommé comme vous. C'est pour moi un honneur.

– Et c'est un honneur pour moi de partager mon nom avec vous, répondit le vieil homme.

– Je crains que nous ne devions écouter la suite de cette histoire dans la salle du tribunal, intervint Abe. L'huissier nous fait signe d'y retourner.

Les deux Max Menuchen avancèrent côte à côte. Le vieillard parlait à son neveu de sa sœur bien-aimée. Il sortit de sa poche le cliché jauni de Sarah Chava et la montra à son fils. Celui-ci n'avait jamais vu de photographie de sa mère. Il n'avait pu que se l'imaginer.

– Elle était encore plus belle que dans mes rêves, murmura-t-il en saisissant le cliché.

Abe marchait à côté d'Emma.

– Comment as-tu découvert le neveu de Max ?

– J'ai mené mon enquête, et j'ai eu beaucoup de chance, confia Emma avec un sourire.

– Je croyais que tu étais à Amsterdam, chez les parents de Jacob.

– C'est bien là que nous sommes allés. Au cours du dîner de shabbat, j'ai raconté comment Max avait recherché partout Sarah Chava, sans retrouver sa trace. La mère de Jacob m'a demandé s'il avait essayé les couvents autour d'Auschwitz, car une de ses amies, internée dans ce camp, avait été sauvée par des carmélites. Qui aurait jamais pensé à la chercher là ? Max avait fouillé un peu partout – à Vilna, en Israël, dans les camps de personnes déplacées – mais pas au bon endroit. Alors, nous avons décidé d'enquêter là-bas. J'ai un camarade de fac – Donny, tu te souviens ? – qui a aidé à construire un centre juif à

Auschwitz. Je l'ai prié de faire des recherches dans les couvents des environs.

– Et il a trouvé Max ?

– Pas tout de suite. Dans le troisième couvent où il s'est rendu, on lui a parlé d'une jeune fille sortie d'Auschwitz par les nonnes qui l'avaient dissimulée dans un cercueil – elle avait dû s'allonger à côté d'une carmélite morte du typhus. Elle avait seize ans et elle attendait un enfant. Les nazis tuaient les femmes dès qu'elles étaient enceintes, parce qu'ils ne voulaient pas de bébés juifs. Les religieuses l'ont aidée à mettre son fils au monde. Elle est restée cachée dans le couvent jusqu'à la libération. Par reconnaissance pour les sœurs, elle les a servies. Elle faisait leur ménage, la cuisine, tout ce qu'elle pouvait. À la fin de la guerre, elle les a quittées pour essayer de se construire une nouvelle existence. Elle s'est installée dans une ville près d'Auschwitz, mais elle est restée en contact avec les carmélites. Après sa mort, les nonnes ont recueilli le petit Max orphelin. Elles se sont occupées de lui jusqu'à ce qu'il soit assez grand pour se débrouiller. Lui aussi a gardé le contact. Elles savaient ainsi qu'il habitait à Cracovie. Donny l'a retrouvé hier soir. Il a tiré sur quelques ficelles et, tôt ce matin, Max a pris un avion. Au même moment, Jacob et moi nous envolions d'Amsterdam. Nous nous sommes rejoints il y a une heure, à l'aéroport de Logan. Je l'ai interrogé rapidement dans le taxi qui nous a amenés ici, et j'ai griffonné les quelques notes que je t'ai confiées.

– Tu es formidable, ma chérie. Je n'arrive pas à croire que tu aies accompli un tel prodige. Mais la prochaine fois, je t'en prie, préviens-moi un peu avant, dit Abe en serrant sa fille contre lui.

– Je ne voulais pas t'en parler avant d'être sûre que le témoin pourrait être là à temps, s'excusa Emma.

– Je ne t'en veux pas, tu as été fantastique.

– J'ai fait de mon mieux, papa.

– Puis-je continuer à interroger le témoin, Votre Honneur ? demanda Abe au juge Tree.

– Oui, mais je ne veux plus d'éclats. Le dernier était compréhensible. Le prochain sera sanctionné. Vous me comprenez bien ?

– Oui, Votre Honneur, je comprends, assura Abe.

Puis il se tourna vers le témoin et reprit son interrogatoire.

– Quel âge aviez-vous quand votre mère est décédée ?

– Trois ans.

– Vous rappelez-vous les circonstances de sa mort ?

– Non. Cependant, elle me les a racontées dans une lettre.

– Comment avez-vous eu cette lettre ?

– Elle l'a épinglée à ma veste.

– Je demande que cette lettre soit jointe aux preuves.

– Objection, Votre Honneur, intervint Cox.

– Pour quel motif ?

– Deux motifs, Votre Honneur. D'abord, il ne s'agit que d'une déposition sur la foi d'autrui. Et deuxièmement, ce document n'a pas été authentifié.

– Maître Ringel. Qu'avez-vous à répondre ?

– Tout d'abord, même si nous admettons qu'il s'agit d'une déposition sur la foi d'autrui, nous prouverons que cette lettre a été écrite face à la mort. Et comme telle, sa sincérité est indiscutable, car on ne ment pas sur son lit de mort.

– Il a raison, maître Cox, approuva le juge Tree avec un sourire. C'est une exception reconnue. Nous avons tous appris ça à la faculté de droit. C'est la première fois que je suis confronté à un tel document, mais je l'admets comme témoignage, à la condition que maître Ringel puisse prouver son authenticité.

– Nous le pouvons, Votre Honneur. L'accusé reconnaît l'écriture de sa sœur. De plus, il possède une vieille photographie portant quelques lignes et la signature de celle-ci, annonça Abe en montrant le dos du cliché. Un expert pourra confirmer que les deux textes sont de la même main.

– J'accepte les réponses de maître Ringel, et je retire mes objections, Votre Honneur.

– Très généreux de votre part, maître Cox. De toute manière, je n'allais pas trancher en votre faveur. La lettre est acceptée. En quelle langue est-elle rédigée ?

– Elle est en yiddish. Le témoin traduira son contenu.

– Une objection ?

– Aucune, Votre Honneur.

– Vous pouvez commencer.

– Avez-vous lu cette lettre ? demanda Abe au fils de Sarah Chava.

– Des centaines de fois. C'était mon seul lien avec ma mère – jusqu'à aujourd'hui.

En prononçant ces paroles, le jeune Max regarda son oncle avec émotion.

– Avez-vous ce document avec vous ?

– Je l'ai toujours sur moi.

– Pouvez-vous, s'il vous plaît, le lire et le traduire à l'intention de la cour et du jury ?

– Oui, dit Max en sortant la lettre du portefeuille en cuir qu'il avait dans sa poche.

« *Max, mon très cher fils,*

« *Je vais bientôt mourir, et je dois écrire cette lettre afin que tu saches qui tu es et combien je t'aime. J'avais seize ans quand la tragédie nous a frappés. Tu es né de cette tragédie, et les trois années que j'ai passées avec toi ont été merveilleuses. Je suis désolée de te laisser seul, sans famille, de la même façon que j'ai été laissée seule. J'espère et je prie pour que les religieuses qui ont été si bonnes avec moi s'occupent de toi – comme je les en ai priées.*

Tu es un garçon intelligent et fort, et je sais que tu feras quelque chose de ta vie.

« *Tu t'appelles Max Menuchen. C'est un beau nom, celui de mon frère, qui a été assassiné dans le bois du Ponant. Son meurtrier, Marcelus Prandus, m'a forcée à regarder tandis qu'il abattait tous les membres de ma famille. Il m'a déclaré qu'il voulait avoir l'honneur d'exécuter lui-même les ordres du Führer.* »

Durant la lecture du document, qui confirmait la déposition de l'accusé, Abe remarqua que plusieurs jurés hochaient la tête. Le jeune Max poursuivit.

« *J'ai demandé aux sœurs de ne pas te montrer cette lettre avant tes treize ans. Je dois te révéler la vérité, aussi douloureuse puisse-t-elle être pour toi. On m'a épargné le triste destin de ma famille dans le bois du Ponant parce que j'étais une jeune fille. Marcelus Prandus m'a violée, puis il m'a donnée à un général de la Gestapo. Quand celui-ci en a eu terminé avec moi, j'ai été mise dans un train – à moitié morte – et envoyée à Auschwitz au service des gardiens allemands. La religieuse désignée pour examiner mon état de santé a découvert que j'étais enceinte. Elle a réussi à me faire sortir d'Auschwitz en cachette et à m'introduire dans un couvent de carmélites, où tu es né. Dès que je t'ai vu, j'ai su que Marcelus Prandus devait être ton père. Plus tu grandissais, plus la ressemblance devenait évidente. Il n'y avait aucun doute : l'homme qui avait assassiné toute ma famille avait également engendré le dernier des Menuchen. Chaque fois que je te regarde, je me souviens de celui qui a exterminé mes parents. Et pourtant, chaque fois que je te contemple, je t'aime de plus en plus.* »

Après avoir lu ces mots, les yeux du témoin se posèrent sur Paul Prandus. Emma avait parlé au jeune Max de son demi-frère, et elle lui avait indiqué à quel endroit de la salle il était toujours assis. Paul se détourna, mu par un réflexe de défense. Puis il reprit sa position, et fit face à l'homme qui réunissait les gènes des Prandus et des Menuchen : le fils d'un assassin et de sa victime.

Si les deux frères présentaient une flagrante ressemblance physique, ils paraissaient cependant très différents par le caractère. Paul Prandus, impénétrable, contrôlant en permanence ses émotions, n'offrait aux regards que la rigidité de son corps, telle une carapace. Le jeune Max, au contraire, fixait ouvertement Paul, sans dissimuler sa curiosité. Quand il parlait – même pour lire la lettre de sa mère –, tout son corps bougeait, et son visage était traversé d'expressions changeantes. Il avait parfois un bref sourire ironique qui rappelait à Abe le vieux Max.

Abe demanda à Max d'achever la traduction de la lettre tandis qu'un ballet d'échanges muets se poursuivait entre le témoin, son demi-frère et son oncle – liés, au-delà de leur terrible histoire, par le sang.

« *Je crains que tu ne cherches à te venger de ton père biologique. Ce qui peut lui arriver m'est égal, mais je m'inquiète beaucoup pour toi. Je sais que si tu en arrivais à tuer l'homme qui t'a donné la vie, cela te détruirait. Recherche la justice en devenant un Menuchen, et en transmettant la graine des Menuchen. Ton existence, en elle-même, enseigne le renouveau et le pardon. Si je parviens à envisager ma mort avec calme, c'est que je suis persuadée que tu auras une vie longue et heureuse, mon cher petit. Garde cette lettre avec toi : elle te rappellera ta mère qui t'aime si tendrement et, à travers elle, je resterai auprès de toi.*

« *Avec tout mon amour, pour toujours, maman.* »

Devant un public ému, certaines personnes jusqu'aux larmes, Abe entreprit d'interroger le témoin sur des sujets que n'abordait pas la lettre.

– Que s'est-il passé après que votre mère a quitté le couvent ? demanda doucement Abe.

– Ma mère avait entendu dire que quelques Juifs survivants s'étaient installés dans la ville de Kielce, pas très loin d'Auschwitz. Nous y sommes allés. D'après les carmélites, elle y fut relativement heureuse, bien qu'elle n'y ait retrouvé personne de sa connaissance. Elle ne voulait pas retourner à Vilna, à cause de ses terribles souvenirs.

Cox aurait pu, à cet instant, élever une objection contre ce témoignage, en alléguant le « ouï-dire », mais il laissa le jeune Max poursuivre, comprenant que le jury n'aurait pas apprécié la moindre interruption dans le récit de la fin tragique de Sarah Chava.

– Combien de temps votre mère et vous avez-vous vécu à Kielce ?

– De mars 1945 à juillet 1946. Jusqu'au massacre de Kielce.

– Qu'est-ce que le massacre de Kielce ?

– Un groupe important de polonais nationalistes se sont déchaînés contre la centaine de Juifs de Kielce, sur vingt-cinq mille, qui avaient réussi à survivre aux nazis. Certains avaient récupéré leur maison, d'autres, comme ma mère, s'étaient installés dans celles qui avaient appartenu aux Juifs disparus.

– Qu'est-il arrivé ?

– Les nationalistes polonais se sont arrangés pour que la police confisque les quelques armes que les Juifs avaient réunies pour se défendre. Le lendemain, une foule armée a assassiné quarante-deux survivants juifs et en a blessé des dizaines. Nombre d'entre eux étaient des femmes et des enfants. Après le départ des nazis, c'étaient les Polonais qui tuaient les Juifs, précisa Max en secouant la tête.

– Qu'est-il arrivé à votre mère ?

– Nous nous étions cachés dans une cave, continua Max d'une voix tremblante. Cette nuit-là, un groupe d'adolescents avec des couteaux nous a trouvés et nous a tous les deux poignardés. Ma blessure n'était pas grave, mais ma mère a été touchée à l'estomac.

– Combien de temps a-t-elle survécu ?

– On nous a conduits dans un hôpital de fortune, installé dans la synagogue, où ma mère a tenu quatre jours.

Des larmes remplirent les yeux de Max, qui continua.

– Puis la plaie à l'estomac s'est infectée, et il n'y avait pas de médicaments.

– Savait-elle qu'elle allait mourir ?

– Oui, elle en avait conscience. Elle a écrit cette lettre afin que je connaisse mes origines, l'histoire de ma famille. Elle l'a épinglée à ma veste, avec une autre adressée aux religieuses du couvent.

– Pourquoi les carmélites ?

– Les Juifs de Kielce étaient morts ou en fuite. Ma mère était persuadée que tous les Juifs survivants, aussi peu nombreux soient-ils, seraient tués par les Polonais. Les religieuses étaient les seules personnes de sa connaissance en qui elle eût confiance. Elle est morte à dix-neuf ans, sans famille et sans amis. Elle n'avait que les carmélites. Ce sont elles qui m'ont élevé jusqu'à l'âge de treize ans.

– Et ensuite ?

– Je me suis installé à Cracovie, où j'ai trouvé un travail d'apprenti électricien. J'ai aussi suivi des cours d'anglais. En 1985, je suis entré au syndicat Solidarnosc, et j'en suis devenu un délégué local. J'ai été envoyé deux fois en prison par les communistes, à cause de mon engagement politique. Quand Solidarnosc est arrivé au pouvoir, je me suis porté candidat pour un siège à la chambre. J'ai perdu parce que mon adversaire a bombé des étoiles de David sur mes affiches électorales. Je n'avais jamais cherché à cacher que j'étais juif, mais mon opposant est parvenu à donner l'impression que mon passé recelait un secret terrible.

– Qu'avez-vous fait après avoir perdu l'élection ?

– Je suis redevenu électricien. Et j'ai commencé à apprendre l'hébreu.

– Vous êtes-vous marié ?

– Non.

– Pourquoi ?

– Je ne veux pas avoir d'enfants.

– Pour quelle raison ?

– À cause de toute cette cruauté et à cause de ce qu'était mon père. Je ne veux pas introduire davantage de Prandus dans ce monde.

En prononçant ces mots, le jeune Max se tourna vers son demi-frère. Paul Prandus se tortilla sur son siège, mais ce fut sa seule réaction. Le vieux Max regarda son neveu avec une déception mêlée de compréhension.

Abe distingua des larmes dans les yeux de plusieurs jurés, tandis qu'il achevait son interrogatoire du témoin par le traditionnel « Je n'ai pas d'autre question. La défense en a terminé ».

– Un contre-interrogatoire ? demanda le juge Tree, qui connaissait la réponse.

– Non, Votre Honneur, répondit Cox. L'accusation en a également terminé.

49

La révolte d'Emma

– Quelle journée ! Comment fêter ça ? demanda fièrement Emma tandis qu'elle sortait de la salle du tribunal avec son père.

– Ce n'est pas fini, ma chérie. Les témoins-surprises comme Max junior font la une des journaux, mais il va falloir que je reprenne nos arguments à l'intention du jury, dans ma plaidoirie finale. Ses révélations ne changent rien au fait que Max senior a enlevé et poussé au suicide Marcelus Prandus, ce qui n'est pas vraiment en accord avec la loi.

– Je me fiche de la loi. Ce qu'a accompli oncle Max est peut-être, techniquement, un crime, mais, moralement, c'était juste. Nous devons gagner. Il ne faut pas qu'oncle Max finisse ses jours en prison. Je ne pourrais pas le supporter.

Abe ne put s'empêcher de taquiner sa fille.

– Une distinction intéressante, venant de la même étudiante en droit qui m'a fait promettre de ne jamais défendre un coupable.

– Arrête de te conduire en professeur de droit qui vient de prendre un étudiant en flagrant délit de contradiction. D'accord, tu as ma permission de défendre n'importe quel accusé qui est moralement innocent, même s'il est coupable aux yeux de la loi. C'est un amendement à notre contrat. Ça te va ?

– Tu sais, ma chérie, c'est encore plus compliqué que de représenter seulement des innocents. Il existe une échelle des valeurs morales. Nous sommes tous les deux d'accord pour situer Max du bon côté. Mais il y a beaucoup d'accusés qui sont quelque part au milieu.

– C'est du bavardage, et tu le sais bien. Joe Campbell n'était même pas sur ta foutue échelle. Et cependant tu as sauté à travers des cerceaux pour le défendre jusqu'à ce qu'il tue presque ta propre fille.

– Ma chérie, dit doucement Abe en prenant la main d'Emma, tu sais que je croyais en l'innocence de Campbell quand j'ai commencé à m'occuper de lui. On ne peut pas laisser tomber un client au milieu d'une instruction, même si l'on a changé d'avis.

– C'est pour cette raison que je refuserais de défendre un prévenu dont je soupçonnerais la culpabilité. Je ne supporterais pas de le faire libérer.

– Sauf, évidemment, s'il était, selon toi, moralement innocent, comme Max.

– Oui, comme Max. Comment peut-on se soucier de ce qui est arrivé à ce monstre de Prandus après ce qu'il a fait à la famille Menuchen, et en particulier à Sarah Chava ?

– Cox semble s'en soucier. Le juge semble s'en soucier. Les jurés également. La loi est censée s'appliquer aussi pour la victime la plus méprisable.

– Cette loi, c'est de la connerie. Comment peut-elle condamner un pauvre Afro-Américain qui vend de la drogue, alors qu'un tueur comme Marcelus Prandus n'a jamais été poursuivi ? Si j'étais un juré noir, j'hésiterais peut-être à condamner un trafiquant de drogue noir.

– Ce serait du racisme, Emma.

– Et alors ? Qu'est-ce que c'était, il y a trente ans en Alabama, quand un jury blanc a acquitté Thomas Coleman, bien qu'il ait reconnu avoir tué de sang-froid un militant des droits civiques ? J'ai étudié cette affaire en cours d'histoire de la loi.

– Pourquoi crois-tu que l'on appelle ça « histoire », ma chérie ? C'était il y a longtemps.

– Notre professeur nous a montré la notice nécrologique de Coleman, dans le *Times*. Il a vécu jusqu'à quatre-vingt-six ans, jouait tous les jours aux dominos devant le tribunal, avec des amis, et il est mort entouré de sa famille. Tu parles d'une justice !

– Je crains que la parfaite injustice ne soit beaucoup plus courante que la parfaite justice, soupira Abe.

– J'admettrais avec joie une justice imparfaite, papa, mais même elle, je ne la vois pas. Elles sont tellement hypocrites, ces personnes qui prônent « la loi et l'ordre » et « une peine proportionnelle à la faute », quand les pires criminels du monde restent libres. La justice est une farce, papa, et elle n'est pas drôle.

– Tu ne la considères pas comme une plaisanterie lorsque tu es une victime. Haskell Levine m'avait prêté un livre qui décrivait les assassins nazis et d'autres comme eux qui menaient des vies respectables et dépourvues de remords. Haskell est passé par deux phases à propos de cette question troublante. Au début, il travaillait dur pour défendre même les plus grands assassins, avec le sentiment que quelque horribles qu'aient été leurs actes, ils étaient sans comparaison avec ceux d'autres types qui s'en étaient sortis. Puis il a décidé de se battre pour que tous les criminels nazis soient punis.

– Moi aussi, je peux m'imaginer poursuivant des nazis. Mais pas en me démenant pour faire condamner un quelconque prévenu de droit commun, tandis que tant de tueurs nazis restent libres.

– Tu te souviens de ta réaction lorsque Joe Campbell est retourné en prison ?

– C'était différent. Il avait essayé de m'étrangler.

– Il y a des gens qui penseraient : « Qu'est-ce que ça fait qu'un Joe Campbell s'en sorte quand il y a tant de criminels nazis qui restent libres ? » On ne peut pas, à cause des nazis, laisser transformer notre système judiciaire en plaisanterie.

– Je crois que tu as raison, soupira Emma. C'est tellement frustrant de voir Max souffrir en prison parce qu'il s'est fait justice alors que le droit était impuissant. Le système judiciaire n'a pas rempli son contrat avec lui. Il n'a pas protégé sa famille, et il n'a pas puni ses assassins. Et maintenant, il réclame sa livre de chair. Ce n'est pas juste.

– Tu vas écouter ma plaidoirie, répondit Abe, et tu verras.

50

Plaidoirie finale de l'accusation

Le moment des plaidoiries finales, quand les hommes de loi se rengorgent et jouent aux tribuns, était arrivé. Les derniers mots que le jury entendrait prononcer par les avocats avant de délibérer étaient primordiaux.

Cox roula son fauteuil en face du jury.

À nouveau, il choisit un juré. Cette fois, il s'arrêta devant Sandy Kelley, qui n'avait jamais perdu son sourire, même quand les témoignages avaient été douloureux.

– Mesdames et messieurs, vous avez entendu des dépositions bouleversantes. Il y a eu un témoin-surprise. Même moi, j'ai dû retenir mes larmes lorsque le neveu de l'accusé est venu à la barre. Mais ne laissez pas vos émotions vous troubler au moment d'accomplir votre devoir, qui est d'appliquer froidement la loi pour des faits indubitables. Si l'on en écarte l'aspect émotionnel, cette affaire est claire comme de l'eau de roche. Vous pouvez même ignorer les propos de l'accusation et vous concentrer uniquement sur ceux de la défense, c'est-à-dire sur les aveux de l'accusé – l'affaire reste claire comme de l'eau de roche. Max Menuchen a reconnu avoir enlevé Marcelus Prandus, et lui avoir projeté des vidéos montrant le meurtre de ses descendants. Puis il a assisté, sans intervenir, au suicide de la victime. Tous les chefs d'inculpation, l'enlèvement et le meurtre, sont reconnus par l'accusé. Croyez-le. Il a dit la vérité. Si vous avez foi en son témoignage, vous n'avez pas d'autre choix que de le condamner. La loi le réclame. Il se peut que vous compreniez les motifs pour lesquels l'accusé a agi – c'est mon cas – mais comprendre ne signifie pas excuser. Si vous en arriviez à absoudre l'accusé de ses actes criminels, vous adresseriez un terrible message de déni de justice aux citoyens de ce pays ; ce serait inviter chacun à bafouer le code pénal.

Cox observa la réaction de Sandy Kelley à ses mots. Elle continuait de sourire, mais hochait imperceptiblement la tête comme pour manifester son assentiment. Cox se tourna vers Faith Gramaldi et poursuivit :

– Si vous acquittiez cet assassin, ce coupable, vous encourageriez une des pires entorses au système légal : faire le procès de la victime défunte. Marcelus Prandus ne peut plus se défendre. Je ne justifierai assurément pas ses agissements voilà cinquante ans. Et je ne contesterai pas non plus les souvenirs de l'accusé, puisqu'ils sont corroborés par la lettre de sa défunte sœur. Mais quoi qu'ait commis Marcelus Prandus, cela n'autorisait pas l'accusé à s'instituer son juge, son jury et son bourreau.

En écoutant l'avocat général, Paul Prandus réalisa que l'on faisait le procès de son père en même temps que celui de son assassin. N'y avait-il donc personne pour prendre sa défense ? Selon Marcelus et ses amis, seuls ceux qui avaient vécu la guerre étaient à même de comprendre ce qui s'était passé à cette époque. Comment les jurés en auraient-ils été capables sans plus d'éclaircissements ?

– Aucune société ne peut tolérer ce genre de vengeance hors-la-loi, reprit Cox.

Puis il répéta, staccato, tout ce que Max avait admis durant son contre-interrogatoire. Il exhorta à nouveau le jury à appliquer le code, comme le juge leur demanderait de le faire, c'est-à-dire sans émotion ni partialité. Il conclut après seulement un quart d'heure de plaidoirie :

– Aux yeux de la loi, il s'agit d'un crime évident. Et aucun mot prononcé par maître Ringel n'y pourra rien changer.

51

Plaidoirie finale de la défense

C'était maintenant au tour d'Abe. Il n'avait pas préparé de fiches. Il songea au vieux dicton judiciaire : « Quand les faits sont de votre côté, appuyez-vous sur les faits. Quand la loi est de votre côté, appuyez-vous sur la loi. Quand vous n'avez ni l'un ni l'autre, appuyez-vous sur la table. » Bien qu'il fût dans ce dernier cas, Abe n'avait pas besoin de prendre des poses dramatiques. Il réunissait les talents d'un chirurgien, d'un psychologue et d'un rabbin. Son but était de faire en sorte que le jury se mette à la place de Max. Pour y réussir, il lui fallait trouver un juste équilibre entre l'émotion et la logique, afin de persuader les jurés que les actes de Max pouvaient être excusables. Et il lui fallait au moins un ou deux jurés qui sentent, au fond d'eux-mêmes, qu'ils ne pouvaient pas jeter la première pierre à Max, un ou deux jurés qui, dans sa situation, s'en seraient remis à la grâce de Dieu, plutôt qu'à la justice des hommes. Abe commença lentement, de façon presque académique.

– Mesdames et messieurs du jury, pourquoi avons-nous des lois ? Parce que les citoyens ont passé un contrat social. Aux termes de ce contrat, chaque individu abandonne son droit de se protéger, de protéger sa famille et de punir ses agresseurs en échange de la promesse d'une protection et d'une justice gouvernementales.

Lorsqu'il prononça le mot « contrat », Abe regarda Emma et sourit, content de lui.

– Un grand philosophe français, Jean-Jacques Rousseau, a inventé le terme de « contrat social », et un grand juriste américain, Oliver Wendel Holmes, l'a expliqué en termes simples : « Si la loi ne les aide pas, les hommes se laisseront aller à leur passion de la vengeance en dehors de la légalité. » Nous savons tous à quel point notre besoin de justice est profond. Le code reconnaît non seulement ce besoin mais aussi l'éventualité où la loi serait incapable de respecter sa part du marché – sa part du contrat social.

Abe vit que certains jurés commençaient à se perdre dans ses arguments abstraits et philosophiques. Joe Parola étouffa un bâillement. Sandy Kelley s'agita sur son siège. Il était temps de devenir plus concret.

– L'autodéfense, dit Abe sur un ton familier. Vous en avez tous entendu parler, n'est-ce pas ?

Parola et Kelley acquiescèrent. Il les avait récupérés, tout au moins pour l'instant.

– Quand Max Menuchen a découvert que l'assassin de sa famille vivait paisiblement à quelques kilomètres de lui, c'est devenu une question de vie ou de mort : s'il ne réussissait pas à faire traduire Marcelus Prandus en justice, il ne pourrait supporter de vivre plus longtemps. Il fallait que meure soit le tueur, soit sa victime. Une fois ce choix tragique posé, ne pensez-vous pas que l'injustice aurait été bien plus grande si Max Menuchen s'était donné la mort plutôt que de tuer Marcelus Prandus ? Vous vous souvenez de la fille de seize ans qui a sauté par la fenêtre plutôt que de subir un viol ? Maître Cox l'a évoquée au début de ce procès.

Plusieurs jurés opinèrent du chef.

– Je parie que, à la lumière de ce qui est arrivé à la sœur de Max Menuchen, maître Cox souhaiterait n'avoir jamais cité cet exemple. Est-ce qu'il n'aurait pas été plus juste que cette fille de seize ans tue son violeur plutôt que de se jeter dans le vide ? Et n'est-il pas plus juste que Marcelus Prandus soit mort le premier, au lieu de voir se suicider la seule de ses victimes qui ait survécu ?

Paul écoutait de toute son attention les arguments d'Abe, et sa colère augmentait de minute en minute.

– Il joue à être Dieu, murmura-t-il à Freddy. Comment peut-il décider quelle vie a le plus de valeur : celle d'un père et d'un grand-père aimé de toute sa famille, ou celle d'un vieillard aigri, sans enfants, sans famille et sans beaucoup d'amis ?

Abe continua :

– De crainte que vous ne pensiez que je spécule sur le suicide hypothétique de Max Menuchen, je vous rappellerai combien de survivants de l'Holocauste ont agi ainsi : certains célèbres, tels Primo Levi, Jerzy Kosinski, Bruno Bettelheim, Tadeusz Borowski, Paul Celan ; d'autres anonymes, comme le meilleur ami de Max, Dori Bloom.

Abe marqua une pause, le temps que la mention de Dori Bloom fasse son chemin. Puis il aborda un autre volet de son argumentation.

– La loi stipule que les arguments permettant à un prévenu de justifier ses actes doivent être pris en compte par le jury, qui est invité à se placer dans la situation de l'accusé. Je vous demande présentement de vous mettre dans cette situation. Imaginez que vous êtes le jeune Max Menuchen, lequel voit sa famille abattue, reçoit lui-même une balle, et survit miraculeusement. Puis imaginez que vous êtes le vieux Max Menuchen, qui apprend que l'assassin de sa famille vit en citoyen libre et respecté, entouré par une famille aimante, sans avoir jamais été traduit en justice pour ses crimes horribles. Pour finir, dit Abe en baissant la voix, imaginez que vous découvrez que votre sœur de seize ans a été violée avant d'être envoyée dans un camp de la mort, dont – mais vous l'ignorez – elle n'a réchappé que pour être assassinée quatre ans plus tard, après avoir donné naissance à l'enfant du violeur. Jugeriez-vous que le gouvernement a rempli sa part du contrat ?

Abe se tut trente bonnes secondes, pour laisser aux jurés le soin de répondre à cette question. Certains hochaient la tête, apparemment en signe d'approbation. Abe reprit en se tournant vers Patricia McGinnity, la doyenne du jury.

– Vous avez tous entendu parler de cas où une femme est fréquemment battue par son mari ou par son compagnon. Elle compose le 911. La police ne fait rien. L'homme continue à la frapper. Elle cherche de l'aide auprès du système légal. Le système lui fait défaut. Pour finir, réalisant qu'elle n'obtiendra rien de la justice, elle tue, pendant qu'il dort, celui qui la battait.

Abe vit Emma froncer les sourcils lorsqu'il fit ce rapprochement. Il espéra qu'aucun des jurés ne l'avait remarqué. Puis il en vint à la clef de voûte de son raisonnement.

– Est-ce de l'autodéfense ? Non. Pas d'après ce que vous a expliqué maître Cox, car cette femme aurait pu continuer à essayer d'appeler la police. Mais elle savait qu'on ne lui porterait pas secours. Alors elle a décidé de se protéger elle-même, de sauver sa propre vie, parce que personne d'autre ne lui venait en aide. A-t-elle eu tort ? Est-elle une criminelle ? Des jurys, partout dans le pays, ont refusé de condamner de telles femmes. Dans d'autres cas, ce sont les gouverneurs qui les ont graciées ou ont allégé leurs peines. Pour quelle raison ? Parce qu'ils ont compris que, en l'absence de justice légale, la justice personnelle devient inévitable.

– Objection, Votre Honneur, protesta Cox d'une voix sonore. Je n'aime pas du tout interrompre un confrère dans sa plaidoirie, mais maître Ringel est en train de demander au jury de désobéir à la loi, il est en train de l'embarquer vers une annulation. Ça ne se fait pas.

– Il a raison, maître Ringel. Tenez-vous-en à la loi.

– D'accord. Parlons du chef d'inculpation pour enlèvement. Le but de l'accusé n'était pas d'enlever Marcelus Prandus. Il n'y a pas eu de demande de rançon. Son objectif était que Marcelus Prandus subisse le même supplice moral qu'il avait infligé à la famille Menuchen. Ni plus ni moins. Il n'a été fait de mal à aucun innocent. Aucune violence n'a été commise inutilement.

Abe crut observer un signe d'acquiescement chez Sandy Kelley.

Si Abe s'était retourné, il aurait découvert une expression bien différente sur le visage du fils de Marcelus. Le menton de Paul Prandus se raidissait et ses yeux jetaient des éclairs haineux, tandis qu'il se rappelait combien lui – un innocent – avait souffert en regardant la vidéo qui l'avait convaincu pendant quelques minutes de la mort de son fils.

– Si vous vous mettez dans la peau de Max Menuchen, vous ne serez pas capables de le condamner pour meurtre. C'est Marcelus Prandus qui s'est ôté lui-même la vie. Il a agi de son propre gré. Personne ne l'a forcé à se suicider. Il l'a fait parce qu'il savait qu'il était responsable de ce qu'il croyait être arrivé à ses descendants.

Abe marcha à pas lents devant le jury, tandis que, mentalement, il élaborait la conclusion de son raisonnement.

– Marcelus Prandus devait être puni. Il ne méritait pas une fin paisible, sans châtiment pour ses actions diaboliques. Oui, il eût été préférable que la société sanctionne Marcelus Prandus, mais il ne pouvait en être ainsi. Quand les gouvernements ne rendent pas la justice, le contrat social est rompu, et le citoyen retourne à l'état de nature, où la loi naturelle prévaut.

« La loi naturelle, pensa Paul, ne pourrais-je pas m'en prévaloir si le jury acquitte l'assassin de mon père ? Si l'impuissance du système légal l'autorise à se venger, n'aurais-je pas le même droit ? »

Abe se plaça devant Patricia McGinnity.

– La justice réclame que l'assassin d'une famille soit traduit devant les tribunaux. Comme l'a déclaré récemment un juge américain bien connu : « Quand la justice est inopérante, la vengeance personnelle devient une obligation à laquelle on ne peut échapper. »

Paul prit note, une fois de plus, tandis qu'Abe poursuivait.

– La question que je vous pose est donc celle-ci : la loi a-t-elle fonctionné pour Max Menuchen ? La réponse est : non ! Par conséquent, Max Menuchen ne pouvait pas échapper à l'obligation de se faire justice lui-même. Auriez-vous agi différemment ?

« Puis-je agir différemment ? » pensa Paul.

Abe se tut à nouveau, pour laisser les jurés répondre en leur for intérieur. Puis il reprit.

– L'éminent philosophe d'Harvard, Robert Nozick, fait une distinction importante entre châtiment et vengeance. Le châtiment est la réponse à un acte criminel et il satisfait les exigences de la société. La vengeance est strictement personnelle. Le châtiment est infligé sans plaisir. La vengeance procure la jouissance de voir souffrir son ennemi.

« Est-ce que Max Menuchen, je vous le demande, a éprouvé du plaisir en tourmentant Marcelus Prandus ? Non, aucun. Il vous l'a dit. Et maître Cox vous a demandé de le croire. Il a goûté à la vengeance, et son goût était amer. En fait, c'est ainsi que l'on distingue un homme bon d'un mauvais : l'homme mauvais jouit de la vengeance ; le bon entreprend de punir, bien que cela ne lui procure aucun plaisir.

« Je vous conjure de mettre une fin à cette chaîne de violence, et de rendre justice – enfin – à Max Menuchen et à sa famille, en déclarant le prévenu non coupable.

Abe regagna sa chaise, les yeux fixés sur le jury, guettant une réaction à ses dernières paroles. Tout ce qu'il obtint, ce fut le sourire imperturbable de Sandy Kelley.

52

La réfutation

À présent, Erskine Cox devait prononcer « la réfutation », quelques phrases que nombre d'avocats considèrent comme déterminantes, car la partie adverse ne peut pas y répondre. Pour cette brève intervention, Cox troqua son fauteuil roulant contre une paire de béquilles. Il se leva en grimaçant, signifiant de façon claire aux jurés qu'il ne recherchait aucune compassion et ne réclamait aucune considération particulière pour ses souffrances. Abe ne pouvait qu'admirer la partie muette de la plaidoirie de l'avocat général.

– Il n'y a qu'une seule façon de rompre la chaîne de la violence, une seule façon de rendre la justice, c'est d'appliquer la loi de la même façon à tous, commença Cox. Pas de la manière utilisée par Marcelus Prandus, ni de celle employée par Max Menuchen.

Cox montra l'accusé.

– On peut comprendre les motifs d'une vengeance personnelle, mais elle reste inacceptable aux yeux de la loi. C'est le rôle des tribunaux – comme l'a justement souligné maître Ringel – d'exercer de justes châtiments. Si notre système légal échoue, améliorez-le, mais ne laissez pas la vengeance personnelle s'y substituer, ce serait accorder à chaque citoyen le droit de vie et de mort.

Cox s'éloigna du banc du jury en marquant plusieurs arrêts, puis il se dirigea vers la table de la défense. Il lui fallut une bonne minute pour arriver devant Abe et Max Menuchen.

– Tous ceux qui ont enduré les mêmes épreuves que l'accusé, continua-t-il, n'ont pas ressenti la nécessité de se venger en éliminant les assassins de leurs proches. Élie Wiesel a écrit des livres – de beaux livres. Simon Wiesenthal a traduit des nazis devant les tribunaux – la justice légale. Ils n'ont pas tué et ils ne se sont pas suicidés. L'existence est une succession de choix. Certains choisissent de rester obsédés par le passé, tandis que d'autres prennent les cartes qu'on leur a distribuées, et font de leur mieux avec.

En prononçant ces mots, Cox fit laborieusement un pas. Il se pencha vers l'accusé et poursuivit :

– Tout le monde n'agit pas comme Max Menuchen. Si ce procès se termine par un acquittement, certains adeptes de la violence y verront une invitation à répondre au moindre affront par une escalade dans la barbarie. Pensez à ce qui se passe sur nos autoroutes. Une voiture fait une queue-de-poisson à une autre ; le conducteur contrarié répond par un geste obscène ; on sort les armes ; on tire des coups de feu ; il y a un mort. Au nom de quoi ? De la vengeance ? Il se peut que le philosophe Robert Nozick comprenne la différence subtile entre châtiment et vengeance, admit Cox avec ironie. Mais le chauffard ivre, armé d'un revolver chargé, la comprendra-t-il ? La réponse est : non.

Cox remarqua des signes d'assentiment chez plusieurs jurés.

– Il n'est pas étonnant que Francis Bacon appelle la vengeance « une sorte de justice sauvage ». Et ce qu'il a écrit à ce sujet devrait orienter votre décision : « Plus la nature humaine tend à la vengeance, plus la loi doit en arracher les racines. » C'est votre travail, mesdames et messieurs du jury : arracher les racines de la vengeance en condamnant ce tueur et ce kidnappeur. C'est votre devoir d'appliquer la loi. Ne vous y dérobez pas.

La séance du matin s'acheva sur ces mots. Le juge Tree annonça que le procès reprendrait après le déjeuner.

En quittant la salle, Abe s'approcha de Freddy Burns.

– Paul Prandus est pour moi un mystère. Je ne parviens pas à le déchiffrer. Tu passes pas mal de temps avec lui, non ? Je peux au moins en déduire qu'il est mauvais juge en ce qui concerne ses relations, plaisanta Abe.

– Avec qui veux-tu qu'il sorte ? Avec toi ? Il te déteste. J'ai essayé de le convaincre que tu n'étais pas si mauvais que ça – pour un avocat. Mais il croit que tu as manigancé cette altercation avec ta fille pour lui faire perdre son calme. Il est persuadé que tu nous as tous manipulés avec ton témoin-surprise, le jeune Max Menuchen. Et il n'apprécie guère d'avoir appris l'existence de son demi-frère dans une salle de tribunal.

– Oui, je peux l'imaginer. Tu veux manger un morceau ?

– Désolé. Je ne tiens pas à être vu en train de déjeuner avec l'ennemi. Une autre fois, quand l'affaire sera terminée.

– OK.

En s'éloignant, Abe remarqua que Paul Prandus avait rejoint Freddy et lui parlait avec animation. Freddy agrippa Paul par le bras et s'écria : « Tu ne peux pas faire ça ! » Une conversation ponctuée de nombreux gestes s'ensuivit. Abe n'entendait plus leurs paroles. Soudain, Paul se précipita à l'extérieur du tribunal. « Il y a quelque chose dans l'air », soupçonna Abe en suivant le jeune Prandus du regard.

53

Les instructions du juge

C'était le moment pour le juge Tree de donner ses instructions au jury. À la différence de la plupart de ses collègues, qui lisaient les textes standard, des définitions souvent incompréhensibles des crimes et des lois qui devaient leur être appliquées, il s'enorgueillissait de parler aux jurés dans un langage qu'ils pouvaient comprendre.

– Laissez-moi vous raconter une histoire, commença le juge Tree en s'asseyant familièrement sur la barrière qui délimitait le box des jurés.

« Il était une fois un vieux roi qui était un tyran pour son pays. Ses sujets réclamaient une législation, afin de savoir ce qu'ils avaient le droit de faire et ce qui leur était interdit. Mais le roi désirait que les lois restent obscures, pour les appliquer selon son bon plaisir. Alors il embaucha une équipe de juristes chargés de rédiger des textes de telle façon que seuls d'autres juristes pourraient les déchiffrer. Cela, mesdames et messieurs, c'est la naissance de la "langue juridique", le plus incompréhensible de tous les jargons.

Quelques jurés et spectateurs étouffèrent un rire.

– Je n'emploierai donc pas cette langue, mais l'anglais de tous les jours, car je veux que vous compreniez la loi.

Si vous ne saisissiez pas quelque chose, arrêtez-moi et j'essaierai de vous l'expliquer. D'accord ?

Un chœur de « OK » lui répondit.

– Commençons par le meurtre. Il en existe différentes sortes. Deux d'entre elles peuvent s'appliquer au cas qui nous occupe. Premièrement, le meurtre simple avec préméditation : à l'exemple d'un homme de main de la mafia qui abat quelqu'un d'une bande rivale.

« Le second est plus compliqué. On l'appelle "meurtre avec circonstances aggravantes". Comme son nom l'indique, c'est un assassinat perpétré dans des circonstances considérées, elles aussi, comme criminelles – ici, ce serait l'enlèvement. Si vous décidez, au-delà d'un doute raisonnable – je vous expliquerai dans une minute ce que cela signifie –, que l'accusé a retenu Marcelus Prandus pendant une période de temps notable, cela s'appelle un enlèvement. Pas la peine qu'il y ait eu une demande de rançon. Le retenir contre son gré suffit. Ensuite, si la mort de Prandus est une conséquence de l'enlèvement, alors le kidnappeur est coupable de meurtre avec circonstances aggravantes, même s'il ne voulait pas la mort de sa victime. S'il la souhaitait, le verdict est encore plus évident. Prandus s'est tué lui-même ? Le principe reste valable si vous décidez que l'enlèvement a été la cause de son suicide. C'est à vous d'en juger. Mais souvenez-vous, vous ne pouvez déclarer l'accusé coupable que si vous en êtes convaincus au-delà d'un doute raisonnable. Des questions ?

Aucune main ne se leva.

– D'accord. Maintenant, j'en viens à la notion de « au-delà d'un doute raisonnable ». C'est un point ardu. Personne ne sait vraiment ce que cela signifie, et ce n'est pas la Cour suprême qui va nous l'expliquer. Je vais essayer de vous guider. En général, dans la vie courante, devant une alternative et en l'absence de certitudes, on opte pour la solution qui paraît la meilleure selon toute probabilité. Je vous donne un exemple. Vous avez deux trajets possibles pour rentrer chez vous en sortant du tribunal. L'un des deux vous impose un détour, mais il vous paraît plus sûr. Alors vous choisissez ce chemin. Si vous concluez que le moindre doute subsiste quant à la culpabilité de l'accusé, vous êtes censés le déclarer non coupable. Ce qui ne signifie pas que vous le jugez innocent.

« Le déclarer non coupable, cela veut simplement dire que l'accusation n'a pas prouvé sa version au-delà d'un doute raisonnable. Elle vous a laissé le sentiment désagréable que le prévenu pourrait ne pas être coupable. En revanche, si vous arrivez à la conclusion que l'accusé est – au-delà d'un doute raisonnable – coupable selon la loi, vous devez le condamner et ne pas vous laisser troubler par vos émotions.

« Des questions ?

Toujours aucune main levée.

Paul Prandus aurait aimé être juré afin de lever la main pour poser la question qui lui brûlait les lèvres : comment pourrait-il subsister le moindre doute ? Max Menuchen n'avait-il pas reconnu qu'il avait enlevé et assassiné son père ? Si le jury l'acquittait, ce ne serait que par sympathie, et cela n'aurait plus rien à voir avec la justice.

– Bien. J'ai encore un point à éclaircir avec les avocats avant de vous donner mes dernières instructions, annonça le juge Tree. Par ici, messieurs.

– Je n'ai pas bien compris ce que voulait suggérer votre plaidoirie finale, maître Ringel. En substance, vous avez déclaré aux jurés qu'ils sont la conscience de la communauté, dont le devoir est de se déterminer d'après les faits. Mais vous souhaitez que je leur conseille d'appliquer la loi en se laissant guider par leur propre sens de la justice plutôt que par les textes. Je n'ai pas envie d'abonder dans votre sens, mais je suis prêt à entendre rapidement vos arguments à ce propos.

– Merci, monsieur le juge. « Le jury est la conscience de la communauté », c'est ce que nous enseigne le fameux procès de John Peter Zenger, qui se déroula avant la fondation de la nation américaine. Dans cette affaire, le jury avait refusé de condamner pour diffamation l'éditeur new-yorkais, alors que la législation coloniale réclamait cette sentence. Au cours des siècles suivants, les jurés ont continué d'user d'une telle prérogative. Il n'y a aucune raison de taire cet aspect de notre justice.

– Maître Cox, je suis sûr que vous n'êtes pas d'accord.

– Je ne dénie pas ce pouvoir aux jurés. Par le passé, il s'est exercé pour le meilleur et pour le pire. Des jurys du Sud ont ainsi acquitté des Blancs assassins de Noirs qui militaient pour les droits civiques. En revanche, d'autres jurys ont condamné des personnes qui méritaient d'être relaxées. Cependant, je m'oppose fermement à ce que Votre Honneur dise explicitement aux jurés qu'ils peuvent se prononcer pour un non-lieu. Vous ne devez pas les inviter à désobéir à la loi.

– C'est une affaire délicate, concéda le juge Tree. Il existe des précédents des deux côtés. Je n'ai pas l'intention d'évoquer le non-lieu. Toutefois, je crois que, lorsque des doutes pèsent sur les instructions à donner aux jurés, ils doivent se résoudre en faveur de l'accusé. Je vais donc déclarer aux jurés qu'ils doivent se laisser guider par leur sens de la justice.

– Objection, Votre Honneur, s'écria Cox, sans espoir d'être entendu.

– Elle est notée, maître Cox.

Après avoir attentivement écouté les instructions du juge Tree, le jury se retira dans la salle des délibérations.

L'attente allait être longue pour Max Menuchen, pour Paul Prandus, pour Abe Ringel – et pour le public qui continuait à discuter le pour et le contre à propos de la manière inhabituelle dont Max Menuchen s'était fait justice.

« Les dés sont jetés », avait songé Abe en regardant les jurés s'éloigner. Que n'aurait-il pas donné pour être une mouche sur les murs de la salle de délibération ! Il comprenait les raisons pour lesquelles le jury devait être libre d'examiner les preuves derrière des portes closes. Pourtant, il aurait aimé savoir si ses arguments avaient porté.

Huitième partie

LE VERDICT

54

La délibération

Les douze jurés pénétrèrent dans la pièce sans fenêtres qui leur était réservée et s'installèrent autour de la grande table. Ils ne savaient pas comment entamer leurs délibérations, ni même comment choisir un rapporteur.

Sandy Kelley était une petite femme d'origine irlandaise, exubérante et chaleureuse, qui approchait la cinquantaine, et avec qui tout le monde s'entendait bien. Jim Hamilton exprima tout haut ce que pensaient les autres :

– Pourquoi Sandy ne serait-elle pas notre rapporteur ?

Sa proposition fut approuvée à l'unanimité.

– Bon. Alors commençons par l'enlèvement. Ils l'ont attrapé, ils l'ont attaché et ils l'ont forcé à regarder ces horribles scènes vidéo. Si ce n'est pas un enlèvement, qu'est-ce que c'est ?

– Il n'y a pas eu de demande de rançon, rappela Janet Gold.

– Le juge a bien précisé qu'il n'était pas nécessaire qu'il y en ait une, aboya Sandy.

– Peut-être, mais il nous a aussi conseillé de nous servir de notre bon sens – de notre sens de la justice, je crois que c'est comme ça qu'il l'a formulé, intervint Joe Parola en étirant ses longs bras.

– Et le meurtre ? demanda Sandy.

– Je ne peux pas voter la condamnation pour meurtre, continua Joe Parola. Ce salaud s'est tué lui-même, et il a eu ce qu'il méritait.

– C'est ridicule, rétorqua Faith Gramaldi. Prandus ne se serait jamais suicidé si Max Menuchen ne l'avait pas poussé au désespoir avec ces montages vidéo.

– Menuchen ne l'aurait jamais forcé à regarder ces vidéos si Prandus n'avait pas assassiné toute sa famille, précisa Gold.

– Le salaud n'a eu que la monnaie de sa pièce, insista Parola.

– Personne n'a le droit de se substituer à Dieu, affirma John Dolan.

– Et ce que l'on nous demande de faire, vous appelez ça comment ? répliqua Gold.

Parola se leva, visiblement agité.

– Combien d'entre vous peuvent me déclarer en face qu'ils n'auraient pas commis le pire si ce salaud avait assassiné leur famille ?

– Pourriez-vous, s'il vous plaît, arrêter de dire « ce salaud » en parlant de la victime, demanda Muriel Baker. Il est mort, et cela me gêne qu'on l'appelle comme ça.

– D'accord, mais que celui qui n'a jamais péché jette la première pierre à l'accusé.

– Je vais jeter la première pierre, articula Charles Duncan. Je sais que je ne pourrais jamais tuer un homme attaché à une chaise.

– Et à une chaise électrique ? ironisa Parola.

– Vous savez très bien que ça n'a rien à voir, riposta Duncan.

La plus âgée, Patricia McGinnity, ne s'était pas encore

exprimée. Elle leva la main poliment, et Sandy lui donna la parole.

– J'ai soixante-six ans, et j'ai vécu un peu plus longtemps que le reste d'entre vous. Cela ne me rend pas plus intelligente, mais pas plus bête non plus.

« Je pensais autrefois que Dieu réglait ce genre de problèmes. Mais mon neveu, qui est un prêtre jésuite, m'a appris quelque chose que je voudrais partager avec vous. Il m'a affirmé qu'il y a deux occasions dans la vie où l'on doit se conduire comme un athée, c'est-à-dire comme si Dieu n'existait pas. La première, lorsqu'on vous demande la charité. Il faut donner comme si Dieu n'y pourvoyait pas. La seconde, quand on participe à un jury. Il faut décider du destin de l'accusé comme s'il n'y avait pas de Jugement dernier. Moi, Patricia McGinnity, la vieille femme qui craint Dieu et qui va à l'église, je vais cependant juger cette affaire comme si Dieu n'existait pas.

Il y eut un moment de silence, puis la discussion reprit.

Le tribunal devait rester ouvert jusqu'à vingt heures, le juge Tree demeurant dans son bureau au cas où le jury aurait eu besoin d'un conseil. Le magistrat était extrêmement souple sur certaines règles. Il avait autorisé l'accusé à attendre dans la salle pendant les délibérations. Le jeune Max lui tenait compagnie. Abe Ringel passait de temps à autre jeter un coup d'œil, parfois accompagné de Rendi. Les cours d'Emma et de Jacob avaient repris. On avait demandé à Danielle de rester à l'écart jusqu'au verdict, au cas où elle serait elle-même jugée.

Ces heures tardives passées dans la salle du tribunal, qui s'était peu à peu vidée, permirent à Max de mieux connaître son neveu retrouvé. Les deux hommes, assis côte à côte, parlèrent longuement.

Ce soir-là, les talk-shows télévisés posèrent la question

qui hantait tout le monde : « Pensez-vous que l'accusé Max Menuchen se devait d'agir comme il l'a fait ? » Presque tous les experts répondirent « non ». Les petites gens qui s'exprimèrent au cours des émissions étaient partagés.

Après plusieurs jours, le jury ne s'était toujours pas prononcé et Max était pessimiste quant à l'issue de son procès. Abe lui avait expliqué qu'un verdict rapide signifiait souvent l'acquittement, et qu'un verdict long à obtenir pouvait suggérer des complications.

Cependant Max sentait que, quelle que fût l'issue, il avait gagné. La mort de Prandus l'avait aidé à tirer un trait sur le passé, elle avait révélé un nouveau Menuchen. Le jeune Max faisait les cent pas. Les spécialistes convoqués sur les chaînes de télévision prédisaient la condamnation pour les deux chefs d'inculpation.

55

Empêchement

Au matin du troisième jour, les cris dans la salle des délibérations devinrent si forts que les journalistes parvenaient à entendre certaines paroles prononcées par les jurés. L'huissier prévint le juge Tree, qui convoqua le jury.

– Le moment est venu de les rappeler à l'ordre, murmura le juge Tree aux avocats.

Le juge devait tenter de débloquer la situation. Il se tourna vers les jurés, apparemment incapables de rendre le moindre verdict, et dont, à présent, aucun ne souriait plus.

– Je voudrais que vous y retourniez et que vous essayiez d'arriver à une conclusion. Celui d'entre vous, qui que ce soit, qui bloque, doit écouter attentivement les autres. S'il est convaincu par leurs arguments, qu'il change d'avis. S'il n'est pas convaincu, qu'il campe sur ses positions.

– Qu'est-ce que ça veut dire ? interrogea Max.

– Cela signifie que le juge ne veut pas d'un jury « empêché », car cela signifierait qu'il faut tout recommencer, expliqua Abe.

– Il faudrait reprendre le procès depuis le début ? Cela ne risquerait pas de multiplier la difficulté par deux ? s'inquiéta Max, abattu.

– Non. Le jury empêché est congédié et l'on recommence avec un nouveau. Les juges détestent les jurys empêchés. C'est un signe d'échec. Cela donne l'impression que le premier procès était une perte de temps et d'argent.

– Et toi, en tant qu'avocat, qu'en penserais-tu ?

– C'est comme embrasser une cousine. Match nul. Mais c'est toujours mieux qu'une condamnation.

– Tu crois que je vais être condamné, Abe ?

– Je l'ignore. C'est possible. Un rappel à l'ordre incite parfois les jurés qui bloquent à rejoindre la majorité. S'ils reviennent vite, cela pourrait être mauvais signe.

Au moment où Abe achevait sa phrase, un huissier annonça :

– Le jury a terminé ses délibérations.

– Aïe, aïe, dit Abe en passant un bras autour des épaules de Max.

Les jurés reprirent leur place dans la salle. Certains visages exprimaient de la colère.

– Avez-vous obtenu un verdict sur les deux chefs d'accusation, madame le rapporteur ? interrogea le juge Tree.

Silence absolu dans la salle.

– Nous sommes désespérément bloqués sur les deux chefs d'accusation, déclara Sandy Kelley en levant les mains en signe d'exaspération. Personne ne cède. Nous renonçons.

Il y eut un murmure de désappointement parmi le public, tandis que les deux avocats, découragés, baissaient la tête.

– Eh bien, je crois que nous n'avons plus qu'à tout recommencer avec un nouveau jury, annonça le juge sans cacher son mécontentement.

Paul était assis, silencieux et choqué, examinant ce que signifiait pour lui un jury empêché. Il aurait su comment réagir en cas de condamnation. Il savait ce qu'il avait imaginé de faire en cas d'acquittement. Mais ça... un jury empêché ! Ça ne résolvait rien. Le jury n'avait pas fait son travail. Le système légal les avait lâchés, lui et son père.

En écoutant distraitement le juge et les avocats jouer leurs rôles respectifs, qui lui semblaient maintenant hors de propos, Paul luttait pour se contrôler.

Le juge Tree annonça qu'il fixerait dans les deux semaines à venir la date d'un nouveau procès.

Paul regarda Abe qui se levait pour répondre. Il vit Max murmurer quelques mots à l'oreille de son avocat. Tout semblait se passer au ralenti, avec le son baissé. Le cerveau de Paul résonnait de pensées contradictoires. En lui, le Prandus exigeait la vengeance.

Paul fixa Abe Ringel tandis qu'il réclamait la liberté sous caution pour son client. Il éprouvait de l'hostilité pour son confrère. C'était la faute de Ringel, ce jury empêché. L'injustice de cette incertitude. La nécessité de subir à nouveau les transes d'un procès et l'humiliation.

Puis Paul se tourna vers l'homme qui avait poussé son père au suicide. Cet individu qui avait envisagé de tuer son fils de huit ans, qui avait torturé Marcelus en fabriquant cette vidéo diabolique. Paul se rappela le visage de son père étendu sur la table d'acier de la morgue – ce père qu'il avait aimé, mais dont il ne pouvait comprendre les mauvaises actions, ce père qui réclamait vengeance. Il se souvint comment son propre fils voulait que justice soit faite. Maintenant c'était à lui, Paul, de faire quelque chose.

Soudain, les pensées conflictuelles de Paul fusionnèrent dans un besoin d'action. Il glissa sa main sous le banc et ouvrit la grande serviette en cuir qu'il avait apportée au tribunal. Avocat bien connu des responsables de la sécurité, il avait pu entrer sans passer par le détecteur de métaux. Il appartenait au système judiciaire, il avait juré de résoudre les conflits sans violence. Paul percevait ce qu'il y avait là d'ironique, tandis qu'il fouillait dans sa serviette. Sa main trouva une boîte de la taille d'un carton de lait. Il la sortit rapidement et la serra sous son bras. Puis il se leva et fonça vers le portillon qui isolait l'assistance. Cela faisait trop longtemps qu'il était spectateur de la justice. À présent, il allait devenir acteur. Il courut vers la table de la défense, tandis que Freddy hurlait :

– Ne fais pas ça, Paul ! Pense à ton fils !

Un huissier obèse saisit Paul qui, plus jeune et athlétique, se dégagea facilement, et le mit tout de suite KO. En un instant, Paul se retrouva face à face avec Max, les yeux dans les yeux. Tout se passa très vite.

Max ne dit pas un mot. Son expression ne réclamait pas la pitié. Il se rappelait le regard bleu acier de l'homme qui l'avait mis en joue dans le bois du Ponant. Les deux Prandus avaient le même regard.

D'un geste rapide, Paul ouvrit la boîte, en sortit un objet métallique d'une forme étrange et le brandit en direction de Max.

Au moment où Paul fouillait dans sa serviette, il se passait autre chose dans le fond de la salle. Le vieux Lituanien, qui avait assisté chaque jour au procès, tendit la main en arrière pour ouvrit le compartiment qui abritait le moteur de son fauteuil roulant. Il en sortit rapidement le pistolet calibre 38 qu'il y avait dissimulé. Le vieil homme ne vit pas Paul bondir à travers le portillon, tandis que lui-même levait son arme et visait soigneusement Max Menuchen, l'homme qui avait tué son meilleur ami. En appuyant sur la détente, il cria « *Kerstas !* », le mot lituanien pour « vengeance ».

Avant qu'il ne tire une seconde fois, Peter Vovus, l'injuriant en lituanien, le frappa et fit tomber son revolver.

La balle fatale s'était dirigée vers le cœur de Max. Un instant plus tôt, elle l'aurait sûrement atteint. Mais elle heurta l'objet métallique que Paul brandissait devant Max. Cela fit un cliquetis bizarre, et la balle alla se ficher dans le mur. Max était tombé à la renverse. Pendant un instant, il crut qu'il avait été touché par Paul Prandus. Puis il se rendit compte que l'objet de métal qui lui avait sauvé la vie était le calice marrane, ce calice que Marcelus Prandus avait volé à sa famille, le soir où il leur avait ôté la vie.

Un vent de folie soufflait sur le tribunal : le public criait, les huissiers évacuaient le vieil homme dans son fauteuil roulant, Abe aidait Max à se relever, le juge, ébranlé, tentait de rétablir l'ordre à coups de marteau. Deux autres huissiers immobilisaient Paul Prandus.

– Ce calice appartient à votre famille, pas à la mienne, s'écria Paul.

Puis il annonça :

– Je ne veux pas de nouveau procès. Aucun jury ne condamnera cet homme, et ce jury empêché est mieux qu'un acquittement. Plus de procès. On en a assez.

Cox désigna Max.

– Vous ne voulez plus que cet homme soit traduit en justice ?

Le juge Tree l'interrompit.

– Je veux savoir, et je veux savoir *tout de suite*, hurla-t-il aux responsables de la sécurité, comment un pistolet a pu être introduit dans cette salle !

Timidement, un des gardes tenta de se justifier.

– On ne fouille pas les fauteuils roulants, Votre Honneur.

– À partir d'aujourd'hui, on fouillera même le pape, et je me fiche de savoir s'il se trouve dans un fauteuil roulant. Maintenant, revenons à notre affaire. Monsieur Prandus, on s'occupera de votre conduite plus tard. Finissez d'exposer ce que vous avez à dire.

– Si le jury avait acquitté cet homme, je ne sais pas ce que j'aurais...

Paul s'interrompit, se redressa de toute sa hauteur, fixa Max et murmura :

– La spirale de la vengeance doit cesser avant qu'elle ne consume mon fils. Avocats, juges et jurés sont impuissants à trancher cette affaire. Elle est trop complexe pour la loi. Elle doit se résoudre en dehors du tribunal. Je réclame la vengeance, pas la justice, or ma religion m'interdit la vengeance. Les charges contre Max Menuchen et Danielle Grant doivent être abandonnées.

Les deux Menuchen, muets, regardèrent Paul s'éloigner. Pour la première fois depuis le bois du Ponant, le vieux Max comprit que le sens de la justice pouvait exister même chez le fils d'un criminel sans remords. Et pour la première fois depuis qu'il savait qui était son père biologique, le jeune Max n'avait plus peur d'avoir en lui du sang de Prandus. Pour la première fois depuis qu'elle avait été violée par son grand-père, Danielle Grant, qui, assise au fond de la salle, attendait le verdict, eut la preuve que la méchanceté et la bonté étaient le propre de chacun, et non pas des caractères hérités.

Tout était allé trop vite pour Max, qui ne comprenait pas clairement ce qui se passait. Erskine Cox annonça qu'il allait accéder au souhait de Paul Prandus et abandonner les charges. Le juge Tree ordonna que les accusations soient levées et annonça que Max et Danielle étaient libres. Max remercia Abe et se tourna rapidement vers son neveu. Les deux Menuchen s'étreignirent, submergés par des larmes de joie. Le plus jeune sortit de son portefeuille la lettre de sa mère, qu'il embrassa.

Abe se dirigea vers Freddy Burns et murmura :

– Merci pour ton intervention.

Freddy sourit et répondit :

– Je n'avais aucune idée de ce que Paul allait faire. Franchement, j'ai eu une trouille bleue qu'il essaie de blesser Menuchen – ou de te blesser toi. Au lieu de ça, il a sauvé la vie de ton client, menacée par cet idiot en fauteuil roulant.

– Par accident, intervint Abe.

– Si tu crois aux accidents... ajouta Freddy en levant les yeux au ciel. Paul est un homme en conflit avec lui-même. Son bon côté l'a emporté, grâce à toi et à une petite aide d'en haut.

– Pourquoi grâce à moi ? Il me déteste.

– Oui, il te déteste. Mais je crois que tes arguments ont fini par le toucher. C'était ton plan depuis le début du procès, n'est-ce pas ? C'était Paul, « l'unique juré » que tu devais convaincre. C'est pour cette raison que tu lui as permis de rester dans la salle après sa déposition ?

– Je plaide coupable, admit Abe avec un sourire.

Abe Ringel se rappelait cette phrase du Talmud qu'Haskell Levine gardait toujours devant lui, sur son bureau : « Celui qui tue un seul être humain, c'est comme s'il tuait le monde entier. Celui qui sauve un seul être humain, c'est comme s'il sauvait le monde entier. » À ces mots, Abe ajouta en lui-même : « Celui ou celle qui arrive à agir de manière parfaitement juste envers un autre être humain, c'est comme s'il agissait de manière parfaitement juste envers le monde entier. » Abe pensait autant à Paul Prandus qu'à Max Menuchen.

Épilogue

Cambridge, Massachusetts
Sept mois plus tard, avril 2000, le jour de Pâques

– Ce seder est bien plus agréable que celui de l'an dernier, affirma Max en levant son verre de vin. À Abe Ringel, le plus grand avocat depuis Abraham.

– Arrête, Max. C'est grâce à des clients comme toi que mon travail est un plaisir, même si je dois reconnaître que, certains jours, je me suis rongé les sangs.

C'était un seder somptueux, qui rappelait à Max celui que célébraient dans la tradition les Menuchen en Lituanie. En plus d'Abe, de Rendi, d'Emma et de Max – qui avaient tous participé au seder mouvementé de l'année passée –, étaient présents le jeune Max et son épouse, Rachel. Rachel était la petite-fille d'une survivante restée à Varsovie après la guerre. Elle fréquentait depuis longtemps le jeune Max, et leur amitié s'était rapidement épanouie en histoire d'amour, puis en mariage, quand Max était rentré en Pologne après le procès. Rachel attendait un enfant. Le couple hésitait entre s'installer aux États-Unis ou en Israël.

Le vieux Max, lui aussi, projetait de retourner en Israël lorsqu'il aurait pris sa retraite d'Harvard, à la fin du semestre. Il avait accepté pour un an un poste de professeur invité à l'Université hébraïque.

Emma était seule. Elle avait rompu avec Jacob peu après le procès. Abe était embêté par cette rupture, mais Max était content qu'Emma s'ouvre à de nouvelles relations.

– Viens me voir cet été en Israël, suggéra Max. Il y a là-bas une foule de jeunes gens audacieux qui te feront oublier Jacob.

– Pas question, répondit Abe à la place d'Emma. Je veux qu'elle reste ici, à Cambridge. Pourquoi ne travaillerais-tu pas pour moi, cet été ? lui proposa-t-il. Je ne te confierai que des accusés innocents.

– Pas question, papa. J'en ai ma claque du droit pénal. C'est trop macabre. Il y a trop de souffrance et pas assez de justice dans ces affaires.

– Est-ce que ma plaidoirie pour Max ne t'a pas rendu un peu de confiance dans notre système judiciaire ?

– Oui, c'est possible, mais le droit pénal ne me convient pas. Je veux exercer une profession où je me sente bien tous les jours.

– Que fait Angie cet été ? demanda Rendi.

– Je craignais que tu ne me poses cette question, avoua Emma en baissant la voix.

– Je le savais ! rétorqua Abe. Elle travaille pour Cravath. Wall Street. Je le savais !

– Raté. Elle va à Hollywood. Dans une société qui s'occupe de droits artistiques. Leonardo DiCaprio, Michael Jackson, John Grisham, les plus grandes stars sont leurs clients. Angie est folle de joie. Elle veut même se lancer dans la production de films. J'ai eu une offre de la même boîte. J'ai été tentée, mais ce n'est pas assez réel pour moi.

– Quelles autres propositions as-tu reçues ? interrogea Rendi.

– La Ligue féminine de basket. Pour un poste de

juriste, pas de joueuse, malheureusement. Mais ça non plus, ce n'est pas assez réel. Et ça me rappellerait Joe Campbell.

– Allons, viens travailler avec moi, ma chérie, supplia Abe. J'abandonnerai le droit pénal, et je deviendrai avocat de droit civil, rien que pour toi.

– Tu as l'air d'en avoir extrêmement envie, papa, mais ta plaidoirie manque d'arguments.

– Alors, que penses-tu faire cet été ? continua Rendi.

– Le professeur Stith m'a proposé un travail d'assistante de recherches. Elle veut me recommander à la Cour suprême. Elle pense que je ferais un grand clerc de justice.

– Tu ferais un grand n'importe quoi, ma chérie. Tes recherches pour le professeur Stith porteraient sur quoi ?

– Je rédigerai un article intitulé « Une fille déloyale révèle tous les petits secrets de son avocat de père ».

– Tu ne ferais pas ça, rétorqua Abe.

– Je plaisante, papa. Avec moi, tes secrets seront toujours bien gardés, répondit Emma en passant un bras autour du cou de son père. Du moins tant que tu t'en tiens à défendre des types bien, comme Max.

Le seder se déroulait dans une excellente ambiance : le vieux Max racontait des histoires, le jeune Max portait un peu trop de toasts, et Abe bavardait avec Emma de son avenir. Mais l'aspect « réunion de famille » ne devait pas prendre le pas sur la religion. Abe rappela les rituels importants à accomplir.

– Il est temps d'accueillir Élie. Vas-y, Emma.

En se levant pour aller ouvrir la porte, Emma lança un regard interrogateur en direction de Max, visiblement inquiète de ses réactions. Max lui sourit :

– Vas-y, Emma. Les fantômes sont partis à présent. À la porte, il n'y a plus qu'Élie.

Emma ouvrit la porte sur l'air froid de la nuit.

Un grand homme blond vêtu d'un imperméable se

tenait debout sous la bruine. Emma, effrayée, fit un pas en arrière. Max reconnut le visage du visiteur et rejoignit d'un bond Emma.

L'homme à la porte était Paul Prandus.

– J'attendais dehors que votre célébration soit finie. J'ai pensé que vous seriez tous réunis ce soir. Je ne voulais pas m'imposer, mais je dois vous parler.

Paul interrogea Max du regard.

– Vous m'avez sauvé la vie. Vous ne vous imposez pas, consentit froidement le vieil homme en faisant signe à Paul d'entrer.

– Je veux vous exprimer mon pardon pour ce que vous avez fait à mon père, déclara Paul, presque dans un murmure. Et je veux vous demander pardon pour ce que j'avais décidé d'accomplir si le jury vous avait déclaré non coupable.

– Qu'aviez-vous l'intention de faire ? demanda Max.

– J'étais prêt à vous tuer, confessa Paul d'une voix sourde. Et depuis, dans mon cœur, je me sens coupable de cette pensée meurtrière.

Paul inspira profondément et poursuivit :

– Lorsque le jury est resté bloqué, j'ai réfléchi à ce que cela signifiait. Et j'ai compris qu'un jury empêché était le seul verdict juste. Personne ne pouvait prendre une décision tranchée à propos de ce qui s'était passé. La loi est un instrument émoussé. Elle n'est pas assez subtile pour des affaires comme celle-là.

Max acquiesça :

– Moi aussi, j'en suis arrivé à la conclusion qu'un jury empêché était le verdict correct. Je ne méritais pas d'être déclaré innocent. Et je ne méritais pas non plus d'être reconnu coupable. J'étais légalement coupable, mais je ne crois pas que je l'étais moralement.

Paul hocha la tête en signe d'accord tandis que Max le regardait au fond des yeux et ajoutait :

– Vous n'êtes pas Marcelus Prandus. À vous, je peux pardonner.

– Merci, fit Paul en baissant la tête. Votre pardon est important pour moi. J'espère également pouvoir être pardonné pour ce que j'ai dit et pensé de vous, ajouta Paul en se tournant vers Abe et Emma.

Ils lui adressèrent un signe de tête.

– J'aimerais vous poser une question, si vous me le permettez, reprit Max. Si vous étiez prêt à me tuer, pourquoi aviez-vous apporté le calice marrane au tribunal ?

– Parce qu'il appartenait à votre famille, pas à la mienne. Indépendamment de ce que j'avais prévu de faire en cas d'acquittement, je ne pouvais pas garder cet objet. Il m'aurait toujours rappelé le massacre de votre famille par mon père.

Mal à l'aise, Paul se tut tandis que chacun fixait ses yeux sur lui en remuant ses propres pensées.

Quand le vieux Max fit un pas vers la porte pour inviter Paul à partir, celui-ci se rapprocha du jeune Max, toujours assis à table :

– Je veux connaître mon frère, articula-t-il.

Il y eut dans la pièce un silence embarrassé. Puis le jeune Max se leva et serra la main de Paul dans les siennes.

Doucement, il sourit :

– Mon frère.

Tout le monde était réuni autour de la table. Le vieux Max souleva le calice marrane et le tendit au jeune Max.

– Je veux que tu le conserves. C'est l'héritage des Menuchen, et tu es l'avenir de notre famille. Transmets-le à ton enfant puis à tes petits-enfants. Il ne faut jamais oublier le passé. Mais à présent, buvons à l'avenir.

Il remplit le calice de vin, et le fit passer à la ronde. Paul Prandus en but la dernière gorgée.

Remerciements

Nombre des membres de ma famille et de mes amis ont lu les premiers jets de ce roman. Ma fille Ella et mon épouse Carolyn ont été impliquées dans chaque phase de son écriture, puis de la publication, jusque dans le choix de l'illustration de la couverture[1]. Mes fils, Elon et Janim, m'ont prodigué des critiques affectueuses auxquelles j'ai appris à me fier. Mon frère Nathan, ma belle-sœur Marylin, mon neveu Adam, ma nièce Rana, ma mère Claire, ma belle-mère Dutch, mon beau-père Mortie, mon beau-frère Marvin et ma belle-sœur Julie m'ont généreusement donné leur avis. Mes chers amis, Michael et Jackie Halbreich, Sandy McNabb, Sue Levcoff, Alan Rothsfeld, Alex MacDonald, Ken et Gerry Sweder, Bob Nozick, Steve Gould, Rick Patterson, Alan Stone et Mark Wolf, ont su exagérer les qualités et minimiser les défauts de l'ouvrage, tout en me poussant à l'améliorer. Mes plus anciens amis, Murray et Malkie Altman, Bernie et Judy Beck, Zolly et Katie Eisenstadt, Carl et Joan Meshenberg, Hal et Sandy Miller-Jacobs, Josh et Rochelle Weisberger, Barry et Barbara Zimmermann, m'ont livré leur appréciation avec leur franchise et leur sagesse habituelles.

Ma reconnaissance va également à Maura Kelley, qui a dactylographié le manuscrit à n'importe quelle heure du jour et de la nuit, et à John Orsini, prompt à trouver les réponses à mes questions. Des remerciements particuliers à Frances Jalet-Miller et à Jessica

1. Voir la couverture de l'édition originale chez Warner Books, 1999. (N.d.É.).

Papin, pour leur soutien éditorial éclairé, à Larry Kirshbaum, pour sa sévérité amicale, ainsi qu'à mon agent, Helen Rees, qui m'a guidé et encouragé durant toute l'écriture.

Et, pour finir, ma gratitude éternelle aux nombreux survivants et enfants de survivants, qui m'ont appris tant de choses sur les horreurs de l'Holocauste. À mon cousin Israël Ringel, qui m'a fourni de précieuses informations sur notre famille et la photographie de couverture [1].

J'espère que mon livre aidera à mieux comprendre les victimes du pire crime qui ait jamais été perpétré – un crime dont les responsables sont trop souvent restés impunis, et n'ont même jamais été poursuivis.

1. Voir la couverture de l'édition originale. (N.d.É.).

Table des matières

Troisième partie

Affronter la vérité

Quatrième partie

Nekama !

Cinquième partie

L'enquête

Épilogue

Sixième partie

L'instruction

Septième partie

Le procès

Huitième partie
Le verdict